Libro práctico de Yoga para Niños

Título original: Yoga for Children
Traducido del inglés por Julia Fernández Treviño
Diseño de portada: Editorial Sirio, S.A.
Maquetación y diseño de interior: Toñi F. Castellón
Fotografías de Home Town Photo

www.editorialsirio.com
sirio@editorialsirio.com

I.S.B.N.: 978-84-17399-33-7
Depósito Legal: MA-1315-2018

Impreso en Imagraf Impresores, S. A.
c/ Nabucco, 14 D - Pol. Alameda
29006 - Málaga

Impreso en España

Puedes seguirnos en Facebook, Twitter, YouTube e Instagram.

Lisa Flynn

Libro práctico de Yoga para Niños

Más de 200 posturas de yoga,
ejercicios de respiración y meditaciones
para niños y niñas sanos, felices y resilientes

Para mi familia, que es mi inspiración,

John, Brooke y Jack

Estoy muy agradecida a todas las personas que han colaborado directa o indirectamente con este libro. En primer lugar, me gustaría agradecer a los editores y al equipo artístico de Adams Media. Mi agradecimiento especial a mi editora, Victoria Sandbrook, por alentar y guiar a esta novata a lo largo del proceso. Doy las gracias a Brianne, porque evidentemente nada es imposible.

Mi más sincera gratitud a mis maestros y mentores Bob Butera, Julie Rost y Carrie Tyler, entre muchas otras personas en cuya compañía he aprendido y he crecido.

A todos los apasionados y sabios maestros, colegas e investigadores que lideran el campo del yoga y del *mindfulness** para jóvenes, y a otros expertos con los cuales me he entrenado, o a quienes he tenido la bendición de conocer para aprender de ellos a lo largo de los años: Marsha Therese Danzig, Helen Garabedian, Leah Kalish, Donna Freeman, Abby Wills, Craig Hanauer, Shakta Khalsa, Erin Maile O'Keefe, Christy Brock, Allison Morgan, Shari Vilchez-Blatt, Jodi Komitor, Anne Desmond, Charlotte Reznick, Amy McGready, B.K. Bose, Sat Bir Khalsa y Danielle Day, entre otros.

Muchos abrazos a todos los niños guapos y con talento fotografiados en este libro, entre los que se incluyen algunos de mis alumnos, amigos y familiares: Lilyanna, Bella, Judah, Shivani, Daniel, Tierney, Sophia, Grace, Malkias, Maia, Samantha, Wade, Izzy, Liam, Brooke, Jack, Hannah, Meghan, Shannen, Bridget, Taylor Ann, Ella, Luke, Madeleine, Erin, Bryn, Liam, Megan, Cullen, Maura, Emilie, Tyler, Delaney y David, así como también algunos de sus padres que también fueron retratados.

Muchas gracias a mi equipo de ChildLight Yoga® y Yoga 4 Classrooms®, especialmente a Stacey, Julie, Marina, Sharon, Heather y Sally, por su compromiso permanente con este trabajo y su aliento y apoyo constantes; y también a los antiguos miembros del equipo, Lisa Burk-McCoy y Heather Warr.

A mis amigos y a mi extensa familia, gracias por los consejos, por los vehículos compartidos y por el cuidado de los niños, por los numerosos correos electrónicos, llamadas y mensajes en Facebook brindándome apoyo, por su paciencia y su amor; les estoy francamente agradecida.

A mi madre, mi marido y mis hijos les doy las gracias no solamente por tolerar muchos días y noches de abandono mientras escribía el libro, sino también por ser mi inspiración y mi «sección de animación personal». Os amo.

Y finalmente agradezco a todos los niños, familias y educadores con los que he tenido la bendición de compartir muchos momentos, y de los cuales he aprendido tanto a lo largo de los años. *Namaste*.

---

* N. de la T.: *mindfulness* puede considerarse una filosofía de vida que incluye la práctica de la meditación y varias técnicas de relajación. La palabra inglesa ha sido traducida al español de diferentes formas, todas compuestas a falta de una palabra que corresponda al significado original. Las traducciones más comunes son Atención Plena, Plena Conciencia, Presencia Mental y Presencia Plena/Conciencia Abierta, entre otras. No obstante, preferimos utilizar el término original dada su amplia difusión en la actualidad.

Índice

UNA INVITACIÓN

¿Recuerdas cuando de niño salías a jugar a la calle? Tal vez jugabas a la pelota o inventabas algo que hacer por tus propios medios. Quizás ibas andando, o en tu bicicleta, hasta la casa de un amigo al otro lado de la ciudad. ¿Recuerdas que te sentabas a cenar con tu familia, al menos ocasionalmente? ¿Y que todos os reuníais para compartir los juegos de mesa? ¡Yo sí lo recuerdo! Aunque nuestros orígenes y nuestra educación probablemente no han sido iguales, es innegable que nuestros hijos viven ahora en una época muy diferente a la nuestra.

En el mundo actual los niveles de estrés y ansiedad de los niños se han disparado. Las exigencias diarias en el colegio, la enorme cantidad de actividades extraescolares, los deportes competitivos y las tareas o deberes son cada vez más numerosos y han reemplazado a las oportunidades de recurrir a antídotos naturales para eliminar el estrés, como son los juegos espontáneos sin ningún tipo de planificación y la posibilidad de jugar fuera de casa. Y a pesar de nuestras mejores intenciones, nuestros hijos reciben nuestro propio estrés, comen alimentos superprocesados, ven programas para niños que son inadecuados y están constantemente expuestos a un mundo cada vez más tecnológico. ¡Ufff! Los niños tienen pocos mecanismos para asimilar todos los estímulos que reciben, y por tanto se agobian física y mentalmente con mucha facilidad. No debe sorprendernos que cada vez haya más niños a los que se les diagnostican trastornos de ansiedad y con problemas de agresividad y de atención.

Durante los últimos veinticinco años se ha escrito mucho acerca de los efectos negativos del estrés en la salud de los adultos. Sin embargo, la investigación sobre los efectos del estrés en los niños no se inició hasta hace aproximadamente diez años. En la actualidad, cada día se publican artículos, libros y otros materiales relacionados con el estrés infantil, una señal de que estamos ante una crisis.

Un niño estresado puede manifestar diversos síntomas, como por ejemplo terrores nocturnos, hiperactividad, apatía, miedo, jaquecas, incontinencia nocturna y problemas emocionales, como comer en exceso, baja autoestima, falta de compasión, ira y arranques de violencia. Por otra parte, numerosos estudios han ilustrado que los niños son incapaces de concentrarse y aprender cuando sufren estrés mental y físico.

A mi propio hijo le diagnosticaron un trastorno de déficit de atención y desorden de procesamiento sensorial cuando tenía seis años. La ironía de que su madre sea profesora de yoga y *mindfulness* para niños no me pasó desapercibida. Nosotros los yoguis no estamos exentos de tener hijos con problemas de atención (una exagerada incapacidad para estar presente). Pero quiero pensar que Jack llegó a mi vida precisamente porque soy profesora de yoga. De diversas maneras, y en muchos niveles, él es mi maestro. Me ha inspirado a realizar mi trabajo en un grado mucho más profundo y personal.

He podido observar directamente los efectos negativos que produce ver demasiada televisión o pasar demasiado tiempo frente al ordenador, en lugar de entretenerse con juegos creativos fuera de casa: irritabilidad general, deseo de estar constantemente entretenido, problemas de concentración y atención, hiperactividad o apatía, ansiedad y conductas inapropiadas. En el caso de mi hijo, y también de muchos otros niños, las exigencias de nuestra cultura actual generan una predisposición a la ansiedad y problemas de concentración. No obstante, todos los niños pueden verse afectados negativamente por el estrés y la sobreestimulación.

Ningún niño quiere sentirse mal, irritable ni ansioso, ni tampoco tener problemas debido a la hiperactividad o a conductas inadecuadas. Los niños son básicamente alegres, pacíficos y compasivos. Pero es bastante frecuente que a medida que los estímulos del mundo exterior aumentan les resulte cada vez más difícil conectarse con su ser auténtico y tranquilo. De hecho, creo que tanto los niños como los adultos pueden «olvidarse» de que disponen de la capacidad de reflexionar y conectarse consigo mismos, si no tienen ocasión ni espacio para hacerlo. Este es uno de los pilares de los programas *ChildLight Yoga®* y *Yoga 4 Classrooms®*.

Los niños deben gozar de oportunidades para apartar su conciencia de este mundo caótico y abrumador para poder aprender de una manera creativa y llegar a ser seres humanos compasivos, respetuosos y conscientes de sí mismos. Y para conseguirlo, hay que guiarlos al momento presente, un espacio donde pueden hacer una pausa, escuchar y sentir de verdad, y reflexionar y aprender. Unas pocas respiraciones profundas, un movimiento o un estiramiento consciente, nuevas oportunidades para conectar con su familia o con los compañeros de clase y momentos dedicados a una tranquila introspección son recursos fáciles y rápidos para volver a instaurar el sistema cuerpo-mente en un estado de calma, concentración y conexión. En ese espacio los niños pueden desarrollar la capacidad para conocer, comprender y apreciar su verdadera naturaleza. Los niños pueden ser empoderados para dirigir su atención hacia sí mismos y conocer los dones de la sabiduría interior: la confianza, la alegría, la compasión y la satisfacción.

En el 2007 se celebró el primer Simposio Internacional de Yogaterapia e Investigación en Los Ángeles. Prácticamente una cuarta parte de los estudios presentados en el simposio se centraban en los niños y adolescentes. Desde entonces, se han realizado un número cada vez mayor de estudios que se ocupan de la enseñanza de yoga para niños y jóvenes, y hay muchos más en camino. La evidencia apoya lo que muchos de nosotros ya conocemos a través de nuestra propia experiencia: el yoga es beneficioso para todos, en especial para los niños.

Quiero felicitarte personalmente por tu decisión de aprender más acerca de cómo compartir el yoga con tus hijos. Tal vez seas principiante, aunque también es posible que ya hayas experimentado los beneficios del yoga en tu propia vida pero no sepas cómo compartir la experiencia con tus hijos. Para empezar a practicar yoga y *mindfulness* con tu hijo no necesitas ser un experto. Este libro te mostrará cómo compartir los regalos del yoga con los niños que están bajo tu cuidado de una manera rápida, fácil y efectiva. Las actividades que comparto en él se basan en la investigación, y su eficacia ha sido verificada. Sin embargo, debido a mi experiencia personal trabajando con niños, su contenido es fundamentalmente práctico pues mi deseo es inspirarte y empoderarte para que tú y tus hijos podáis empezar de inmediato.

Tengo la esperanza de que esta guía te resulte útil para iniciar el gozoso viaje de compartir el yoga con tus hijos. En última instancia, el yoga se centra básicamente en estar conectado. Dedica un poco de tiempo a practicarlo con tus hijos porque será una gran oportunidad para afirmar los vínculos y la conexión mutua. Disfruta con el material presentado, tienes toda la libertad de hacerlo tuyo. ¡Me gustaría añadir que me haría mucha ilusión conocer las historias y experiencias vividas con la ayuda de este libro!

Primera parte

Practica YOGA con tus HIJOS

¡Bienvenidos! En la primera parte de este libro conocerás casi toda la información que necesitas para empezar a organizar las sesiones de yoga con tus hijos. Aquí encontrarás información general sobre los antecedentes y la historia de la práctica yóguica. Descubrirás un capítulo sobre los diversos beneficios del yoga para ti, tus hijos y tu familia, y todos los datos que necesitas para estructurar las sesiones de yoga con los niños en tu propia casa. Aprenderás la práctica adecuada para las diferentes edades: las consideraciones especiales para cada grupo de edad, el mejor sitio de la casa para practicar yoga, los materiales básicos que requerirás y algunas propuestas divertidas que son especialmente útiles para hacer yoga con los niños. También se incluyen diez sugerencias para tener éxito y algunas ideas sobre el momento oportuno para practicarlo (¡que es casi cualquier momento!). Conocerás los principios del yoga (las normas éticas) que pueden aplicarse a los niños y aprenderás la forma de incorporarlos a la práctica, sembrando las semillas para mantener conversaciones fructíferas que además de promover un mayor acercamiento entre tú y tus hijos pueden servir como una introducción temprana a una vida sana. ¡Vamos a empezar!

UNA INTRODUCCIÓN AL YOGA

¿QUÉ ES EL YOGA?

Lo más probable es que por el hecho de haber elegido este libro ya tengas alguna idea de qué es el yoga. Tal vez ya lo practicas personalmente y ahora deseas ofrecer los regalos del yoga a tus hijos. Independientemente de que seas o no un yogui, detenerse a pensar qué es el yoga es una buena manera de anticiparse a la forma de organizar esta maravillosa práctica para compartirla con los niños. Por lo tanto, ¿qué es el yoga y cómo funciona?

El yoga está en todas partes: en los anuncios publicitarios de la televisión, en los gimnasios y en tu Wii Fit...* y por una buena razón. Esta disciplina tiene cinco mil años de antigüedad y fue diseñada para promover la salud, la felicidad y una mayor percepción del propio ser. Tiene su origen en la antigua India y es una de las prácticas holísticas para el cuidado de la salud que más tiempo han sobrevivido en el mundo. El yoga se ha transmitido a través de generaciones, y fue introducido por primera vez en América a finales del siglo XIX. Ahora se practica a lo largo y ancho del planeta y en todas las culturas y religiones. La investigación científica ha confirmado lo que hace miles de años los antiguos yoguis aprendían a través de la observación personal. El yoga es beneficioso para el cuerpo, la mente y el alma.

¿CÓMO FUNCIONA EL YOGA?

Traducido del sánscrito, *yoga* significa 'ligar' o 'unir'. El yoga es un sistema que conecta todo el ser: el cuerpo, la mente y el espíritu. El término *espíritu* deriva de la palabra griega *spirare*, que significa 'respirar', de modo que esto también nos sugiere la unión del cuerpo, la mente y la respiración (de hecho, así es como describimos el yoga a los niños). Al practicar las posturas de yoga los huesos se alinean y los músculos se fortalecen, se estiran y se relajan. Al mismo tiempo, la sangre se oxigena y ayuda a tonificar el sistema nervioso, la circulación y otras funciones corporales experimentan una notoria mejoría, la flexibilidad aumenta y las tensiones acumuladas se liberan. Concentrarse en la respiración cuando el cuerpo está en quietud, o

* N. de la T.: «Wii Fit» es un videojuego desarrollado por Nintendo para la consola Wii. Contiene actividades pertenecientes a cuatro modalidades deportivas: yoga, tonificación, aeróbic y equilibrio.

durante los estiramientos y posturas de equilibrio, estabiliza el cuerpo físico y la mente y armoniza la relación entre ambos. La práctica continuada sostiene y desarrolla esa conexión, contrarrestando los efectos del estrés y ofreciéndonos la posibilidad de centrarnos, lo que significa alcanzar un estado en el que nuestro cuerpo, mente y espíritu están «unidos». Como resultado, nos sentimos más integrados, concentrados y relajados.

La ciencia que respalda el yoga es bastante simple. Cuando nos sentimos frustrados, ansiosos, enfadados, tristes, etc., nuestros cuerpos responden produciendo hormonas del estrés, específicamente adrenalina y cortisol. Esto causa que nuestro ritmo cardíaco se acelere, nuestra respiración sea superficial y los músculos del cuello y la espalda se contraigan. La sangre se desvía de su camino hacia el cerebro y otros órganos para dirigirse hacia los grandes músculos del cuerpo, que la «toman y salen corriendo». Los músculos de los ojos se dilatan de tal modo que, literalmente, no pueden enfocar. (Recuerda la primera vez que te encontraste al frente de la clase para hacer una presentación y no conseguías leer las notas que tenías apuntadas). Estas respuestas instintivas frente al estrés son necesarias si nos encontramos en un grave peligro y necesitamos luchar o huir de una situación peligrosa... pero la mayor parte de las veces no nos hallamos en esas circunstancias. Si esas hormonas acumuladas no encuentran una salida, podemos terminar sufriendo estrés crónico. Y precisamente la causa de innumerables problemas de salud, enfermedades y trastornos es el estrés crónico.

Los adultos pueden optar por salir a correr, recibir un masaje o llamar a un amigo para contrarrestar el estrés. Pero ¿qué es lo que pueden hacer los niños con su estrés? ¿Cuáles son sus recursos? Hoy en día tienen todavía menos mecanismos constructivos para gestionar el estrés que los adultos.

La buena noticia es que el yoga anula la respuesta frente al estrés, produciendo cortocircuitos en las hormonas que provocan la reacción de «luchar o huir». Eso se aplica tanto a los adultos como a los niños. Practicar yoga fomenta la concentración física y mental, la fuerza, el equilibrio, la flexibilidad y la buena salud general. Cuando estamos concentrados y equilibrados, todo es más fácil: concentrarse y aprender, dormir, dominar las reacciones impulsivas y tomar mejores decisiones. El yoga facilita la conectividad. A medida que aumenta nuestra capacidad para autorregularnos somos más conscientes de nosotros mismos. Nuestra habilidad para gestionar nuestras emociones y reacciones, prestar atención y concentrarnos, calmarnos y centrarnos mejora sustancialmente. En este estado de equilibrio somos más capaces de conectar con nuestra alegría innata, con el amor y la paz... para nosotros mismos, para los demás y para el mundo en su conjunto. Este estado de conectividad desde dentro hacia fuera es la verdadera esencia del yoga.

Cuando trabajamos con niños podemos comenzar por posturas de yoga, ejercicios respiratorios y otras actividades de *mindfulness* destinadas a calmar la mente, y combinarlos con algunos temas de reflexión sobre los principios del yoga, como son la honestidad, la no violencia y la higiene (por ejemplo, consumir alimentos sanos y nutritivos). Todos estos

componentes del «estilo de vida yóguico» trabajan combinadamente para ayudar a los niños a tener una existencia más tranquila, tanto en el terreno físico como mental.

LA VERDAD SOBRE EL YOGA: ALGUNOS MITOS COMUNES DESMENTIDOS

Ahora que el yoga se puede encontrar en cualquier cultura occidental, inevitablemente han surgido muchos mitos. Es posible que hayas escuchado algunos, y te hayan suscitado preguntas. A continuación encontrarás explicaciones para los mitos más comunes sobre el yoga. Esto debería ayudar a desmentir las informaciones incorrectas, dar lugar a una comprensión más profunda del yoga y resolver las dudas o los temores que puedas tener en relación con la práctica.

Mito 1: el yoga es una religión. Tengo que ser budista o hinduista para practicarlo

El yoga es una *disciplina* y no una religión. Puedes adoptar la fe cristiana, judía, musulmana, o no tener ninguna creencia en particular, y a pesar de ello puedes practicar yoga.

El yoga es una forma de vivir, tanto para adultos como para niños. Las normas generales para un estilo de vida yóguico establecidas por Patanjali incluyen principios universales que nos ofrecen instrumentos para tener una vida de pureza física y mental (capítulo tres); posturas de yoga (capítulos seis y diez) para purificar el cuerpo físico a través de movimientos estructurados, estiramientos, fortalecimiento muscular y posturas de equilibrio; ejercicios de respiración consciente (capítulo cinco), y prácticas de meditación (capítulo cuatro) para calmar el sistema cuerpo-mente. Todas esas prácticas juntas allanan el camino hacia la investigación espiritual. De manera que en lugar de imponer una doctrina, el yoga ofrece a los niños una herramienta para la exploración espiritual. En verdad, el yoga nutre los corazones, las mentes y los cuerpos de los niños (y de los adultos) sin vulnerar las creencias individuales y de sus familias, y puede incluso lograr que la conexión entre los niños y las creencias familiares sea más profunda.

Mito 2: si quieres ser un yogui, debes ser vegetariano o consumir exclusivamente alimentos crudos

Puedes comer todo lo que te apetezca y seguir siendo un yogui. Sin embargo, debo advertirte que al practicar yoga con el tiempo puedes tender hacia el vegetarianismo porque el yoga fomenta una vida pacífica.

Aunque no necesitas comer sano, este es un aspecto importante del estilo de vida yóguico. En yoga, *sattva* se define como la cualidad de la pureza o la bondad. La dieta yóguica recomendada es *sátvica*, es decir, compuesta por alimentos integrales frescos y mínimamente procesados. Los alimentos con un gran contenido de azúcar y las bebidas con cafeína son consideradas *rajásicas,* lo que significa que agitan o perturban. Y los alimentos altamente procesados que encontramos en las estanterías de los supermercados son *tamásicos*, es decir, productos que drenan nuestra energía.

En los Estados Unidos los alimentos son clasificados por categorías basándose en su composición y su valor nutricional. El Departamento de Agricultura Estadounidense (USDA, por sus siglas en inglés) clasifica los alimentos en cinco grupos alimentarios, y establece pautas relativas a la cantidad diaria que es aconsejable consumir de cada categoría. En el 2005, el Instituto Nacional del Corazón, los Pulmones y la Sangre creó nuevas categorías para alimentos que son más fáciles de comprender por los niños: alimentos «GO»* (recomendados), alimentos «SLOW»** (moderados) y alimentos «WHOA»*** (no recomendados). Puedes entrar en www.nhlbi.nih.gov para obtener más información.

Cualesquiera que sean las pautas alimentarias que sigue tu familia, recuerda que «eres lo que comes». La comida tiene un enorme efecto sobre el cuerpo. Todo lo que ingieren tus hijos incidirá sobre su capacidad para regular su cuerpo y sus estados de ánimo, dormir bien, mantenerse en forma y aprender. Y aunque para practicar yoga no es necesario seguir ningún régimen alimentario especial, comer sano es importante para la práctica de yoga de tus hijos y para los muchos y maravillosos beneficios que todos disfrutaréis cuando lo practiquéis juntos.

Encontrarás más información sobre la nutrición y la salud general de los niños en la página web www.kidshealth.org.

Comer con conciencia

Ser consciente significa prestar mucha atención a lo que estamos haciendo en todo momento. Comer con conciencia quiere decir prestar atención a lo que te llevas a la boca y al proceso de comer. Las personas que se alimentan de manera consciente aprecian sus alimentos y los toman lenta y atentamente. Masticar despacio los alimentos garantiza que se digieran adecuadamente y que los nutrientes que necesitamos se distribuyan de forma efectiva por nuestro organismo.

* ADELANTE.

** DESPACIO.

*** BASTA.

Puedes motivar a tu hijo para que tome consciencia de lo que come. Ayúdalo a registrar todo lo que consume a lo largo de una semana y a comparar los alimentos que elige con las recomendaciones que incluyo en esta sección. Al cabo de un mes repite el proceso para verificar si ha habido algún cambio. Si no se observan mejoras, estimula al niño para que siga intentándolo. Los pequeños cambios se suman y producen grandes cambios con el paso del tiempo. Llévalo contigo al mercado o supermercado, leed las etiquetas, discutid posibles opciones y elegid juntos los mejores alimentos. Siéntate junto a él en las comidas y conviértelas en un ritual donde los alimentos se ingieren lenta y conscientemente.

Mito 3: si quieres practicar yoga, debes ser superflexible y estar en perfecta forma física

Cualquier persona puede practicar yoga. Las asanas, o posturas físicas, son solamente el eje de uno de los ocho pasos (u ocho ramas) del yoga y, sin embargo, son el aspecto más reconocido en nuestra cultura occidental. Esencialmente, puedes practicar yoga por el mero hecho de ser capaz de respirar. Nuestras prácticas de yoga individuales varían según nuestras capacidades físicas, y existen modificaciones aceptables para prácticamente cualquiera de las posturas. Hay yoga para principiantes, yoga para practicar en una silla, yoga para personas en silla de ruedas, yoga para los que están postrados en la cama, yoga para los que tienen lesiones deportivas, yoga prenatal y yoga para una enorme variedad de necesidades especiales y problemas de salud. ¡El yoga es para todos!

*(**Nota:** si tu hijo tiene una enfermedad o patología específica, deberías consultar con un médico antes de iniciarlo en cualquier tipo de yoga).*

Mito 4: si quieres meditar, debes cantar el OM durante horas en una habitación tranquila

Hay muchas maneras de meditar. De hecho, la práctica física de yoga se considera en sí misma una «meditación en movimiento». Con OM o sin OM, mientras practicas yoga en cierto grado estás meditando.

La meditación consiste en un conjunto de prácticas y técnicas diseñadas para calmar la mente. Parece fácil, ¿verdad? No obstante, si ya lo has probado, sabes que no es tan simple. Nuestra mente tiende a ser bastante activa y la atención se mueve de aquí para allá. ¡Y muy especialmente la mente de los niños! La palabra *meditación* puede suscitar muchas imágenes

mentales estereotipadas. Puedes pensar en una persona sentada en la postura del loto cantando un mantra, como puede ser el OM (A-U-M). Esta es la representación por excelencia de la meditación, y por la cual es principalmente reconocida. En realidad, existen diversos tipos de prácticas meditativas que pueden ayudarnos a entrenar el cuerpo y la mente y mantenernos centrados en el momento presente. Algunas personas se sientan en silencio con los ojos cerrados y recurren a un mantra, o a una frase repetida, como punto de concentración. Este puede ser un método efectivo para concentrarse y comenzar a calmar la actividad mental. Otras se centran simplemente en la respiración, una imagen visual, una frase o una idea, y esto les funciona muy bien. También hay otras formas de meditar, como puede ser caminar, correr, nadar o realizar otras actividades físicas de forma consciente. Tu propia personalidad te hará inclinarte por diferentes tipos de práctica meditativa. No hay ningún enfoque que sea superior a otro. El mero hecho de concentrarse en algo sirve para aquietar y limpiar la mente.

Dicho esto, las prácticas meditativas más adecuadas para los niños son las de la atención consciente. Los niños pueden «meditar», aunque la palabra tiene un significado diferente para ellos que para los adultos. En verdad, cuando trabajamos con niños debemos centrarnos principalmente en ayudarlos a dirigir su atención hacia el interior *(pratyhara)*, una práctica precursora de la meditación en el camino de los ocho pasos del yoga clásico. Dado que los niños tienden más a sentir el espacio que los rodea que a proyectarse en él, es más importante que los padres practiquen la meditación para que puedan servirles de modelo y llevar esa energía a su casa de modo que los niños la perciban.

Ahora que ya hemos explorado los fundamentos del yoga y los mitos más comunes asociados a él, seguramente ya conoces mejor lo que significa la práctica. En el siguiente capítulo nos ocuparemos de los diversos beneficios que nos aporta el yoga y de cómo tu hijo y toda tu familia pueden aprovecharlos. ¡Lo cierto es que introducir el yoga en tu hogar es uno de los mejores regalos que puedes hacerte a ti mismo y a tus hijos!

Capítulo 2

BENEFICIOS DEL YOGA PARA LOS NIÑOS Y LAS FAMILIAS

FORTALECE EL CUERPO, LA MENTE Y EL ESPÍRITU DE TU HIJO

Tu hijo puede sentirse agobiado diariamente. En la actualidad hay muchos niños que sufren debido a una falta de conexión con su cuerpo, con el entorno y consigo mismos. Nuestra cultura rica en estímulos, saturada de información y con un ritmo frenético vapulea a los niños en muchas direcciones dispersando su atención. A las jóvenes mentes en desarrollo de muchos de esos niños les resulta imposible absorber y procesar todos los estímulos que reciben.

Cada vez son más los niños de países industrializados, en todos los ámbitos sociales, que sufren sobrepeso, padecen estrés, manifiestan conductas agresivas y tienen problemas de atención y aprendizaje. Hay una verdadera separación entre la mente y el cuerpo, y su atención está constantemente pendiente de las distracciones cada vez mayores que ofrece el mundo externo. Los padres que están desbordados de trabajo y los niños que tienen demasiadas actividades a menudo se aíslan de sus familias y sus relaciones sociales. Ahora es cada vez más común que padres e hijos se comuniquen a través de mensajes de texto o correos electrónicos en lugar de sentarse juntos a la mesa para comer. ¿Acaso alguna de estas situaciones te suena familiar?

Como padres y adultos conscientes, debemos brindar a nuestros hijos todos los instrumentos posibles para ayudarlos a contrarrestar una cultura y un entorno que son potencialmente peligrosos para su salud y su bienestar. A través del uso de las herramientas de yoga, juegos y cuentos podemos ofrecerles oportunidades para crecer física, mental, emocional y espiritualmente, ayudándolos a conectarse consigo mismos y con los demás de una manera compasiva, comprensiva y clara.

Estar atento a la señales de advertencia

Los niños modernos (y los adultos) padecen diariamente estrés físico y mental. Los problemas que genera esta situación incluyen: incapacidad para regular sus emociones, tendencia a comer en exceso o comer de forma inconsciente, menor habilidad para utilizar su imaginación, imagen corporal negativa, baja autoestima e incapacidad para sentir compasión, empatía y respeto por sí mismos y por los demás. Si tú y tus hijos os sentís agobiados, una forma maravillosa de combatir los efectos perjudiciales de la falta de conexión y de una agenda de actividades demasiado llena es organizar una rutina de yoga.

Cuerpos sanos

En el 2012, el Centro para el Control y la Prevención de Enfermedades Estadounidense informó que la obesidad infantil se había triplicado con creces en los últimos treinta años. Es indudable que los niños pasan mucho más tiempo dentro de casa y se mueven mucho menos. Aunque tu hijo sea activo, de todos modos puede obtener grandes beneficios de los movimientos que se realizan en las sesiones de yoga. Sus músculos, huesos y articulaciones se alargarán y fortalecerán y su flexibilidad general mejorará si lo practica de forma regular. Por otra parte, este tipo de movimiento que mejora la circulación fomenta el buen funcionamiento de los principales sistemas orgánicos, entre ellos los sistemas digestivo, endocrino, inmunitario y respiratorio. ¡El yoga fortalece *todo* el cuerpo de tu hijo!

A continuación resumo los principales beneficios físicos del yoga para niños:

- Colabora en el desarrollo neuromuscular.
- Fomenta el desarrollo del sistema vestibular.*
- Aumenta la circulación, la asimilación de oxígeno y la actividad hormonal.
- Estimula el desarrollo motriz en ambos lados del cuerpo.
- Incrementa el equilibrio, la coordinación y la conciencia general del cuerpo.
- Fortalece la región central del cuerpo, que resulta esencial para tener una buena postura y alineación.
- Reduce el riesgo de lesiones y mejora el rendimiento de las actividades deportivas.
- Mejora la digestión y la eliminación.

* N. de la T.: El sistema vestibular está formado por partes del oído interno y del cerebro, que procesan la información sensorial relacionada con el control del equilibrio y el movimiento ocular.

- Fortalece el sistema inmunitario.
- Ayuda a tratar las enfermedades crónicas.
- Relaja el cuerpo y ayuda a dormir mejor.
- Mejora el rendimiento cerebral y la capacidad mental.

¡Investiga!

Las investigaciones cada vez más numerosas sobre la relación cuerpo-mente y sobre el cerebro demuestran que los niños que practican yoga están más conectados con el momento presente y más empoderados para gestionar sus emociones; además, se sienten más satisfechos en el colegio, lo que se pone de manifiesto a través de un mejor rendimiento y mayor bienestar en la vida en general. Si quieres más información sobre los beneficios del yoga para niños y leer artículos de investigaciones que apoyan esta práctica, puedes consultar www.yoga4classrooms.com y www.thekidsyogaresource.com.

Las investigaciones sugieren que las conductas que se mantienen con el paso del tiempo comienzan a formar parte de las conexiones neurológicas permanentes del cerebro. Esto se denomina *neuroplasticidad*, y significa que el cerebro es maleable, o lo que es lo mismo, que tiene capacidad para modificarse. Cada vez que tu hijo realiza una nueva acción, las neuronas de su cerebro establecen nuevas conexiones para ayudarlo a aprender y recordar esa acción. Dichas acciones y patrones de pensamiento se convierten en hábitos cuando se realizan con regularidad. La frase que ya he mencionado «eres lo que comes», en términos de neuroplasticidad significa «eres lo que haces». Repetir regularmente las conductas, los movimientos y los patrones de pensamiento positivo cuando estás con tus hijos literalmente puede ayudar a reconfigurar el modo en que se comportan nuestro cuerpo y nuestro cerebro, y esto en última instancia da lugar a hábitos de vida positivos. ¡Menudo regalo para tu hijo!

Si practicas yoga con tu hijo, lo ayudarás a desarrollar una mente más fuerte y sana. Los estudios demuestran que el yoga:

- Calma y aclara la mente.
- Sitúa al niño en el momento presente.
- Alivia la tensión y el estrés.

- Aumenta la concentración, la amplitud de la atención y la capacidad para mantenerse centrado.
- Estimula la reflexión y mejora la memoria.
- Estimula el procesamiento auditivo y la capacidad de respuesta.
- Desarrolla la imaginación y la creatividad.
- Mejora la capacidad para controlar las reacciones, además aumenta la conciencia sobre los pensamientos, el habla y la acción.
- Reduce el estrés y la ansiedad.
- Equilibra los niveles bajos y altos de energía.
- Mejora la atención y el control emocional.
- Ejerce una influencia positiva sobre la función de los neurotransmisores.

Estimula la capacidad mental de tu hijo

Las investigaciones sobre neurociencia y desarrollo infantil realizadas por el National Scientific Council of the Developing Child (Consejo Científico Nacional de los Niños en Desarrollo) destacan que excesivos daños producidos por el estrés afectan a la arquitectura del cerebro en desarrollo de los niños. En consecuencia, son vulnerables a padecer problemas de aprendizaje y conducta, así como trastornos de la salud en general durante toda su vida. Las pruebas demuestran que una práctica sostenida de yoga y *mindfulness* es una forma eficaz de promover el desarrollo sano del cerebro y de sus funciones y de fomentar la resiliencia al estrés. Visita www.yoga4classrooms.com para obtener más información sobre este tema.

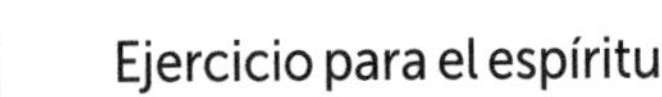

Ejercicio para el espíritu

Un informe publicado en el 2010 en la revista académica *Journal of Happiness Studies* demostró que los niños con edades comprendidas entre los ocho y los doce años que son más espirituales también son más felices. La espiritualidad no se define en este caso basándose en las prácticas religiosas del niño, como puede ser ir a misa, sino por su capacidad para encontrarle sentido a su vida, valorarla y mantener relaciones interpersonales profundas. El espíritu de tu hijo lo conecta con los demás y es esencial para que sea un niño sano y equilibrado. Las prácticas de yoga fomentarán su evolución espiritual, ayudándolo a percibir la belleza y la luz que hay en su interior, estimulando su confianza y haciéndole sentirse más a gusto con su cuerpo. El yoga contribuirá a que se conecte de una manera más rica, positiva y pacífica consigo mismo, con los demás y con el mundo.

Mediante una rutina de yoga tu hijo aprovechará muchos de los reconocidos beneficios de la práctica para la espiritualidad de un niño. El yoga fomentará la confianza y la autoestima, el desarrollo del carácter y la inteligencia emocional, las habilidades para trabajar en equipo y la capacidad de relacionarse socialmente. Ayudará a desarrollar el autocontrol, estimulará la individualidad y la expresión personal y potenciará la conciencia de obligación cívica. Una práctica regular ayudará a tu hijo a tener una sensación de conectividad y le inspirará respeto por él mismo y por los demás.

Alimenta la espiritualidad de tu hijo

Las investigaciones sobre yoga están empezando a incluir estudios con respecto a los niños más pequeños. En uno de ellos realizado en el 2008, la doctora Patricia Jennings, de la Universidad Estatal de Pensilvania, descubrió que las prácticas contemplativas, como el yoga, que se inician en la primera infancia «pueden respaldar la búsqueda del sentido y fomentar experiencias positivas de asombro y admiración que potencian el aprendizaje». Jennings también explica que el conocimiento contemplativo, a menudo potenciado a través del yoga, conecta a los niños con los demás, con los valores humanos y con el sentido de la vida.

Desarrollar valores vitales sólidos

El yoga ayuda a desarrollar importantes valores vitales en los niños. Si practicas yoga con tu hijo de manera regular, lo ayudarás a cultivar la disciplina, el autocontrol, la paciencia, la gratitud, el respeto y la satisfacción, entre otras cualidades, y habilidades positivas que le servirán para su vida. Cuanto más practiquéis juntos, más profundamente adoptará el niño los principios del yoga (capítulo tres) que le transmites durante las sesiones, y también fuera de ellas. Donna Freeman afirma en su libro *Once Upon a Pose: A Guide to Yoga Adventure Stories for Children* [Había una vez una postura: una guía de historias de aventuras sobre yoga para niños], publicado en el 2010: «Enseñar estos valores éticos a los niños les ayuda a respetarse y respetar a los demás, y también a apreciar el mundo en el que viven». No debes sorprenderte si al cabo de unas pocas semanas observas que tu hijo comienza a limpiar su habitación o a colaborar con las tareas de la casa sin que se lo pidas y, en general, se muestra más respetuoso

y consciente de los demás, de sus pertenencias y de su entorno. ¡Estos son los principios del yoga en funcionamiento!

Mejorar la vida escolar

Las conductas que se oponen al acoso escolar, la salud y el bienestar y la educación del carácter son temas muy populares en la educación estadounidense actual. Las pruebas estandarizadas son cada vez más comunes, como también lo son la ansiedad por el rendimiento y el estrés de los estudiantes (y de los maestros y profesores). Ya no nos sorprende observar que las técnicas de yoga y *mindfulness* se incorporan cada vez con más frecuencia en las aulas de todo el mundo para ayudar a los niños a resolver estas dificultades y se consiguen grandes resultados.

Por su propia naturaleza, el yoga potencia y mejora el proceso de aprendizaje. Los estudiantes revelan una mejor concentración y pensamiento creativo, y como sus funciones ejecutivas* mejoran son más capaces de establecer prioridades y organizarse. Al practicar yoga con tu hijo fomentas en él una sensación de conectividad, lo que a su vez le ayuda a tener mejores relaciones con sus compañeros. Si tu hijo es deportista, un estilo de vida yóguico le ayudará a mejorar su rendimiento potenciando su capacidad de estar más centrado, fortaleciendo sus músculos, optimizando su flexibilidad y estimulando la cooperación en equipo. Si tu hijo padece ansiedad social, el yoga puede ayudarle a desarrollar un mayor conocimiento de sí mismo, una autoestima más sólida y una mayor confianza.

A continuación expongo de qué manera el yoga puede contribuir a mejorar la vida escolar de tu hijo:

- Conecta a los estudiantes con el momento presente, dispuestos para el aprendizaje.
- Fomenta el sentido de grupo y la conectividad en el aula.
- Estimula la confianza en lugar de potenciar la competitividad.
- Reduce la ansiedad antes de los exámenes.
- Mejora la concentración, la comprensión y la memoria.
- Sirve de apoyo para el aprendizaje social y emocional.
- Despierta las mentes aletargadas y estimula la creatividad.
- Aumenta la capacidad de organización y comunicación.
- Mejora la postura y favorece la respiración, la escritura y la capacidad para permanecer sentado durante periodos prolongados.
- Mejora la capacidad para trabajar en equipo y la interacción social.
- Estimula el desarrollo de las funciones ejecutivas.

---

* N. de la T.: Las funciones ejecutivas son habilidades cognitivas encubiertas y autodirigidas internamente al servicio de una meta.

Movimiento y aprendizaje

El yoga facilita todo tipo de movimientos, incluyendo los transversales y laterales, que son cruciales para el aprendizaje. Estos movimientos son los que realizan los brazos y las piernas sobre la línea media del cuerpo. El lado izquierdo del cerebro controla la parte derecha del cuerpo y el lado derecho controla la parte izquierda. Cuando los brazos y las piernas cruzan la línea media del cuerpo, ambos hemisferios cerebrales se ven forzados a comunicarse. Esta integración de los dos lados del cerebro fomenta el aprendizaje.

YOGA PARA EL DESARROLLO DEL LENGUAJE

Pese a que el yoga es cada vez más popular entre los niños en cualquier parte del mundo, hay un beneficio importante que a menudo los padres y educadores pasan por alto: el aspecto del desarrollo del lenguaje. Las clases de yoga, así como las de *woga*,* pueden ayudar al desarrollo del lenguaje de los niños pequeños a través de instrucciones verbales lentas y repetitivas, canciones e imitación de los sonidos simples de la naturaleza.

Los niños con retraso del lenguaje a menudo tienen una naturaleza más física, en especial los varones. En una sesión de yoga puedes combinar el movimiento físico con sonidos repetitivos, lo que seguramente despertará más su interés y atención que una simple y tranquila conversación. Por ejemplo, un preescolar que no consigue pronunciar letras como la S y la Z puede disfrutar deslizándose como una serpiente mientras intenta imitar su «silbido» y también observando tus labios mientras tú produces el sonido y te tumbas en el suelo para adoptar la postura de la cobra. Después de repetir esta postura en sucesivas sesiones, será capaz de reconocer inmediatamente la palabra y el sonido que acompañan a la postura y llegará a tener la confianza suficiente para intentar repetirlo.

Los niños que necesitan un apoyo adicional para aprender las pautas del lenguaje se benefician si les muestras cómo se pronuncian las palabras de una forma lenta y repetitiva y exagerando los sonidos y la posición de los labios. Un adulto quizás considere que este tipo de aprendizaje es un poco absurdo, pero si te fijas en personajes infantiles muy conocidos, como Barney, Elmo y Dora la exploradora,** comprobarás que hablan de ese modo con su audiencia, y no debe sorprendernos que los niños respondan favorablemente.

* N. de la T.: *Woga* es el nombre que recibe una nueva modalidad de yoga especialmente desarrollada para practicarse en el agua.

** N. de la T.: Personajes de un popular video interactivo.

¡A pasarlo bien con las posturas!

Voy a darte una idea para que estimules el desarrollo del lenguaje de tu hijo. De acuerdo con Heather Warr, especialista del habla y del lenguaje, «las posturas que comienzan con el mismo sonido son excelentes para el desarrollo del lenguaje. El niño puede escuchar el sonido inicial de una postura y luego agruparlas por ese orden. Por ejemplo, las posturas que empiezan por la letra C, como la cobra, el cocodrilo o el cisne. El niño puede practicar este sonido mientras hace las posturas». Para mejorar el desarrollo del lenguaje de tu hijo puedes organizar una secuencia de posturas que comiencen con la misma letra y pedirle que diga el nombre de la postura antes de realizarla.

Heather Warr, instructora de yoga para niños y patóloga del habla y el lenguaje desde hace veinte años, afirma que la respiración es la clave porque hablamos durante la exhalación: «Si el niño no tienen un soporte adecuado para la respiración, no tendrá suficiente aire para formular los sonidos del lenguaje que requieren un flujo de aire sostenido, como por ejemplo /s/ y /z/. Nosotros trabajamos corrigiendo las posturas para que haya una extensión máxima de las costillas que requieren el volumen y la longitud de la expresión».

NIÑOS FUERTES, FAMILIAS FUERTES

Compartir el yoga en familia no solo es divertido sino que además tiene el poder de fortalecer la unión familiar. Una familia fuerte cría niños bien adaptados, conectados positivamente con las personas que los aman y empoderados para manifestar ese amor en el mundo.

Es comprensible que una familia con una agenda agotadora tenga dificultades para encontrar tiempo para dedicarlo al yoga. Por fortuna, la práctica de yoga es adaptable. ¿No cuentas con media hora para dedicarte a ello? ¡No pasa nada! Intenta practicar unas pocas respiraciones con tu hijo de camino a la audición de teatro, hacer un par de posturas simples de estiramiento respirando pausadamente antes de llevarlo al campo de fútbol, descargar juntos las tensiones acumuladas con la respiración del león o compartir un ejercicio con imágenes visuales antes de iros a la cama. Organizar las sesiones de yoga conforme a las posibilidades de tu familia (aunque les dediques tan solo de uno a cinco minutos a lo largo del día) puede ser muy beneficioso. Hacer una pausa entre las actividades para practicar yoga ofrece una maravillosa oportunidad para que la familia se relacione y brinda a tus hijos la posibilidad

de experimentar directamente de qué forma se puede utilizar el yoga como una herramienta útil en cualquier momento.

Tu familia puede beneficiarse de esos «momentos de conexión» que se producen durante la sesión gracias a las posturas en pareja, a los juegos, a las actividades y proyectos de la familia, a las representaciones familiares, a las tranquilas conversaciones sobre los principios del yoga o a los comentarios posteriores a un ejercicio de visualización. En esos momentos todos aprenderán mucho sobre los demás, crecerá la confianza mutua, el trabajo en equipo se potenciará y los vínculos afectivos serán más profundos. La comunicación y la interacción familiar, además de ser divertida, cobra sentido y mejora la relación entre tú y tus hijos, y de la familia en su conjunto.

Las semanas posteriores al inicio de un nuevo año escolar, las vacaciones, los días previos a un examen o a una competición deportiva importantes o un suceso traumático familiar son algunos ejemplos de épocas en las que tú y tus hijos podéis sentiros más ansiosos, estresados y presionados. Dedicar unos pocos minutos a practicar yoga juntos os dará «un pequeño respiro durante la tormenta», os recordará lo que es realmente importante y os enseñará recursos para manejar los sentimientos y emociones perturbadores. Aprender estas habilidades será de gran ayuda para todos los miembros de la familia durante toda su vida.

Fomentar la comunicación positiva

El tipo de comunicación positiva y lúdica y las interacciones que genera el yoga cuando se practica en familia preparan el terreno para enriquecer la intimidad, lo que da lugar a relaciones familiares más gratificantes. A través de las posturas en pareja es posible experimentar el contacto positivo. El hecho de reunirse para practicar ejercicios respiratorios conectará energéticamente a todos los miembros de la familia. Al motivarse mutuamente para realizar nuevas posturas experimentarán una sensación de aprecio y pertenencia al grupo. Y al conversar sobre los principios del yoga se abrirá un espacio común y surgirá un nuevo lenguaje. Con estas habilidades de comunicación verbales y no verbales recientemente aprendidas alcanzarán un nuevo nivel de conexión que en última instancia servirá de apoyo a todo el sistema familiar.

Fomentar el respeto

El yoga es un método de autorregulación. A través de una práctica regular tu familia obtendrá muchos beneficios: aprender a hacer pausas, reflexionar y pensar antes de actuar o de hablar. En las épocas en que los ánimos están caldeados y existe una alta posibilidad de hacer comentarios hirientes, contar con el lenguaje del yoga brindará a tu familia la oportunidad de hacer una pausa conjunta, elegir y practicar ejercicios respiratorios o posturas destinadas a serenarse y volver a reunirse cuando todos estéis en condiciones de relacionaros de una forma más sosegada y positiva. Gracias a los principios del yoga (capítulo tres) tu familia puede aprender a actuar con respeto dentro y fuera de casa.

Reducir el estrés familiar

Es importante recordar que el estrés es principalmente un estado mental, y que podemos elegir estar estresados o no. Las familias que aprenden y practican esta afirmación descubren que sus niveles de estrés disminuyen. Hay muchas ocasiones en las que no conseguimos eliminar los factores que producen el estrés en nuestra vida familiar. Pero lo que sí podemos hacer es aprender a controlar nuestras reacciones y enseñar a nuestros hijos la forma de lograrlo. En última instancia, el objetivo del yoga es adaptarse a los acontecimientos. Servir de modelo a tus hijos mostrándoles que no te dejas llevar por tus impulsos es la mejor forma de enseñarles a controlar sus reacciones. Hazles saber que te sientes agobiado: «La casa está hecha un lío, vosotros queréis que os ayude con las tareas escolares, y ni siquiera he preparado la cena. Me siento muy agobiada... ¿Por qué no nos sentamos y respiramos un rato juntos?». Este enfoque te proporcionará un momento de calma para volver a centrarte, servirá de modelo positivo para tus hijos y además será una excelente oportunidad para estar reunidos. Tus hijos podrían sentirse bien si tienen ocasión de recordarte que hagas «una cuenta atrás para calmarte» (capítulo cinco) si te ven estresado. ¡Y tú deberías permitirles que lo hagan! Ellos se sentirán útiles y valorados, y todo el mundo resultará beneficiado.

Intenta convocar a tu familia a un «rescate de yoga» especialmente durante las épocas de estrés. Dedica un rincón tranquilo de alguna de las habitaciones para practicar yoga y otras actividades relajantes. Reúne allí a los miembros de tu familia para que compartan sus sentimientos y pensamientos. Luego, basándote en sus comentarios, elige un ejercicio respiratorio simple y una secuencia de posturas relevante para hacer juntos. Al terminar la sesión pídeles que vuelvan a compartir sus sentimientos y pensamientos, observando y destacando los cambios que se han producido tanto a nivel físico como mental. Abrazaos antes de continuar con vuestras tareas diarias con una sensación de paz y conectividad.

Favorecer mejores vínculos familiares

Una familia que dedica tiempo a reunirse es una familia con vínculos sólidos. Dicho esto, practicar yoga con tu hijo es una oportunidad para relacionarse de una manera muy diferente a jugar a la pelota o preparar juntos la cena. El tiempo dedicado al yoga es entretenido y además fomenta la concentración. Durante un rato les ofreces a tus hijos toda tu atención, algo que es difícil conseguir en nuestros días. Es un momento idóneo para tener conversaciones sobre los sentimientos, los miedos, las preocupaciones, los desafíos actuales y también sobre todo aquello que nos hace felices. Esta actividad proporciona a la familia un lenguaje del bienestar único, una caja de herramientas para la vida, mejores vínculos afectivos y una mayor comunicación.

Ofrecer una fuente de alegría y paz

Hay que ser realistas. Las familias pueden estar tan atareadas que a menudo todo son obligaciones y no hay espacio para los juegos. El yoga familiar brinda la oportunidad de divertirse en familia, compartiendo risas mientras se practican las posturas. El yoga se basa en encontrar alegría en el cuerpo. Transmitir esta idea a tus hijos y compartirla con ellos será un valor añadido para la experiencia.

Aunque al organizar las sesiones de yoga familiar estés pensando esencialmente en tus hijos, la práctica también será un regalo para ti. La sensación de jugar que surge naturalmente cuando haces yoga con tus seres queridos te conectará inevitablemente con tu «niño interior». ¡Tal vez despierte una nueva conciencia y te permita descubrir tu verdadero y auténtico ser!

Practicar yoga en familia en la propia casa también es un incentivo para experimentar una mayor sensación de paz. Mientras creáis juntos un espacio relajado realizando actividades conscientes que favorecen la conexión con vosotros mismos, y también durante la relajación al final de la práctica, los corazones se calman y la casa se llena de paz. ¡La hora de ir a la cama será mucho más tranquila después de una sesión de yoga!

¡Animarse a jugar!

¿Acaso juegas tanto como trabajas? ¿Forma parte el juego de tu programa de autoayuda? De acuerdo con el National Institute for Play (Instituto nacional del juego), jugar es la puerta de entrada a la vitalidad. La capacidad de jugar contribuye enormemente al bienestar general y la felicidad, tanto para los adultos como para los niños. El yoga familiar es una oportunidad para introducir los juegos como forma de relacionarse.

Si practicas yoga con seriedad, puedes abandonar esa actitud cuando estés en tu casa. El yoga en familia automáticamente te da permiso para que te tomes la práctica menos en serio y disfrutes de ella con regocijo. En un centro de yoga puedes sentarte con una alineación perfecta, permanecer inmóvil y escuchar con atención cada una de las palabras que pronuncia el instructor. Sin embargo, cuando practiques yoga con tu familia en casa volverás a descubrir la jubilosa experiencia de reír juntos intentando hacer una postura, cayéndose y volviendo a incorporarse. Croarás cuando adoptes la postura de la rana, prestarás atención como un conejo, moverás el rabo como un perro y respirarás inflando la barriga como un globo al mismo tiempo que tus hijos. Es imposible que eso no te produzca alegría. El júbilo experimentado al practicar yoga con tus hijos pronto se extenderá por todo tu hogar.

Capítulo 3

COMPARTIR EL YOGA CON LOS NIÑOS: LO QUE HAY QUE SABER

INFORMACIÓN BÁSICA

En este capítulo conocerás los elementos básicos para empezar a compartir las sesiones de yoga con tus hijos en casa. Descubrirás los desafíos especiales de cada una de las franjas de edad, la forma de crear sesiones personalizadas para la edad y el nivel de madurez de tu hijo y todo lo que tienes que saber para organizarlas. También encontrarás información sobre los materiales necesarios, ideas sobre el momento idóneo para compartir el yoga con tus hijos y diez sugerencias para tener éxito. Y por último, uno de los aspectos más importantes: los principios del yoga. Estas son las pautas esenciales en las que se basa la práctica de yoga, la sabiduría que «ejercita» la espiritualidad de tu hijo y las asanas (posturas) para ejercitar el cuerpo. ¡Vamos a empezar!

YOGA ADAPTADO A LA EDAD DE TU HIJO

El rato destinado a practicar yoga con tu hijo constituirá un espacio especial y seguro para ambos, que fomentará la compasión y la conectividad. También puede ser una de las pocas oportunidades para estar juntos de una manera que resulta beneficiosa para ambos. Dicho esto, es importante que comprendas a tu hijo antes de darle a conocer los conceptos y actividades que presento en este libro de una forma adecuada para su edad y teniendo en cuenta su nivel de desarrollo.

Es muy probable que conozcas lo suficiente la personalidad, las necesidades, las habilidades y el estilo de aprendizaje de tu hijo. Debes tener en mente todos esos factores al compartir la sesión de yoga con él. Algunos niños aprenden mediante la acción, probando todas las posturas tan pronto como se las enseñan y progresando alegremente en todas las actividades que aprenden. Otros se sientan y observan, e incluso algunas veces parecen no interesarse por lo que están viendo. ¡No desesperes! Pertenecen a esa clase de niños que aprenden

mirando o escuchando, y que demostrarán lo que han aprendido después de haberlo asimilado. Tal vez incluso lo hagan mientras están jugando por la casa.

A continuación presento algunas características correspondientes a los diversos grupos de edad y algunas sugerencias para mantener a los niños involucrados en el proceso de aprendizaje. Te sugiero que las tengas en cuenta cuando empieces a compartir las sesiones de yoga con tus hijos. Observarás que algunas informaciones corresponden a más de un grupo de edad, por eso te aconsejo que leas primero la sección completa. Según cuál sea el nivel de madurez de tu hijo, tal vez se ajuste a un grupo de edad superior o inferior, o incluso a más de un grupo.

Niños de dos a cuatro años

Si tu hijo tiene entre dos y cuatro años, quizás...

Haga muchas preguntas y sea muy curioso

Tenga un periodo de atención corto

Responda mejor a instrucciones simples y motivadoras

Como bien sabes, tu hijo de dos a cuatro años siente curiosidad por todo lo que ve. A esta edad a los niños les encanta explorar, moverse, deambular y hacer un montón de preguntas. Por este motivo tal vez seas un poco escéptico sobre la posibilidad de enseñarle yoga en esta etapa de su vida. «¿Cómo voy a conseguir que se quede quieto y escuche?», te preguntarás. Por lo general, las sesiones de yoga con los niños de esta franja de edad no se parecen en nada a las clases para adultos, son mucho más lúdicas y activas. El éxito estará asegurado si tienes presente algunas de las siguientes sugerencias básicas:

- **Este grupo de edad aprende mejor cuando la sesión está muy bien organizada y las instrucciones se repiten muchas veces.** No tengas reparos en repetir los juegos, las posturas o las canciones varias veces durante una misma sesión, y nuevamente en sesiones posteriores. Utiliza siempre la misma secuencia básica y establece un ritual para el inicio, el desarrollo y la conclusión de las actividades compartidas.
- **Organiza las sesiones con una duración de entre cinco y veinte minutos.** Los niños de dos a cuatro años tienen una capacidad de atención limitada. Pasa rápidamente de una actividad a la siguiente y finaliza la sesión con una observación positiva cuando el niño dé señales de que ya ha tenido suficiente. No olvides utilizar las ideas adicionales que incluyo para cada actividad; así conseguirás que la sesión sea más divertida y el niño se entusiasme cada vez más.
- **Utiliza canciones simples con algunas de las posturas.** Una o dos estrofas de canciones repetidas varias veces serán un buen estímulo para tu hijo y además facilitarán el proceso

de aprendizaje. Juega con él, utiliza una voz expresiva, exagera las expresiones faciales y haz muchos movimientos corporales para captar su atención. Después de todo, si tú estás interesado y entusiasmado por compartir esta actividad, ¡el niño querrá que le cuentes más y más cosas!

- **Emplea instrucciones simples.** Es importante que lo guíes mediante un vocabulario simple y con la menor cantidad posible de palabras. En lugar de decir: «Da un gran paso hacia atrás con la pierna izquierda. Mantén la rodilla derecha alineada con el tobillo derecho y el peso de tu cuerpo distribuido equitativamente entre los pies», puedes decir: «Mira, mamá va a dar un gran paso hacia atrás... Ahora prueba tú. Muy bien, Jocelyn». No tiene ninguna importancia que lo haga perfectamente.
- **Asegúrate de reconocer los logros de tu hijo.** Los niños que pertenecen a este grupo de edad quieren tener éxito e impresionar. En lugar de elogiarlos de un modo general (por ejemplo diciendo: «Buen trabajo»), intenta ser más específico utilizando palabras simples que lo estimulen y que incluyan el nombre de la postura o de la actividad en cuestión. Los comentarios del tipo: «Sarah, estás haciendo el perro con el hocico hacia abajo» o «Jack está en la postura del árbol» son muy efectivos, desarrollan la autoestima y al mismo tiempo ayudan al niño a asociar sus esfuerzos con esa actividad en particular.
- **Debes estar preparado para adaptar la sesión a las necesidades de tu hijo.** Como es natural, los niños que tienen entre dos y cuatro años se caracterizan por querer hacer lo que les da la gana cuando les apetece, lo que constituye un signo de su independencia en desarrollo. Es muy probable que aunque tengas un plan específico para la sesión, finalmente solo te sirva como una orientación. Debes estar preparado para cambiar lo que has planificado en cualquier momento, dependiendo de las necesidades e intereses del niño. Con el tiempo esto te resultará cada vez más fácil ya que ambos estaréis más familiarizados con las actividades que presento en este libro.

Niños de cuatro a seis años

Si tu hijo tiene entre cuatro y seis años, probablemente...

Tiene un gran entusiasmo por aprender cosas nuevas

Le encantan los juegos de ficción, contar historias y utilizar su imaginación

Empieza a desarrollar la conciencia

Los niños de entre cuatro y seis años están deseando aprender cosas nuevas. En esta etapa empieza a ampliarse la imaginación que comenzó a desarrollarse en la época en que daba sus primeros pasos. Los juegos de ficción, incluidos los que consisten en «ser» animales, objetos, etc., son especialmente atractivos para este grupo de edad, además de ser muy provechosos para su desarrollo. A esta edad les encanta hablar, contar historias y hacer

montones de preguntas. Durante las sesiones de yoga podrás brindarles oportunidades para que lo hagan.

- **Organiza las sesiones con una duración de entre quince y veinte minutos.** En esta franja de edad la capacidad de atención empieza a mejorar, de manera que es razonable que la sesión dure unos quince o veinte minutos. Tal como comenté para los niños de dos a cuatro años, asegúrate de utilizar las ideas suplementarias para cada actividad con el fin de mantenerlos interesados y activos, y que lo pasen bien.
- **Incorpora temas y cuentos.** Los niños que tienen entre cuatro y seis años son especialmente activos cuando se incorporan historias y temas a las sesiones de yoga. Los temas deben ser fáciles de entender y despertar su interés; pueden ser lugares, grupos de animales o propuestas que fomenten el aprendizaje, como puede ser buscar opuestos; cosas que crecen o que vuelan; situaciones que les hagan sentirse a gusto, como por ejemplo posturas alegres; estaciones u ocasiones especiales, aficiones o intereses, y por supuesto, ¡cuentos y aventuras! Puedes inventar tus propias historias o utilizar un libro de dibujos a modo de guía. Los libros con aventuras de animales son los que mejor funcionan. ¡Alentar la imaginación y la creatividad de tu hijo es muy fácil con el yoga!
- **Utiliza accesorios.** Los niños con edades comprendidas entre los cuatro y los seis años adoran los accesorios, de modo que puedes tener a mano una reserva de objetos que le gusten. No debes basar la sesión de yoga exclusivamente en dichos objetos, sino usarlos cuando sea necesario conseguir que el niño vuelva a prestar atención, o simplemente para divertirlo mientras se estira en una postura o realiza una actividad específica. Una buena norma a seguir es utilizar únicamente un objeto importante en cada sesión.
- **El tiempo que pasan juntos debe ser entretenido.** El yoga es una práctica contemplativa. No obstante, con los niños menores de siete años es importante conseguir que utilicen todos sus sentidos a lo largo del proceso y que al final de la sesión estén más tranquilos y tengan una actitud más reflexiva mientras realizan los ejercicios respiratorios y las actividades destinadas a centrarlos y relajarlos. ¡Recuerda que el yoga para niños es divertido!
- **Comienza lentamente a incorporar los principios del yoga.** Los niños de esta franja de edad están comenzando a desarrollar la conciencia, de manera que es un momento oportuno para iniciar conversaciones simples sobre los principios del yoga. Es mejor introducir un principio en cada sesión, e incluso centrarse en uno de ellos durante varias sesiones, para que el niño no se sienta agobiado.

Niños de siete a diez años

Si tu hijo tiene entre siete y diez años, está...

Desarrollando opiniones
Deseando «ser líder»
Buscando la aprobación de los adultos y amigos

En esta franja de edad las sesiones comienzan a parecerse un poco más a la práctica de yoga de los adultos. Ahora puedes sostener la atención del niño durante un periodo más largo, y él está preparado para conocer más profundamente los principios yóguicos y las técnicas de visualización y relajación. Si tu hijo tiene entre siete y diez años, puedes empezar a sondear sus posibilidades y establecer luego las bases de una clase típica de yoga. Pero no te dejes engañar, en esta franja de edad a los niños todavía lo que más les interesa es jugar y divertirse, de manera que es aconsejable que incorpores varios juegos de yoga y canciones para fomentar la diversión y mantenerlos involucrados en el proceso de aprendizaje.

- **Las sesiones ahora pueden tener una duración de entre veinte y treinta minutos.** El periodo de atención es cada vez mayor, así que puedes planificar actividades más prolongadas, o programar más actividades en cada sesión, y dedicar más tiempo a cada una de ellas para profundizar en el proceso de aprendizaje.
- **Puedes comenzar a centrarte en la alineación correcta.** Si tu hijo tiene entre siete y diez años, puedes empezar a fijarte un poco más en la alineación correcta de las posturas de yoga y, al mismo tiempo, probar posturas más difíciles. Ve introduciendo secuencias fluidas e incorpora paulatinamente más ejercicios en pareja. También puedes trabajar más profundamente con los ejercicios de respiración y las técnicas de relajación, dos aspectos típicos de las clases de yoga que se imparten en un centro.
- **Conversa más profundamente con tu hijo sobre los principios del yoga.** Como probablemente ya sabes, si tu hijo tiene entre siete y diez años, le encantará mantener una buena conversación. En esta etapa de su vida comienza a desarrollar sus propias opiniones y el sentido moral («¡Eso no es justo!»). Es la edad perfecta para proponer conversaciones sobre los principios del yoga. Quizás prefieras poner el énfasis en los que se centran en la aceptación, la empatía y la educación cívica. Puedes utilizar una pizarra porque la mayoría de los niños de esta edad trabajan para mejorar sus habilidades de lectura y escritura, o tener un diario compartido para apuntar todo lo que se dice sobre un principio en particular.
- **Ofrécele más oportunidades de conducir la sesión.** Los niños de esta franja de edad empiezan a querer ser más independientes. Es probable que no estén tan dispuestos a recibir instrucciones, como cuando eran más pequeños. De cualquier modo, todavía siguen necesitando que los adultos los guíen y les den seguridad. Puedes ofrecerles la

oportunidad de elegir el tema de la próxima sesión. Pregúntale a tu hijo: «¿Cómo te encuentras hoy? ¿Te sientes bien físicamente? ¿Y mentalmente? ¿En qué quieres que trabajemos?». De esta forma, la sesión de yoga «le pertenece». Antes de que te des cuenta, te estará enseñando algunas cosas. Respeta lo que hace y observa cómo aumentan el respeto y la conexión que hay entre ambos.

- **Utiliza las técnicas de visualización durante la relajación.** Los niños de entre siete y diez años disfrutan especialmente con las imágenes visuales y las historias. Ahora que tienen una capacidad de atención más prolongada puedes trabajar con las técnicas de visualización y relajación presentadas en el capítulo nueve. El uso de relatos e imágenes creativas facilita que se relajen, además de potenciar su creatividad. Intenta incluir en la narración o visualización el tema o principio yóguico sobre el que habéis conversado. Es una excelente forma de fomentar que el niño lo ponga en práctica.

Preadolescentes (diez a doce años)

Si tu hijo está en la preadolescencia, puede...

- Tener una gran necesidad de integrarse socialmente y ser respetado
- Mostrarse pesimista
- Ser modesto y tener vergüenza de los cambios físicos típicos de esta edad
- Estar experimentando cambios hormonales y cambios súbitos de humor y empezar a interesarse por el sexo opuesto.
- Sentirse agobiado por presiones cada vez mayores y sufrir estrés

En este grupo de edad los niños están preparados para llevar a cabo una sesión completa de yoga. Puedes contar con que serán capaces de prestar atención y asimilar todos los principios básicos que presento en el libro. Los fundamentos de la práctica serán una parte esencial de las sesiones compartidas con tu hijo preadolescente, porque ofrecen la oportunidad de iniciar una conversación además de establecer conexiones más profundas entre ambos en una etapa en que los niños deben enfrentarse a desafíos que son propios de la edad.

- **Planifica compartir con tu hijo preadolescente o adolescente una sesión de yoga de entre veinte minutos y una hora.** Es muy fácil llenar la sesión con posturas y un buen rato de conversación cuando trabajas con un niño de esta edad. Mantén un ritmo regular y empléate para que las sesiones sean variadas, es decir, que haya muchas posturas diferentes, conversaciones, trabajos en pareja y actividades de relajación.
- **Fomenta la alineación correcta.** Los niños de esta edad experimentan muchos cambios físicos y por lo tanto pueden ser un poco torpes. Si eres profesor de yoga, o hace mucho tiempo que lo practicas, puedes enseñarles cómo es la alineación correcta y

sugerir algunos ajustes que les ayuden a sentirse más seguros al adoptar las posturas. Si no eres ni profesor ni un practicante experimentado, podéis aprender juntos y probar nuevas alternativas utilizando fotos y descripciones a modo de guía y buscando luego ayuda complementaria en Internet.

- **Ten en cuenta los cambios en su desarrollo.** Los cambios hormonales de los preadolescentes pueden suscitar estados de ánimo impredecibles, tendencia a llorar, una sensibilidad acrecentada, pensamientos negativos y también interés por el sexo opuesto. Por otra parte, a medida que tu hijo es cada vez más independiente puede empezar a desafiar tu autoridad y las normas que le impones y poner a prueba los límites. Los preadolescentes también pueden ser egocéntricos. Esto es algo normal y se debe principalmente a todos los cambios que tienen lugar en el cerebro a partir de la pubertad. Ten paciencia y no olvides que la mayor parte de las veces estos cambios escapan a su control.
- **Fomenta conversaciones positivas basadas en los principios del yoga.** Estos principios pueden ofrecer un buen contexto para reflexionar sobre las diversas presiones que debe afrontar tu hijo en esta etapa de la vida y ayudarlo a asimilarlas. Comienza a observarlo y escucha cuidadosamente todo lo que comente sobre sus actividades y experiencias mientras buscas la ocasión propicia para proponer una conversación y aprender juntos.
- **Crea un espacio seguro y libre de juicios.** En todos los grupos de edad es muy importante crear una zona segura y exenta de juicios. Durante la sesión de yoga, y también durante la relajación final, pronuncia palabras generales de aliento con el fin de motivarlo. Mientras el niño está tumbado con los ojos cerrados escuchando una música suave y relajante, sugiérele que se conecte con sus sentimientos dejando que surjan de su corazón y que fluyan hacia el exterior para disiparse en ese espacio seguro y compasivo que lo rodea. Esto significa que no pasa nada si siente ganas de llorar. ¡Es saludable percibir nuestras emociones y sentimientos! El mejor regalo que los padres les pueden hacer a sus hijos es ofrecerles la oportunidad de liberar sus emociones sin prejuicios y sin necesidad de controlarlas o moderarlas.
- **¡Recuerda que a los preadolescentes les gusta divertirse!** La sesión de yoga es un rato dedicado a conectarse y estrechar vínculos. Los preadolescentes a veces pueden estar demasiado serios o incluso malhumorados. Las posturas en pareja son una forma ideal de aligerar el ánimo y jugar.
- **Invita a tu hijo preadolescente a crear un altar.** Sugiérele a tu hijo que cree un altar con objetos que considere importantes. El altar puede estar en el espacio dedicado al yoga o en una zona circundante, pero también en su habitación. Quizás desee poner fotos de modelos positivos, como por ejemplo celebridades o atletas practicando yoga. Esto le ayudará a involucrarse en la práctica y responderá a su necesidad de encajar en su entorno.

- Invita a sus amigos a la sesión de yoga. Si notas que tu hijo está más interesado en salir a ver a sus amigos que en practicar yoga, invítalos a compartir la sesión en tu casa. Con toda seguridad, te convertirás en la madre o el padre más «enrollado» del vecindario.

El cerebro de los preadolescentes en yoga

El desarrollo de los lóbulos frontales del cerebro, responsables del lenguaje, comienza en los años de la preadolescencia tras el desarrollo de la amígdala, la parte del cerebro donde se procesan las emociones. ¡Todo el mundo sabe que los preadolescentes y los adolescentes tienen fama de ser muy emocionales y poco razonables en algunas ocasiones! Lo que resulta interesante es que los investigadores están demostrando ahora que los niños de este grupo de edad son mucho más felices y emocionalmente más sanos y tienen mejor rendimiento escolar cuando son capaces de mejorar las habilidades que estimulan la autoconciencia, la autorregulación, la empatía y las relaciones interpersonales. La práctica de yoga y *mindfulness* ayuda a estos niños a desarrollar estas habilidades esenciales.

CREAR EL ESPACIO PARA PRACTICAR YOGA

Organizar un lugar especial en tu casa para practicar yoga con tu hijo, realzará la experiencia. Lo mejor es que sea relativamente silencioso y no haya distracciones, que tenga buena luz, un suelo sólido y seguro, espacio suficiente para extender las esterillas, un cesto para los accesorios y un reproductor de música. De manera opcional puedes destinar un sitio para colocar un altar, o donde se puedan poner fotos y objetos significativos. Sin embargo, puedes practicar yoga con tu hijo en cualquier espacio, incluso en el patio o jardín. Pero si vivís en un apartamento la sesión también se puede hacer en un parque cercano. He aquí algunas cosas que vale la pena que tengas en consideración al organizar la práctica:

- **Elige un espacio con un suelo seguro y cómodo.** Lo más idóneo para practicar yoga es un suelo de madera suave y sin clavos, astillas ni ranuras, o revestido con una alfombra de pelo corto de tipo industrial. Debe resultar cómodo para el cuerpo y para los pies descalzos.
- **Elige una zona que tenga luz natural.** Siempre que sea posible, la mejor iluminación para el yoga es la luz natural. Lo más adecuado es un espacio que tenga ventanas.

- **Elige una habitación que no sea demasiado fría ni demasiado caliente.** Lo ideal es que el espacio destinado al yoga tenga una temperatura agradable, lo suficientemente cálida para que los cuerpos estén calientes y flexibles y todos se sientan a gusto. Con la temperatura adecuada evitarás que tu hijo se ponga de malhumor o se muestre apático. La temperatura debería ser de entre 18 y 25 ° C.
- **Es importante que la habitación esté bien ventilada.** El olor y la sensación de aire fresco despejan los sentidos y ayudan a conectarse a tierra, de manera que puedes abrir las ventanas cuando el tiempo lo permita. Puedes tener algunas plantas en la habitación, pues proporcionarán un suplemento de oxígeno fresco y una energía sana y vital. Debes limpiar el espacio regularmente con productos de limpieza naturales para evitar la acumulación de residuos, ácaros y gérmenes que pueden generar aire viciado y diseminar virus.
- **Debe haber un reloj a mano.** Es muy útil tener un reloj con un segundero en la habitación porque te ayudará a controlar el tiempo que se dedica a cada una de las actividades, o para los momentos en que le indicas a tu hijo que mantenga una postura durante un determinado periodo de tiempo.
- **Intenta que el espacio esté lo más despejado posible.** Tener menos objetos que distraigan la atención de tu hijo favorecerá que se concentre en la actividad que está realizando. Una regla básica general es que cuanto más pequeño es el niño, menos objetos debe haber a la vista.
- **Por último, el espacio debe ser silencioso.** Es muy importante que la habitación destinada al yoga sea silenciosa para limitar las distracciones y establecer el ambiente propicio para tener una sesión tranquila. Y esto se aplica muy especialmente a los niños con necesidades especiales, tales como los que sufren trastorno de déficit de atención, trastorno de déficit de atención e hiperactividad, autismo, síndrome de Asperger o trastorno de integración sensorial.

LOS ACCESORIOS BÁSICOS

¿Qué necesitarás para practicar yoga en casa con tus hijos? En realidad, no necesitas demasiadas cosas, simplemente una esterilla (y en algunos casos, ni siquiera eso) y tal vez algunos objetos que puedes encontrar en casa. También se pueden usar los juguetes de los niños como accesorios para las sesiones, dado que tienen una importancia especial para ellos. Es una forma fácil de conseguir que la práctica les resulte agradable y familiar. Si quieres ahorrar dinero, puedes confeccionar tus propios accesorios. ¡Deja volar tu creatividad!

- **Esterillas de yoga.** En mis clases grupales con niños menores de cuatro años prefiero no utilizar esterillas porque he comprobado que los niños a veces tropiezan con ellas y

pueden ser peligrosas. También se convierten en un objeto para jugar, lo que significa una distracción potencial. Una vez hecha esta aclaración, en las sesiones individuales, donde no hay demasiado movimiento sobre la esterilla y fuera de ella, las encuentro muy útiles como «base central de operaciones».

Se pueden usar esterillas antideslizantes especiales para yoga, muy apropiadas para suelos entarimados, pero también resulta útil una toalla de playa o incluso una manta. A medida que los niños crecen y las posturas son más complicadas, es importante comenzar a utilizar las esterillas especiales para yoga con el fin de evitar las caídas.

Es aconsejable tener a mano toallas de papel y un limpiador natural con vaporizador para mantener las esterillas limpias. Te recomiendo que enseñes a tu hijo a hacerlo organizando un ritual de limpieza antes de guardarlas al final de cada sesión. Esta es una maravillosa oportunidad para enseñarle la práctica de la disciplina o *tapas* (ver los principios del yoga en este mismo capítulo).

Las esterillas de yoga se pueden comprar en la mayoría de las tiendas de deportes o grandes superficies, y puedes adquirirlas a partir de unos quince euros.

- **Mantas de algodón gruesas.** La calidez y el peso de una manta típica hindú (o de otra manta de algodón) resultan muy agradables durante la relajación final. Cada miembro de la familia debe tener una manta cuidadosamente doblada y lista para utilizar al final de la sesión.
- **Almohadillas para los ojos.** Las almohadillas para los ojos con aroma a lavanda son muy relajantes y no dejan pasar la luz. Es aconsejable utilizarlas durante la relajación final, y puedes confeccionarlas tú mismo (ver el recuadro).

Almohadilla para los ojos sin costuras

Necesitarás un paquete de arroz blanco, unas pocas gotas de aceite esencial de lavanda y un par de medias o un calcetín de algodón (puedes aprovechar los que tengan agujeros o estén desparejados), unas bandas elásticas y una cinta bonita. Confecciona unos tubos de aproximadamente veinticinco centímetros, cortando ambos extremos de los calcetines o medias. Cierra uno de los extremos del tubo utilizando una banda elástica y dejando aproximadamente un centímetro de tela después del elástico. Mezcla una taza y media de arroz con varias gotas de aceite esencial de lavanda. Echa la mezcla del arroz y la lavanda en el tubo. Cierra el otro extremo con otra banda elástica y luego utiliza las cintas para tapar los dos elásticos.

- **Bloque de yoga o algo similar.** Los bloques tradicionales de yoga tienen muchos usos creativos; por ejemplo, se pueden utilizar como piedras para andar sobre ellos en los juegos de yoga o pisarlos durante los balanceos. Como es evidente, también se pueden emplear como apoyo para las posturas. Puedes comprarlos en cualquier tienda donde vendan esterillas, mantas y almohadillas para los ojos. Si tienes libros de tapa dura de diversos grosores, puedes usarlos en lugar de los bloques.

LOS ACCESORIOS COMPLEMENTARIOS

Además de los accesorios básicos, también puedes utilizar los siguientes, que son muy útiles y adecuados para practicar yoga con un niño:

- **Varitas mágicas de yoga, carillones u otros objetos que puedan atraer su atención.** Para capturar la atención de tu hijo, o para iniciar o concluir la sesión de yoga o una actividad específica, puedes utilizar una varita de yoga o un carillón. A lo largo de este libro te presentaré los diversos usos que podemos darles. Servirá cualquier objeto que produzca un sonido agradable. También puedes fabricar tus propios instrumentos (ver el recuadro).

Construye tu propia varita mágica de yoga

Compra un listón de madera, un puñado de campanillas pequeñas y un elástico con lazos y brillos como los que usan las niñas para sujetarse el cabello. Coloca el elástico en un extremo de la varita. Utiliza una cinta para atar las campanillas y después añádelas al extremo de la varita sujetándolas con el elástico. Utilízala como un bastón de mando para capturar la atención de tu hijo o para diseminar polvos mágicos de yoga sobre él durante la relajación.

- **Fulares o pañuelos.** Invita al niño a jugar a ser las olas del océano o el viento. Úsalos como soporte para una postura de yoga. Ofrécele una referencia visual para un ejercicio de respiración. Fomenta la concentración con juegos malabares. Hay infinitas formas de utilizar los fulares o pañuelos en una sesión de yoga. Busca en tu armario, en el altillo (o en el de tu madre), en mercadillos o en tiendas de artículos de segunda mano pañuelos de seda de diversos tamaños con los que puedas hacer movimientos ondulantes.

- **Cámara digital.** Tomar fotos para mostrarle de forma instantánea a tu hijo lo que está consiguiendo no solo lo empoderará sino que también le resultará muy divertido. Las fotos le permiten verse en una postura que consideraba difícil y aumentar la conciencia de su cuerpo y de su postura corporal. Una cámara es muy útil para captar la atención de los niños que aprenden de un modo visual. Ver una foto de sí mismo haciendo una postura puede ser muy estimulante y contribuir a desarrollar su autoconfianza: «¡Oh, soy capaz de hacerlo!».
- **Utiliza cartas de posturas.** Hay muchas variedades de mazos de cartas que pueden ser muy útiles para las sesiones de yoga que compartes con tus hijos. Algunos de ellos, como *Yoga Pretzels* o *Yoga 4 Classrooms*, se pueden utilizar como imágenes inspiradoras. Los mazos de cartas que fomentan la afirmación, como por ejemplo *Power Thoughts for Teens* o *Manifest Your Magnificence** (para niños pequeños), pueden servir para desarrollar un tema, promover una conversación o escribir algo en un diario, aunque también se pueden usar simplemente por pura diversión. Cuando trabajamos con niños más pequeños, podemos utilizar un mazo de cartas de animales para ayudarlos a establecer la relación entre un animal específico y una postura de yoga. También puedes fabricar tus propias cartas (ver el recuadro).

Cómo hacer tus propias cartas de posturas

Compra cartulina de colores y córtala del tamaño de los naipes. Coloca el papel en sentido horizontal y escribe claramente el nombre de una postura en la parte inferior. Dibuja o pega una imagen del objeto o animal correspondiente a la postura en el lado izquierdo. A la derecha dibuja o pega una imagen de una persona en esa postura.

- **Juguetes de peluche blandos.** Los animales de felpa rellenos y blandos son muy populares y además muy útiles como accesorios para entretener a los niños en las sesiones de yoga. El peso y tamaño de los juguetes, además del hecho de que se adaptan a cualquier superficie, los convierte en accesorios ideales para utilizar en una variedad de juegos de yoga, posturas de equilibrio difíciles y ejercicios de respiración, y también durante la relajación. Seguramente hay alguno en tu desván; de lo contrario, búscalos en mercadillos.

* N. de la T.: Pensamientos potentes para adolescentes, o Manifiesta tu magnificencia.

- **Letras cortadas.** Las letras cortadas pueden utilizarse de muchas maneras diferentes y con diversos grupos de edad. Incluidas en juegos como *La sopa del alfabeto*, pueden ayudar a los niños a aprender las letras y los sonidos (capítulo siete).
- **Pelotas.** Las pelotas de playa de plástico son un accesorio clásico, y el preferido de los niños. Utilízalas para el juego de *La pelota de agradecimiento* (capítulo siete). También sirven las pelotas de pilates o los balones un poco más grandes que los de playa; puedes usarlos creativamente cuando sea necesario ofrecerle al niño un apoyo para las posturas de equilibrio o los ejercicios para fortalecer la parte central del cuerpo. Emplea también pelotas antiestrés (capítulo nueve, «Relajación y visualización»).
- **Niebla mágica.** La niebla mágica se crea mezclando agua y unas pocas gotas de aceite esencial de lavanda en un pequeño pulverizador. Pulveriza esta mezcla en la habitación o por encima de la cabeza de tu hijo mientras está con los ojos cerrados; produce un efecto relajante prácticamente inmediato. El uso de la niebla mágica se puede incorporar mientras estás contando un cuento, como si fuera la bruma de la selva, la espuma del océano o un chaparrón. También se puede integrar en las actividades destinadas a centrarse y relajarse.
- **Piedras de agradecimiento.** Las piedras de agradecimiento son guijarros o trozos de cristal pulidos que pueden utilizarse para almacenar la gratitud a la que se volverá en un momento posterior de la clase. Se venden en bolsas en tiendas de regalos o de manualidades, y son muy económicas. Consulta «Relajación de Gratitud» en el capítulo nueve, donde encontrarás sugerencias para utilizarlas.
- **Otros accesorios.** Hay muchos otros objetos útiles para las sesiones de yoga que compartes con tus hijos. ¡Echa a volar tu creatividad! Piensa en las preferencias de tus hijos. A modo de inspiración he aquí algunos artículos que podrías utilizar:

  » Instrumentos musicales.
  » Figuras de animales.
  » Correas para yoga (pueden servir unas corbatas viejas).
  » Varas de yoga.
  » Figuras de posturas de yoga.
  » Palos brillantes (¡para que brillen en la oscuridad de la sesión de yoga!).
  » Hula Hoops.
  » Esfera Hoberman®.*
  » Periódicos.

* N. de la T.: Una *esfera Hoberman®* es una estructura que se asemeja a una cúpula geodésica. Es capaz de plegarse hasta ocupar un tamaño mucho menor que el original, gracias a la acción de los mecanismos de las uniones entre las piezas que se doblan como fuelles o tijeras. No es realmente una esfera sino un poliedro.

¿CUÁL ES EL MOMENTO OPORTUNO PARA COMPARTIR EL YOGA CON TUS HIJOS?

Dedicar un espacio exclusivo para realizar una sesión de yoga diaria con tus hijos es un objetivo maravilloso; sin embargo, el yoga se puede compartir en cualquier parte y en cualquier momento. Puedes practicarlo:

- Por la mañana antes de desayunar.
- Cuando tu hijo está cansado o falto de energía.
- Mientras estáis en el coche.
- En cualquier momento en que el niño necesite serenarse.
- Como una actividad divertida cuando el niño ha invitado a sus amigos a casa.
- Cuando a tu hijo le haga falta una inyección de confianza.
- Cuando tu hijo necesite deshacerse de la negatividad.
- Mientras estáis esperando en una cola.
- En cualquier momento en que observes que la atención y la concentración de tu hijo comienzan a flaquear.
- Cuando tu hijo esté ansioso o estresado.
- Para estirar el cuerpo antes de practicar deportes, o como un descanso para un viaje largo en coche.
- Para celebrar algo o por pura diversión.
- Como un rato para compartir una actividad familiar.
- Antes de hacer las tareas, o como un descanso entre ellas.
- Como transición hacia la siesta o a la hora de irse a dormir por las noches.

A medida que tú y tu hijo os familiaricéis con las actividades presentadas en este libro, aprenderás a reconocer sus necesidades y también las tuyas en diferentes momentos y lugares, por lo que podrás emplear las actividades adecuadas en cada situación. Por ejemplo, si descubres que a tu hijo las situaciones nuevas le provocan ansiedad y previamente has observado que en las sesiones de yoga disfruta y se siente relajado después de practicar la *respiración del globo*... ¿qué crees que podrías hacer en el coche antes de dejarlo en una fiesta de cumpleaños? ¡Exactamente, lo has adivinado! Consulta el capítulo diez, donde presento más ideas para compartir secuencias largas o cortas de movimientos en situaciones particulares o en determinados momentos del día.

DIEZ SUGERENCIAS PARA TENER ÉXITO

A continuación te muestro diez sugerencias que garantizarán el éxito de las sesiones de yoga con tu hijo:

1. **Céntrate.** Es fundamental que tengas tu propia rutina, ya sea meditar mientras sales a dar un paseo, una clase formal de yoga o cualquier otra actividad contemplativa. Ocúpate de dedicar un momento (o unos pocos minutos) a centrarte antes de practicar yoga con tu hijo. Si estás conectado y centrado, serás más capaz de abordar todo tipo de situaciones con claridad mental, mano firme y un corazón lleno de amor. No es extraño que cuando tú te encuentras en ese estado puro y centrado, tu hijo te transmita la misma sensación. Quizás hayas tenido ocasión de observarlo, así como también el efecto contrario. Al estar presentes, satisfechos y conectados se genera un espacio seguro y cálido para compartir la sesión de yoga.
2. **Las expectativas deben ser realistas.** Evita la decepción y la frustración y crea oportunidades para el éxito mediante expectativas realistas. Por ejemplo, en algunas ocasiones puede parecer que tu hijo de dos años no está interesado en la sesión, pero lo más probable es que esté aprendiendo. Aparentemente no está asimilando nada de lo que le enseñas; sin embargo, más tarde puede sorprenderte mostrándote lo que ha aprendido mientras hacéis la compra juntos. En general, no esperes que las sesiones de yoga que compartes con él se parezcan a las clases del centro al que asistes. Las sesiones con niños pueden ser más activas, más ruidosas y mucho más lúdicas. ¡Y así es como deben ser!
3. **Responde a las necesidades actuales de tu hijo.** Observa cuál es su estado actual. ¿Necesita que lo estimules? ¿Está rebotando contra las paredes porque necesita quemar energía? Olvídate de lo que has organizado para la sesión, intenta ser flexible y cambia la rutina para adaptarte a sus necesidades actuales y su nivel de energía real. Elige las secuencias de movimientos y actividades que puedan potenciar los beneficios de esta práctica individual especial. ¡Es una oportunidad única! Prestar atención a las necesidades del niño mejorará la conexión entre ambos con el paso del tiempo.
4. **Consigue su aceptación.** Ayuda a tu hijo a involucrarse con el yoga consiguiendo su aceptación. Tú eres quien mejor lo conoce. ¿Qué es lo más importante para él? ¿Qué es lo que más le gusta hacer? ¿Cuáles son sus intereses? Emplea todo lo que sabes de él para ayudarlo a entender de qué manera el yoga puede ser muy provechoso para su desarrollo personal. Por ejemplo, si le gustan los deportes, puedes explicarle que el yoga le ayuda a desarrollar fuerza muscular y coordinación y a aumentar su energía, dos factores que mejorarán su rendimiento en los deportes. Haz una búsqueda en Internet para descubrir los deportistas que practican yoga de forma regular (¡hay muchos!). Si tu hijo es tímido, hazle saber que el yoga puede ayudarle a tener más confianza en sí mismo para que pueda mostrar todas sus maravillosas cualidades. También puedes explicarle que la disciplina que se adquiere a través de la práctica de yoga puede contribuir a que sea más metódico con los estudios y obtenga buenas notas. Utiliza los principios que presento en este capítulo para hablar con él sobre esta disciplina como estilo de vida y para despertar su interés

mostrándole de qué manera el yoga influye en su vida personal diaria. Pronto empezará a establecer esas conexiones por sí mismo.

5. **Sé consecuente.** Debes garantizarle a tu hijo la continuidad de las sesiones de yoga: cuándo, dónde y cómo las vais a compartir. Contar con un espacio físico tranquilo asegurará el éxito a largo plazo. También debes ser constante durante el transcurso de las sesiones (capítulo diez). Utiliza un instrumento para atraer su atención y crea un ritual. Al usar una varita mágica de yoga o un carillón, indícale desde el principio qué es lo que se espera que haga cuando haces sonar el objeto (por ejemplo: «Ahora vamos a adoptar la postura de la montaña», o cualquier otra cosa). Por último, puedes considerar la posibilidad de colgar una lista de normas relativas al yoga en el espacio donde lleváis a cabo la sesión (ver el recuadro).
6. **Sírvele de modelo.** Practica yoga junto con tu hijo. Al trabajar con niños pequeños debes mostrarles las posturas para que puedan observarlas y luego imitarlas, manteniéndote siempre cerca de ellos para hacer algún ajuste o corrección.
7. **Consigue que se involucre en la actividad.** Encuentra la forma de despertar su interés por esta nueva práctica. Anímalo a decorar el espacio que se dedicará al yoga, a crear un altar y elegir la música. También puedes invitarlo a organizar la secuencia de la sesión cuando tenga un poco más de práctica. Hazle preguntas abiertas mientras practicáis yoga juntos e incluye «comentarios divertidos» sobre los animales que estáis imitando. Puedes hacer una búsqueda en Internet antes de la sesión. A lo largo de la clase puedes preguntarle cómo se siente con las posturas. Permítele ser el líder y ofrécele tareas para realizar antes, durante y después de las sesiones. Por último, sé flexible y sigue sus instrucciones cuando sea él quien guía la sesión para que esté contento y se entusiasme con esta actividad que comparte contigo
8. **Haz que se sienta seguro.** Debes prestarle mucha atención mientras está intentando hacer las posturas. Observa minuciosamente las posturas invertidas y haz todas las correcciones pertinentes para evitar accidentes o lesiones. Si la habitación tiene suelo de madera, debes utilizar esterillas antideslizantes.
9. **¡A pasarlo bien!** Mantén una actitud abierta y divertida mientras practicas yoga con tu hijo. Cuando adoptéis la *postura del perro con el hocico hacia abajo* y mováis la cola, id un poco más lejos ¡y ladrad! (capítulo seis). El tiempo dedicado al yoga puede ser suave y tranquilo, pero también ruidoso y activo. Sé paciente, cariñoso, cálido y no lo juzgues. Presta atención a lo que tu hijo puede enseñarte. ¡Todo lo que emanas volverá a ti multiplicado por diez!
10. **Integra.** En cuanto el niño se familiarice con las diversas actividades presentadas en este libro, puedes comenzar a incorporarlas en cualquier momento, y no solamente en la sesión de yoga. Por ejemplo, si observas que se siente frustrado, puedes practicar la *postura del géiser* (capítulo seis) o hacer una cuenta atrás para ayudarlo a respirar tranquilamente

(capítulo cinco). De este modo, tu hijo llegará a ser más consciente de sí mismo y utilizará estas herramientas de un modo espontáneo a lo largo del día cuando las necesite.

Normas relativas al yoga

Establecer una serie de normas o pautas puede influir en el comportamiento del niño, la cooperación, la creatividad, la independencia y la pasión por aprender. Las reglas positivas también pueden reflejar los valores familiares. Trabaja en cooperación con tus hijos y el resto de tu familia para establecer normas asociadas al yoga. Estas son algunas ideas para ayudarte a comenzar: «Somos respetuosos, y hablamos y actuamos amablemente», «Cuando escuchamos el sonido del carillón, adoptamos... (la *postura fácil* *[ver página 133]*, la *postura de la montaña*, etc.)», «Siempre ponemos lo mejor de nosotros», «Escuchamos nuestro cuerpo».

LOS PRINCIPIOS DEL YOGA

El yoga es mucho más que una serie de posturas; es una disciplina centrada en mejorar la salud de la persona en su totalidad. Como cualquier otra disciplina, incluye una serie de principios o pautas en los que se basa su filosofía. Hace muchos siglos, un gran sabio llamado Patanjali escribió los *Yoga Sutras*, una especie de guía para yoga que, en mayor o menor medida, se sigue consultando en nuestros días. En los *Yoga Sutras* se describe el camino de los ocho pasos (u ocho ramas) del yoga. Los dos primeros describen los *yamas* (las actitudes o los valores) y los *niyamas* (los hábitos personales asociados a la salud) que Patanjali consideraba una parte esencial de la práctica de yoga. Estas sabias reflexiones se consideran los principales principios fundacionales del estilo de vida yóguico. También se han convertido en conceptos universales que fomentan el desarrollo del carácter, el respeto por uno mismo y por los demás y la vida sana.

Para que la práctica de yoga con y para tu hijo sea completa, debes integrar en ella los principios del yoga. Los que incluyo aquí son los más importantes y comprensibles para los niños. Han sido reescritos y en algunos casos se han combinado para que sean adecuados y fáciles de entender para ellos. Hay muchas maneras de incorporarlos en la práctica. Puedes utilizarlos para iniciar una conversación en cualquier momento de la sesión, o como temas para organizar una sesión en torno a ellos. A medida que te sientas más seguro al organizar las sesiones, también puedes empezar a coordinar las actividades y los principios. Tienes plena

libertad para utilizarlos en cualquier momento en que surja la oportunidad y no solamente durante la sesión. Estos principios pueden ser increíblemente útiles para iniciar charlas sobre temas difíciles y fomentar una relación más estrecha entre tú y tu hijo.

Cada uno de los siguientes principios incluye una descripción e instrucciones para practicarlo. También ofrezco ideas sobre lo que se debe evitar, practicar y fomentar. Esto puede servirte para iniciar una conversación, pues a veces comprender los opuestos ayuda a los niños a entender plenamente un concepto nuevo. Cuando lo considero conveniente ofrezco ejemplos de la vida real donde se ponen en práctica los principios a los que me refiero. Como parte de la experiencia de aprendizaje puedes estimular a tu hijo para que dé sus propios ejemplos. También presento algunas sugerencias para mantener vivos el diálogo y la comunicación. Una buena iniciativa para niños mayores es pedirles que tomen notas en su diario, o dibujen algo, en relación con un determinado principio al final de una sesión. Esta es una excelente manera de ayudarlos a comprender más profundamente su significado.

Principio del yoga 1: practicar la paz

Rodéate de amor y amabilidad. Consigue que tus pensamientos y acciones sean suaves y pacíficos. Sé respetuoso y muéstrate amable. No le hagas daño a nada ni a nadie. Practica la tolerancia.

Evita: los pensamientos y los actos mezquinos o maliciosos, la ignorancia, el desasosiego, maldecir e insultar, el egoísmo, la estrechez de miras (el miedo que procede de la falta de comprensión o de la intolerancia alimenta la ira y el odio) y la violencia.
Practica: la apertura, la compasión, el amor, la comprensión, la paciencia, el amor a ti mismo.
Ejemplo 1: en lugar de desear algo malo para un niño que se comporta como un acosador en el colegio, envíale compasión a través de tus pensamientos y acciones y observa qué es lo que sucede.
Ejemplo 2: escucha tu cuerpo mientras practicas las posturas de yoga. Si sientes algún dolor, debes ser amable y respetuoso contigo mismo y deshacer la postura o hacer una versión de ella en la que te sientas cómodo y que resulte beneficiosa para tu cuerpo, independientemente de lo que hagan los demás.

Lecturas sugeridas

- *El libro de la paz*, de Todd Parr.
- *Oye, hormiguita,* de Phillip M. Hoose, Hannah Hoose y Debbie Tilley.
- *Los colores de nuestra piel*, de Karen Katz.
- *¡Nada me detiene!*, del doctor Wayne W. Dyer, Kristina Tracy y Stacy Heller Budnick.
- *Cuentos zen*, de John J. Muth.
- *Each Kindness*, de Jacqueline Woodson y E.B. Lewis.

Principio del yoga 2: ser honesto

Piensa, actúa y habla con sinceridad. Di la verdad. Sé tú mismo. Sé leal a ti mismo.

Evita: ser deshonesto o mentir, la decepción, la manipulación, los rencores, pretender ser alguien que no eres, no ser sincero contigo mismo.
Practica: hacer comentarios constructivos, no emitir juicios de valor, la asertividad, perdonar, hacerte cargo de tus sentimientos y conductas, la honestidad, ser sincero contigo mismo.
Ejemplo 1: has ido a la casa de un amigo al salir del colegio. Él te dice que ya ha hecho los deberes y te ofrece que los copies. Aunque sería muy fácil hacerlo, no sería honesto. Por lo tanto decides hacer los deberes por tu cuenta.
Ejemplo 2: algunos «amigos» te invitan a fumar con ellos, pero tú y tus padres habéis acordado que el tabaco es malo para la salud y que nunca lo probarás. Te niegas a hacerlo porque no quieres decepcionar a tu madre, y tampoco quieres aceptar la invitación para que te acepten en el grupo. ¡Sé sincero y respetuoso contigo mismo!

Lecturas sugeridas

- *«Slowly, Slowly, Slowly,» Said the Sloth*, de Eric Carle.
- *The Wolf Who Cried Boy*, de Bob Hartman y Tim Raglin.
- *¡Nada me detiene!*, del doctor Wayne W. Dyer, Kristina Tracy y Stacy Heller Budnick.

Principio del yoga 3: ser generoso

Sé generoso. Comparte. No tomes lo que no te pertenece.

Evita: los celos y la envidia, la acumulación, el plagio y robar cualquier cosa, incluidas la propiedad, las ideas o la atención.
Practica: compartir, usar correctamente los objetos, utilizar el tiempo con responsabilidad, devolver objetos o gestos y la generosidad.
Ejemplo 1: no quieres interrumpir a tu hermano cuando está contando una historia, decides no robarle la atención y dejarle todo el protagonismo.
Ejemplo 2: adoras a los animales y decides trabajar voluntariamente varias horas a la semana en la protectora de animales de tu ciudad.

Lecturas sugeridas

- *The Selfish Crocodile*, de Faustin Charles y Michael Terry.
- *How Leo Learned to Be King*, de Marcus Pfister y J. Alison James.
- *¡Nada me detiene!*, del doctor. Wayne W. Dyer, Kristina Tracy y Stacy Heller Budnick.

Principio del yoga 4: practicar la moderación

Recuerda hacer todo con moderación. Practica el autocontrol.

Evita: involucrarte exageradamente en algo, con independencia de que se trate de pensamientos, palabras o del uso de tu cuerpo.
Practica: el autocontrol y la moderación en todos los ámbitos de la vida.
Ejemplo 1: cuando ves que todos tus amigos del colegio tienen el último modelo de deportivas de la mejor marca inmediatamente piensas que también te gustaría tenerlas. Pero luego te dices que las tuyas están en muy buen estado, son cómodas y todavía puedes usarlas mucho tiempo. Comprar un nuevo par de zapatillas sería un despilfarro porque no las necesitas. Entonces te sientes satisfecho y agradecido por las que ya tienes.
Ejemplo 2 (para preadolescentes y adolescentes): los impulsos sexuales forman parte de los cambios hormonales que sufren los niños en esta etapa de la vida. Es preciso trabajar para no subestimarlos ni tampoco ofender a nadie, incluyéndote a ti. Puedes hablar de tus sentimientos con otros padres o adultos de confianza y encontrar soluciones sanas para procesar esas sensaciones, como pueden ser practicar ejercicio físico o yoga, leer, meditar y relajarse.

Lecturas sugeridas

- *It's Not What You've Got*, del doctor Wayne W. Dyer, Kristina Tracy y Stacy Heller Budnick.
- *The Greedy Python*, de Richard Buckley y Eric Carle
- *Howard B. Wigglebottom Learns Too Much of a Good Thing Is Bad*, de Howard Binkow y Susan F. Cornelison.

Principio del yoga 5: cuidar la higiene

Presta atención al cuidado de tu propia persona, de tu cuerpo y tu mente. Cuida tu entorno, tu comunidad y la Tierra.

Evita: tirar basura donde no corresponda, molestar a otras personas, la suciedad, la comida basura, maldecir/decir palabras malsonantes.
Practica: mantener tu propia persona y el entorno físicamente limpios, consumir alimentos sanos, hacer ejercicio, limpiar la Tierra, asumir la responsabilidad de tus actos y palabras, ser respetuoso contigo mismo y los demás y tener buenos modales.
Ejemplos: cepíllate los dientes por lo menos dos veces al día. Rechaza las drogas y el alcohol. Consume alimentos nutritivos y productos integrales y practica mucho ejercicio. Recicla.

Lecturas sugeridas

- *The Earth and I*, de Frank Asch.
- *¿Por qué debo reciclar?* de Jen Green y Mike Gordon.
- *¡Nada me detiene!*, del doctor Wayne W. Dyer, Kristina Tracy, y Stacy Heller Budnick.
- *The Care and Keeping of YOU: The Body Book for Girls*, de Valorie Schaefer y Norm Bendell.
- *The Boy's Body Book: Everything You Need to Know for Growing Up YOU*, de Kelli Dunham y Steven Bjorkman.

Principio del yoga 6: sentirse satisfecho

Siéntete satisfecho contigo mismo. Celebra tu singularidad. Mantén una actitud positiva. Experimenta una sensación de paz interior. Practica la gratitud.

Evita: sentirte negativo y abatido, ser pesimista, ser desagradecido.
Practica: sacar lo mejor de cada situación, ser agradecido, estar en calma y sentirte alegre, que tu felicidad no dependa de cosas exteriores, disfrutar de las tareas diarias, centrarte en lo positivo, compartir la felicidad de otras personas.
Ejemplo: después de perder el partido de fútbol te sientes decepcionado. En lugar de dejarte llevar por la rabia o el malhumor, recuerda que tu equipo demostró una gran deportividad durante todo el partido y eso te llena de orgullo.

Lecturas sugeridas

- *El conejito que quería tener alas rojas*, de Carolyn Sherwin Bailey.
- *¡Me gusta cómo soy!*, de Karen Beaumont y David Catrow.
- *Cenicienta*, de varios autores.
- *¡Nada me detiene!*, del doctor Wayne W. Dyer, Kristina Tracy, y Stacy Heller Budnick.
- *Cuentos zen*, de John J. Muth.
- *¡Yo pienso, yo soy!*, de Louise L. Hay, Kristina Tracy y Manuela Schwarz.
- *El camaleón camaleónico*, de Eric Carle.
- *Un caso grave de rayas*, de David Shannon.

Principio del yoga 7: trabajar duro

Sé disciplinado. Da lo mejor de ti en todo momento. Adquiere buenos hábitos. Termina lo que empiezas. Persevera: ¡no te rindas!

Evita: ser perezoso, sentirte desmotivado, rendirte fácilmente.

Practica: la perseverancia, desarrollar buenos hábitos, tener determinación y entusiasmo por conseguir los objetivos diarios y a largo plazo.
Ejemplo 1: te resulta difícil hacer el *saludo al sol* y decides practicar la mitad de la secuencia cinco veces al día nada más despertarte, hasta conseguir tu objetivo de llegar a tocarte los dedos de los pies.
Ejemplo 2: decides desarrollar el hábito de realizar los deberes escolares en cuanto llegas a casa del colegio y antes de salir a jugar con tus amigos. Sabes que si lo consigues ya nunca se te olvidará hacerlos. Además, es un buen hábito que será muy provechoso a corto y largo plazo.

Lecturas sugeridas

- *How Leo Learned to Be King*, de Marcus Pfister y J. Alison James.
- *¡Nadie me detiene!*, del doctor Wayne W. Dyer, Kristina Tracy, y Stacy Heller Budnick.
- *Sally Jean, the Bicycle Queen*, de Cari Best y Christine Davenier.
- *The Boy Who Invented TV*, de Kathleen Krull y Greg Couch.

Principio del yoga 8: pasar tiempo a solas

Sé reflexivo, dedica tiempo a estar contigo mismo. ¡Conócete! Quédate un rato en silencio y sin moverte.

Evita: estar demasiado ocupado, ser superficial, buscar las respuestas sobre quién eres en otras personas o en el mundo exterior.
Practica: disfrutar de momentos serenos en soledad, ser reflexivo, buscar ideas y respuestas dentro de ti, formularte la pregunta «¿quién soy?», meditar.
Ejemplo: en lugar de encender el ordenador para consultar tu bandeja de entrada de correos electrónicos en cuanto llegas a casa del colegio, decides dirigirte a tu rincón favorito de tu habitación. Apagas el teléfono móvil para escuchar tu música relajante preferida durante diez minutos mientras permaneces sentado en la *postura fácil con los ojos cerrados*. Te sentirás renovado y sereno, y confiarás en tu capacidad para hacer un gran trabajo con tu tarea de redacción.
Otras ideas: hacer el *saludo al sol* varias veces en silencio, practicar ejercicios respiratorios antes de levantarte, apuntar reflexiones en un diario.

Lecturas sugeridas

- *Yo creo en mí: Un libro de afirmaciones*, de Connie Bowen.
- *Así me siento yo*, de Janan Cain.
- *I Take a DEEEP Breath!*, de Sharon R. Penchina.

- *Sopa de pollo para el alma del adolescente*, de Jack Canfield, Mark Victor Hansen, Patty Hansen e Irene Dunlap.
- *Tejedor de afirmaciones, un cuento para creer en ti mismo*, de Lori Lite y Helder Botelho.
- *Is There Really a Human RACE?*, de Jamie Lee Curtis y Laura Cornell.

Principio del yoga 9: creer en algo superior

Piensa en algo superior a ti mismo o incluso encomiéndate a ello, basándote en tus propias creencias. O simplemente intenta conectarte con todas las cosas. Aprecia ese ideal y aspira a conseguirlo. Establece un propósito, un foco o una «columna vertebral» para tus valores, principios y acciones.

Ideas para iniciar una conversación: se puede hablar sobre la conexión con la naturaleza, el significado de *namaste*, el Día de la Tierra y la afirmación: «Trata a los demás de la misma forma que te gustaría que te trataran a ti».

Lecturas sugeridas

- *Todo lo que veo es parte de mí*, de Chara M. Curtis y Cynthia Aldrich.
- *The Story of Jumping Mouse* (historias folclóricas de los nativos americanos), varios autores).
- *Good People Everywhere*, de Lynea Gillen y Kristina Swarner.
- La Biblia, la Torá, el Corán y otros textos religiosos.
- El *Bhagavad Gita* u otros textos de yoga clásicos.

Segunda parte

Elementos básicos del YOGA para NIÑOS

Ahora que ya conoces las consideraciones especiales para cada grupo de edad, sabes qué es lo que necesitas para organizar las sesiones y has aprendido los principios básicos del yoga, estás preparado para aprender los componentes típicos de la práctica de yoga para niños. En esta parte del libro encontrarás información sobre meditaciones *mindfulness*, ejercicios respiratorios, posturas, juegos y movimientos creativos, canciones y cánticos, relajación y visualización. Las meditaciones *mindfulness* y los ejercicios respiratorios son actividades que unen la mente y el cuerpo y ayudarán a tus hijos a centrarse. Las posturas son la parte física de la práctica; se incluyen variaciones para que puedas compartirlas con los niños. Los juegos de yoga en familia son actividades divertidas que conectan a todos los participantes, por eso la práctica se puede ampliar para incluir a todos los miembros de la familia (así como también a amigos y vecinos). Los cánticos y canciones pueden utilizarse para animar las sesiones y reforzar el aprendizaje. Aprenderás a incluir canciones que vinculan las letras con las posturas, algo que a los niños les encanta. Finalmente, aprenderás ejercicios de relajación y visualización destinados a fomentar la serenidad mental y la relajación de tus hijos al final de la sesión. Todas las posturas, actividades y ejercicios presentados en esta parte del libro han sido concebidos para que puedas organizar tus propias rutinas. ¡Puedes recurrir a ellos en cualquier momento!

☆

Capítulo 4

MEDITACIONES *MINDFULNESS* PARA NIÑOS

DESCUBRE EL *MINDFULNESS*

El *mindfulness*, la práctica de cultivar la conciencia y la aceptación sin emitir juicios de valor, ha sido siempre inherente a la enseñanza y la práctica de yoga. De hecho, no puedes practicar verdaderamente yoga sin practicar *mindfulness*. Aunque por lo general lo primero que acude a la mente cuando pensamos en *mindfulness* y en el concepto de «ser conscientes» o «estar presentes» son las prácticas de yoga y meditación, en realidad hay muchas formas de cultivar *mindfulness*. Tocar un instrumento, leer un libro o pintar son actividades que estimulan la atención plena. Estar en el momento presente es importante, pero también lo es nuestra forma de considerar nuestras experiencias y acciones pasadas. En última instancia, el *mindfulness* nos permite ver las cosas tal como son y como están sucediendo, sin experimentar una reacción emocional. Cultivar esta capacidad nos permite dar lo mejor de nosotros mismos en cada momento. La atención consciente favorece que seamos más pacientes y compasivos con los demás y nos libera del impulso de reaccionar, lo que a su vez nos permite tomar decisiones más sensatas. Por otra parte, la práctica del *mindfulness* eleva nuestro umbral de malestar y estrés, nos ayuda a regular nuestros estados anímicos y nos hace más empáticos. A través de la práctica de yoga puedes desarrollar y mejorar estas importantes habilidades en tu propia persona y en tus hijos.

Para practicar *mindfulness* un adulto debe encontrar un espacio cómodo sobre su esterilla, cerrar los ojos, concentrarse en la respiración y dirigir su conciencia al momento presente en cuestión de segundos. No debe extrañarnos que esta forma de calmar el cuerpo y la mente resulte bastante difícil para un niño; de hecho, es una expectativa muy poco realista.

Por lo tanto, el enfoque para enseñar *mindfulness* a los niños es muy especial. Las actividades que se centran en utilizar los cinco sentidos o el movimiento son las más adecuadas para enseñar estas técnicas a los niños en desarrollo. Los momentos de silencio, los periodos de relajación estructurados, los ejercicios de visualización y las actividades que fomentan los movimientos realizados con una intención son muy importantes. Una vez que los niños han descubierto ese espacio de quietud dentro de sí mismos desean regresar a él una y otra vez. ¡A los niños realmente les apetece tener la oportunidad de estar calmados y conectados con su ser interior! Con el paso del tiempo, y a medida que avancen en la práctica, no debes sorprenderte si tus hijos comienzan a realizar las actividades por sus propios medios, sin necesidad de que los guíes. Y, por lo demás, ambos desarrollaréis la capacidad de «ver con claridad» en todo momento, sin hacer valoraciones ni sentiros impulsados a reaccionar emocionalmente. ¡Qué regalo!

Árboles que hablan

Esta es una actividad maravillosa para ayudar a tu hijo a comprender el yoga y el *mindfulness*. Comienza proponiéndole que adopte la *postura del árbol*. Luego pídele que te cuente que tomó ayer durante el almuerzo, dónde estaba y con quién, etc. Y mientras te contesta, eleva el volumen de la música e intenta «molestarlo» aplaudiendo cerca de sus orejas. Luego pídele que se detenga y tómale el pulso, observa qué está haciendo su mente, cómo es su respiración y qué es lo que está sucediendo en su cuerpo. A continuación pídele que haga la *postura de la montaña* (capítulo seis), señala un punto para que enfoque allí su atención e indícale que respire varias veces profunda y concentradamente. Anímalo a realizar la secuencia de pasos necesarios para adoptar la *postura del árbol* con plena conciencia, primero con un lado y luego con el otro. Cuando termine, conversa con tu hijo sobre las dos experiencias. ¿Dónde estaba su mente la primera vez? ¿Qué es lo que ocurría con su respiración? ¿Qué sentía físicamente? ¿Y la segunda vez? Como es evidente, la segunda experiencia siempre es diferente, y es muy probable que tu hijo comente que en la segunda ocasión se sintió más equilibrado, centrado y sereno. Habla con él sobre el poder de la respiración consciente y la importancia de dedicar un momento a concentrarse en lo que va a hacer antes de pasar a la acción; explícale de qué manera todo esto se relaciona con su habilidad para practicar la *postura del árbol* (la práctica de yoga integra la mente, el cuerpo y la respiración). ¿Cómo se puede aplicar esta lección a la vida cotidiana, sea en casa, en el colegio o en el patio del recreo? Ayuda a tu hijo a encontrar ejemplos utilizando sus propias historias.

MEDITACIÓN *MINDFULNESS*: EJERCICIOS

Los siguientes ejercicios de *mindfulness* han sido especialmente diseñados para niños. Abordan principalmente el uso de los cinco sentidos principales –la vista, el gusto, el oído, el tacto y el olfato– mientras nos movemos (meditaciones *mindfulness* en movimiento) y mientras reflexionamos. A lo largo de este libro se presentan muchos ejemplos de otros tipos de actividades previamente descritas. Estas actividades de meditación *mindfulness* también son útiles para iniciar una sesión de yoga, hacer la transición hacia la relajación o ayudar a tu hijo cada vez que necesite calmarse, centrarse o considerar las cosas desde una nueva perspectiva.

MEDITACIONES CON EL SENTIDO DEL TACTO

Escribir sobre la espalda

Beneficios

- **Desarrolla la concentración**
- **Fomenta el contacto positivo**
- **Estimula las habilidades de lecto-escritura y ortografía**

¿Qué hay que hacer?

El ejercicio de escribir sobre la espalda requiere que tu hijo preste atención plena; los niños suelen mostrarse muy participativos en esta actividad y se sienten a gusto. Puede servir como una transición maravillosa hacia una sesión de yoga que promueva el contacto positivo y sereno, y un poco de diversión. Puedes combinarla con el *masaje al compañero* (ver el recuadro) para calmar a tu hijo antes de que se vaya a dormir. Siéntate detrás de él y utiliza el dedo índice para escribir letras, o simplemente dibujar formas, sobre su espalda. Luego pídele que adivine lo que has escrito o dibujado. Para niños mayores se pueden escribir palabras completas, incluso oraciones. Independientemente de la edad de tu hijo, debes intentar que la actividad se complique paulatinamente con el propósito de potenciar su capacidad de adivinar lo que has escrito o dibujado. No te olvides de hacer turnos para que él también pueda escribir o dibujar algo sobre tu espalda.

¿Qué hay que decir?

Siéntate frente a mí y ponte cómodo. Voy a escribir o dibujar algo sobre tu espalda y luego tendrás que decirme qué es. ¿Estás listo?... ¿Qué es lo que escribí/dibujé? ¡Muy bien! Vamos a probar una vez más. Presta atención porque esta es un poquito más difícil... ¡Ahora me toca a mí!

* Escribir sobre la espalda

Masaje al compañero

Haced turnos para masajearos mutuamente la espalda y el cuello. Sírvele de modelo a tu hijo para que aprenda a comunicarse de forma compasiva preguntándole si le gustaría que lo masajearas más suave o más firmemente. Pídele que te indique dónde siente tensiones para que puedas centrarte en esa zona de su cuerpo. Como es evidente, el niño luego te devolverá el favor. Cuando se trabaja en grupo o con toda la familia, todos los miembros pueden sentarse uno detrás del otro para hacer un «tren de masaje». Al terminar todos se giran para agradecer a quien los ha masajeado y luego devolverle el favor.

* Descansar y presionar

Descansar y presionar

Beneficios

Calma y favorece la concentración
Elimina el exceso de energía o negatividad

¿Qué hay que hacer?

Invita al niño a hacer este ejercicio en cualquier momento en que observes que su nivel de energía es demasiado alto o está malhumorado. Puedes preparar el ambiente con un poco de música instrumental suave o música con un fondo de olas del océano. Pulverizar en la habitación un poco de niebla mágica también le ayudará a relajar los sentidos (ver «Niebla mágica» en la página 70).

En la base de la espina dorsal, justo por encima del sacro, hay una zona donde se unen las terminaciones nerviosas (piensa en la trabilla trasera de un pantalón de talle bajo). En su programa de yoga y también en su libro de yoga para bebés y niños pequeños, Helen Garabedian, la fundadora de Itsy Bitsy Yoga®, sugiere tocar esta zona para reconfortar y calmar a un bebé que tiene cólicos. Asegura que «es como un eructo para el sistema nervioso». Descansar y presionar es una variante de esta idea, pero diseñada para beneficiar a niños y adultos.

Cuando tu hijo se encuentre en la *postura del niño* (capítulo seis), colócate detrás de él y desliza firmemente las manos a lo largo de su espalda en sentido descendente. Esto provocará un estiramiento de la columna y abrirá el espacio que hay entre cada una de las vértebras. Deja las manos sobre la base de su espalda, una sobre otra y con los dedos apuntando hacia delante (piensa en las técnicas de reanimación cardiopulmonar). Inspira al mismo tiempo que el niño y durante la exhalación empuja las palmas de las manos contra su cuerpo utilizando tu peso corporal para añadir presión. Mientras empujas las manos contra el cuerpo del niño, estírate simultáneamente hacia atrás con energía. Las caderas de tu hijo deberían descender ligeramente. Asegúrate de preguntarle cómo siente la presión de tus manos. ¿Es insuficiente, es excesiva? Intenta visualizar que tus manos emanan amor, paz y energía positiva mientras tocas el cuerpo del niño. Respira con él tres veces o más, antes de sacudirlo con suavidad a uno y otro lado para disipar la energía estancada.

Deja las manos quietas, manteniéndolas en la misma posición durante unos instantes. Luego deslízalas con firmeza una vez más desde la parte superior hasta la zona inferior de la espalda, antes de retirarlas.

¿Qué hay que decir?

Adopta la postura del niño. ¿Te importa si te presiono un poco la espalda con las manos? Vale. Empiezo yo y después puedes hacérmelo tú a mí. Respira profundamente mientras te froto la espalda. Inhala y exhala, inhala y exhala. (Sigue adelante con las instrucciones, observando a tu hijo durante todo el proceso). Ya hemos terminado. Vamos a respirar juntos profundamente una vez. Puedes sentarte, pero hazlo muy despacio... ¿Cómo te encuentras?

Masaje mágico

Beneficios

- Alivia el estrés y la tensión
- Despeja la mente y mejora la concentración
- Fomenta el cuidado de uno mismo

¿Qué hay que hacer?

Este es un automasaje muy simple que tu hijo puede dominar fácilmente y utilizar en cualquier momento que lo necesite. Se puede realizar en una postura sedente, como por ejemplo la *postura fácil* (capítulo seis), de pie o incluso tumbado. Las instrucciones verbales guiarán a tu hijo paso a paso.

¿Qué hay que decir?

Cuando te sientas cómodo, cierra los ojos y concéntrate en tu respiración. Utiliza las puntas de los dedos y masajéate la parte superior de la cabeza, las sienes, la frente y la región que rodea las cejas con pequeños y firmes movimientos circulares. Si en alguna zona sientes más

* Masaje mágico, cabeza

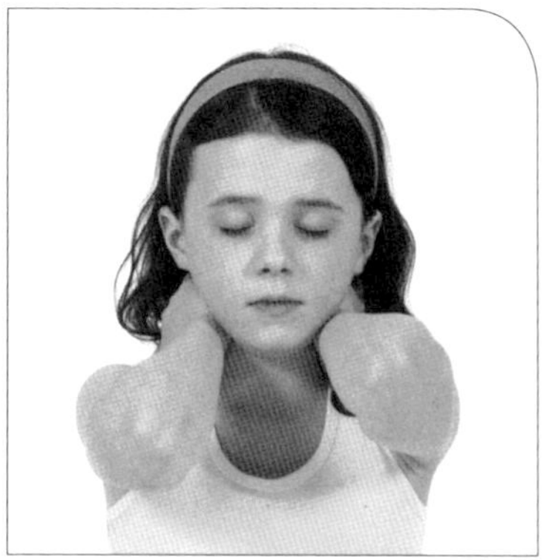

* Masaje mágico, cuello y hombros

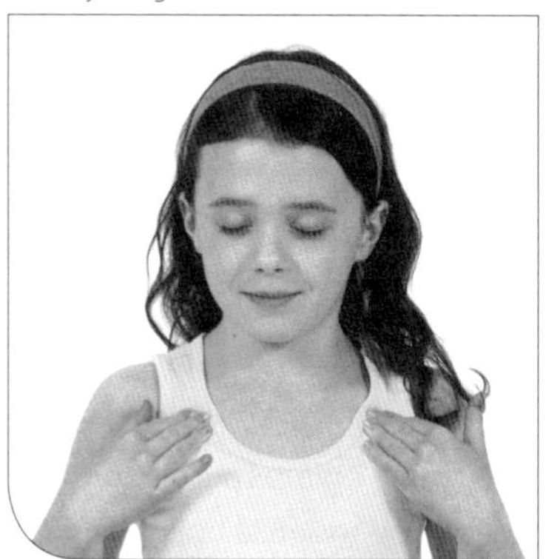

* Masaje mágico, debajo de la clavícula

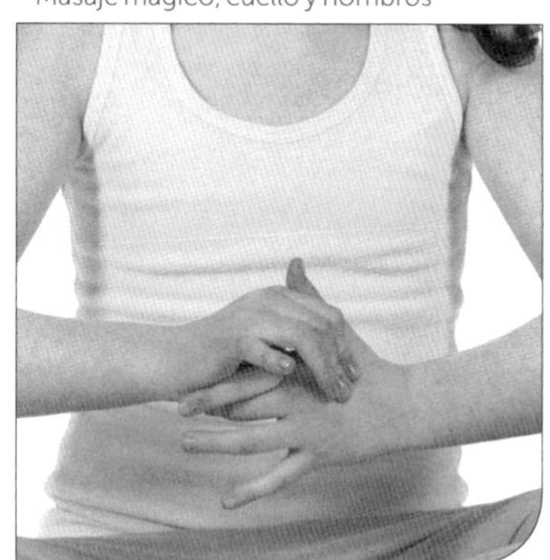

* Masaje mágico, manos

tensión, puedes pasar más tiempo masajeándola. Muy bien. Ahora lleva los dedos hacia las orejas para presionar y masajear los lóbulos, y a continuación introduce los dedos en las orejas como si quisieras abrirlas. Mueve los dedos hacia la parte posterior del cuello y de los hombros, masajeando todas las partes de tu cuerpo donde sientas tensión. Baja los dedos hasta la clavícula y colócalos sobre las dos zonas blandas que hay debajo de ella a cada lado del pecho. Masajea suavemente la zona durante diez segundos, como mínimo. Cruza los brazos sobre el pecho y aprieta el cuerpo. Aprieta los hombros y luego los brazos. Aprieta, aprieta, aprieta. Junta las manos y balancéalas de lado a lado como si estuvieras dibujando un ocho. ¿Has oído que tus muñecas han crujido un poco? Eso se debe a que algunas bolsas de aire que había entre las articulaciones se han liberado. Ahora toma la mano izquierda con la derecha. Presiona con el pulgar la zona blanda que hay entre el pulgar y la palma de la mano, y luego cada uno de los dedos. Cambia de mano y repite el mismo procedimiento; luego deja las manos apoyadas sobre tu regazo sin abrir los ojos. Respira profunda y regularmente durante unos instantes. ¿Qué es lo que has sentido? ¿Cómo te encuentras?

¡Revitaliza y despierta el cerebro!

El masaje mágico es regenerador, especialmente después de haber pasado mucho tiempo concentrado en alguna actividad, o escribiendo. Este automasaje estimula el flujo sanguíneo hacia el cerebro y otras zonas, como son el cuello y los hombros. El mayor flujo sanguíneo ayuda a mejorar la concentración necesaria para leer y escribir y el masaje muscular relaja y libera las tensiones.

SEGUNDA PARTE

Encuentra ese objeto

Beneficios

- Fomenta la atención y la concentración
- Estimula el procesamiento sensorial

¿Qué hay que hacer?

Necesitas una bolsa o una canasta y varios objetos que representen animales, algunos elementos de una casa de muñecas, coches *Matchbox* u otros objetos pequeños de tamaño semejante que a tu hijo le resulten familiares. Coloca los objetos en la bolsa. Después de tapar los ojos del niño con una venda o algo parecido, pídele que meta una mano en la bolsa y que intente encontrar un objeto en particular (por ejemplo tomar el gato) utilizando únicamente el sentido del tacto para diferenciar un objeto de otro. Cuanto mayor sea tu hijo, más deberían parecerse los objetos. Por ejemplo, si a tu hijo le gustan los coches *Matchbox,* mete en la bolsa distintos tipos de coches y pídele que encuentre un modelo específico. También puedes ponérselo más difícil pidiéndole que use la mano no dominante para coger y reconocer el objeto. Si le propones este juego a un niño más pequeño, pídele que meta las dos manos en la bolsa. Puedes simplificar el juego poniéndole en la mano un objeto reconocible y pidiéndole que adivine qué es.

¿Qué hay que decir?

Tengo varios objetos interesantes en esta bolsa. Tienes que meter una mano y encontrar el objeto que yo te diga. Para que no puedas mirar voy a taparte los ojos con esta venda (o sombrero, etc.). ¿Puedes ver algo? ¡No vale espiar! Ahora mete la mano en la bolsa y revuelve en su interior hasta encontrar el/la _________. Tómate tu tiempo. Piensa la forma que tiene el/la_________ e intenta encontrarlo/a con los dedos; vamos a comprobar si tus dedos pueden ver dentro de la bolsa. Voy a quedarme en silencio para que puedas concentrarte. ¡Ajá! ¿Qué tienes ahí? ¿Has encontrado el/la__________? (si no lo ha conseguido, pídele que deje ese objeto a un lado e invítalo a probar una vez más con un nuevo objeto).

MEDITACIONES CON EL SENTIDO DE LA VISTA

Observar la vela

Beneficios

Calma y centra
Enfoca la atención

¿Qué hay que hacer?

Enciende una vela y colócala entre tu hijo y tú. Tú eres la mejor persona para determinar si puede estar cerca de una vela o no. Si es menor de siete años, puedes usar una vela de té* sin llama real. Una vela con un LED que cambie de color es especialmente atractiva para todas las edades. Indícale a tu hijo que observe la llama de la vela durante periodos más largos en cada sesión. Puedes comenzar por veinte segundos y llegar hasta dos minutos, o más, en el transcurso de las sesiones.

¿Qué hay que decir?

Encuentra una posición cómoda, como por ejemplo la *postura fácil*, la *postura del héroe* o la *postura de la esfinge*, que se hace tumbado sobre el abdomen (capítulo seis). Enfoca tu mirada en la llama de la vela mientras practicamos juntos la *respiración del globo* (capítulo cinco). Inhalamos... Exhalamos... ¡Bien! No te muevas hasta que yo te lo diga. ¡Bravo, lo has conseguido! ¿Qué te parece si la próxima sesión miramos la vela un rato más largo?

SEGUNDA PARTE

Pintar mandalas

Beneficios

Relaja el sistema nervioso
Calma y centra la mente
Inspira la creatividad

¿Qué hay que hacer?

Mandala es una palabra de origen sánscrito (el idioma del yoga) que significa 'círculo'. Un mandala es un diseño circular, geométrico, que representa la unidad, la conectividad y la

* Las velas de té son pequeñas velitas, normalmente circulares, que están envasadas en recipientes de metacrilato o aluminio. Tienen dos grandes cualidades: son de larga duración y no manchan, ya que la cera líquida se queda en el envase. (Fuente: hacervelas.es)

totalidad. Observar, crear o colorear un mandala es un ejercicio que se practica desde hace mucho tiempo para fomentar la atención, la concentración y un estado meditativo general. Antes de comenzar este ejercicio, o la *meditación en movimiento con mandalas*, que encontrarás un poco más adelante en este mismo capítulo, comparte con tu hijo algunos ejemplos de mandalas que puedes encontrar en Internet o en un libro.

Pintar un mandala es una actividad meditativa maravillosa para niños de cualquier edad. Dale a tu hijo rotuladores, crayones o lápices de colores para que eche a volar su creatividad coloreando un mandala a su voluntad. Tú puedes acompañarlo coloreando tu propio mandala. ¡Compara y celebra con él esas creaciones únicas cuando las acabéis! En las librerías encontrarás muchos libros de mandalas* para colorear. En Internet también se pueden encontrar páginas de acceso gratuito para pintar mandalas de todo tipo. Empodera a tu hijo dejándolo elegir un mandala de la selección que has imprimido. Cuanto más pequeño sea, menos opciones se le deben ofrecer y más simples deben ser los diseños. Para crear un ambiente meditativo se puede escuchar música suave y relajante. ¡También puedes ofrecerle la oportunidad de que sea él quien elija la música!

¿Qué hay que decir?

¡Es la hora de los mandalas! Aquí tenemos algunos, elige el que te gustaría pintar hoy. Puedes usar rotuladores, crayones o lápices de colores y elegir todos los colores que quieras. Vamos a poner una música suave, la que tú elijas, y después nos sentaremos a colorearlos juntos. Vamos a sentarnos en la *postura fácil* y respirar juntos durante un minuto para preparar nuestros cuerpos y nuestras mentes antes de empezar a pintar. Vale, ahora ya estamos listos...

Meditación con el sentido del olfato

Niebla mágica

Beneficios

- Produce un efecto relajante
- Fomenta la respiración profunda

¿Qué hay que hacer?

La niebla mágica contiene aceite esencial de lavanda, que como todo el mundo sabe tiene un efecto relajante (ver el capítulo tres para preparar tu propia niebla mágica). Pulveriza un poco de la mezcla en una habitación o rincón, para crear un ambiente sereno. Esto es especialmente adecuado para realzar las sesiones de yoga que compartes con tus hijos o para crear el

* Editorial Sirio ha publicado varios: *Sé feliz coloreando, Descansa coloreando, Inspírate coloreando, Diviértete coloreando, El placer de colorear, Disfruta coloreando, Relájate coloreando, Mandalas para colorear* y *El arte del lettering.*

ambiente propicio para la relajación, la hora de la siesta o de ir a la cama por la noche. Anima a tu hijo a inhalar y sentir el aroma de la mezcla, potenciando así el componente respiratorio del ejercicio. Para hacer otra meditación con el sentido del olfato, lee la sección «Detenerse para sentir el aroma de las flores», en el capítulo cinco.

¿Qué hay que decir?

He preparado un poco de niebla mágica para que nos ayude a tranquilizarnos y aquietarnos. Ahora voy a pulverizar un poco de niebla mágica y luego podemos respirar juntos. ¿Sientes el aroma de la lavanda? Aspira la fragancia a través de la nariz y llena tu barriguita. Exhala mientras dices un «ahhhhhh» de satisfacción, ¡porque huele realmente bien! Vamos a repetirlo dos veces más.

Meditación con el sentido del gusto

Un foco de atención sabroso

Beneficios

- Centra la atención
- Estimula la atención plena
- Fomenta la alimentación consciente

¿Qué hay que hacer?

Este ejercicio enseña a tu hijo a alimentarse de forma consciente. La alimentación consciente se practica en una posición sedente y relajada (por ejemplo, en una silla) y también en la *postura fácil* o en la *postura del héroe* (ver el capítulo seis). Para hacer este ejercicio necesitarás algún alimento pequeño como puede ser un arándano, un M&M, una uva pasa o una galleta. El niño no debe saber qué es lo que vas a darle. Si crees que se sentirá tentado a espiar, puedes taparle los ojos con una venda. Si trabajas con niños pequeños, pídeles que respondan a tus preguntas en voz alta a medida que se las formulas. Anima a los más mayores a responder las preguntas mentalmente y a esperar que termine el ejercicio para compartir su experiencia. Una vez que hayas practicado varias veces este ejercicio con tu hijo utilizando alimentos conocidos, puedes empezar a introducir otros que le resulten menos familiares.

¿Qué hay que decir?

Siéntate y cierra los ojos. Extiende una mano con la palma abierta y orientada hacia arriba. Voy a ponerte un pequeño objeto en la mano. Tócalo suavemente con los dedos. ¿Es suave, es áspero? ¿Qué forma tiene? ¿Puedes adivinar qué es sin espiar? Acércatelo a la nariz. ¿Tiene olor? ¿De qué tipo? Ahora acércatelo a la boca, colócalo sobre la lengua y cierra la boca.

¡No lo mastiques todavía! Piensa en palabras que puedan describir el sabor de este objeto. ¿Y qué me puedes decir de su textura? Ahora puedes empezar a masticarlo lenta y atentamente. ¿Cómo es su sabor? ¿Dulce, salado? Ahora puedes tragarlo. ¿Ya sabes qué es? Después de saborearlo cuidadosamente, ¿qué has descubierto sobre él?

Meditaciones con el sentido del oído

Escuchar el carillón

Beneficios

Desarrolla la habilidad de escuchar y concentrarse

Estimula la atención plena

¿Qué hay que hacer?

Para este ejercicio necesitas un carillón. Cuando suene, tu hijo se concentrará en el sonido reverberante que produce hasta que se detenga. Antes de hacer este ejercicio, es aconsejable ayudarlo a centrarse practicando juntos la *respiración del océano* o la *respiración del globo* (capítulo seis).

¿Qué hay que decir?

Siéntate en la *postura fácil* o en la *postura del héroe* (capítulo seis) con las manos sobre tu regazo. Voy a hacer sonar el carillón y tú vas a escuchar atentamente mientras dure el sonido. Trata de cerrar los ojos. Tal vez notes que tu sentido del oído es más fino cuando tienes los ojos cerrados. Levanta la mano sin decir nada cuando ya no oigas el sonido. ¿Preparado?...

Mover el carillón (o xilófono)

Como una variante del ejercicio anterior puedes hacer sonar el carillón y luego moverlo de un lado a otro entre tu hijo y tú (o alrededor del círculo de personas si estás trabajando en grupo o en familia) con el objetivo de devolverlo al lugar inicial antes de que el sonido se detenga. Debes tener cuidado porque el sonido cesará si tocas la parte metálica del carillón; has de moverlo muy conscientemente.

Seguir el sonido de un instrumento

Beneficios

- **Desarrolla la capacidad de escuchar y la concentración**
- **Fomenta la atención consciente**

¿Qué hay que hacer?

Elige una pieza de música instrumental simple que incluya dos o tres instrumentos reconocibles para este ejercicio. Cuando se trabaja con niños menores de ocho años, no debe haber más de dos instrumentos, y un máximo de tres para niños mayores. Para iniciar la sesión dile al niño que vais a practicar juntos la *respiración del océano* o la *respiración del globo* (capítulo cinco). Este ejercicio se puede practicar sentado con el objetivo de centrarse, o tumbado en *Savasana* (capítulo seis).

¿Qué hay que decir?

Siéntate en la *postura fácil* o en la *postura del héroe* (capítulo seis) o túmbate sobre el suelo. Voy a hacerte escuchar una pieza de música, y tú tienes que elegir uno de los instrumentos que oyes e intentar seguirlo a lo largo de toda la canción. Cuando le pierdas el rastro y te des cuenta de que estás escuchando otro instrumento, debes decirte: «Se me ha perdido mi instrumento. ¿Dónde está? ¡Oh, ya lo encontré!». Luego vuelve a seguir su sonido. Será más fácil si cierras los ojos, aunque también puedes fijar la mirada en un punto del suelo enfrente de ti. Cuando vea que ya estás preparado, empezará a sonar la música...

Hablar de la experiencia para aprender de ella

Como sucede con todas las actividades que sirven para fomentar la concentración, será muy útil que hables con tu hijo sobre la experiencia. Para este ejercicio en particular puedes preguntarle: «¿Qué instrumento estabas siguiendo? ¿Te resultó fácil o difícil escuchar un solo instrumento? ¿Te parece complicado concentrarte exclusivamente en una cosa, cuando a tu alrededor hay un montón de estímulos? ¿Qué herramientas podemos utilizar para que nos ayuden a concentrarnos otra vez?».

Desde fuera hacia dentro

Beneficios

- Desarrolla la capacidad de escuchar, estimula la concentración
- Fomenta la atención consciente

¿Qué hay que hacer?

Esta actividad se puede practicar en cualquier parte, en la habitación de tu hijo, en el coche e incluso como un descanso para una ajetreada sesión familiar con el fin de alentar a tu hijo a que dirija su atención hacia el interior. El niño puede sentarse en la *postura fácil* o en la *postura del héroe* (capítulo seis), tumbarse o sentarse en una silla. Es aconsejable que respiréis juntos varias veces para que el niño se calme antes de comenzar y anímalo a que cierre los ojos. Cuando practiques esta actividad con un niño pequeño, ponle las cosas más fáciles pidiéndole que se concentre únicamente en los sonidos que hay a su alrededor (incluyendo los que llegan de afuera) y los que hay dentro de él.

¿Qué hay que decir?

Encuentra una posición cómoda. Cierra los ojos y escucha con atención. Vamos a practicar juntos la *respiración del globo*... Inhalamos y exhalamos... Sigue respirando y concéntrate en lo que sucede fuera de esta habitación. Intenta identificar todos los sonidos que oyes. Si oyes un coche, di mentalmente «coche». Luego presta atención para descubrir otros sonidos. (Deja pasar un minuto). Ahora concéntrate en esta habitación. Identifica los sonidos que se producen alrededor y dentro de este espacio, y toma nota de ellos. (Después de un minuto). Ahora presta atención al espacio más cercano a ti. (Después de un minuto). Ahora intenta oír los sonidos y percibir las sensaciones que tu cuerpo experimenta. Una vez más identifícalas en silencio. (Después de un minuto). ¿Cómo te sientes? ¿A qué estás prestando atención ahora? Dime todo lo que has notado y oído mientras desplazas tu atención desde el exterior hacia el interior.

Practicar la paz

Beneficios

- Favorece la reflexión
- Produce una sensación de conectividad
- Tranquiliza

¿Qué hay que hacer?

La vida no siempre es tranquila para un preadolescente. Los deportes, las horas dedicadas a las tareas escolares y sus cuerpos en constante cambio pueden hacer que su vida sea realmente muy agitada. Aunque los símbolos de la paz aparezcan en sus mochilas o en sus camisetas, ellos pueden estar muy lejos de entender qué significa estar en paz. Abby Mills, de Shanti Generation, nos ofrece una maravillosa meditación que puede ayudar a tu hijo preadolescente a asimilar la idea de la paz. Esta meditación se practica mejor en el exterior, o cerca de una ventana abierta, aunque también puedes realizarla en una habitación y poner música con sonidos de la naturaleza. Después de hacer este ejercicio puedes animar a tu hijo preadolescente a escribir o dibujar en su diario algo relativo a la experiencia (ver «Apuntar reflexiones en un diario», un poco más adelante en este capítulo). Ver también «Cánticos», en el capítulo ocho, donde se incluyen otras meditaciones con sonidos.

¿Qué hay que decir?

Siéntate cómodamente con las manos sobre los muslos. Respira suave y lentamente y dirige tu atención a la respiración. Comienza a oír los sonidos y percibir las sensaciones que te rodean: quizás los pájaros están cantando, o haya una agradable brisa... ¿Qué más oyes? Tal vez no sean sonidos que producen paz. La vida no siempre es tranquila, de modo que es útil aprender a integrar y aceptar sonidos discordantes junto con los que inspiran serenidad. Ve reuniendo y superponiendo mentalmente los sonidos hasta que empiecen a combinarse para formar un único sonido prolongado. Con la siguiente inhalación comienza a atraer este sonido pacífico y universal hacia tu ser interior. Toma nota de las sensaciones que esos sonidos crean en el interior de tu cuerpo y tu mente. ¿Puedes sentir la paz de todas las cosas en sintonía? ¿Puedes conectarte con el mundo que te rodea y sentir esa paz en tu interior? ¿Qué es lo que sientes interiormente? ¿Puedes describirlo?

Meditaciones en movimiento

Meditación con pañuelos o fulares

Beneficios

- Calma y ayuda a centrarse
- Estimula el movimiento consciente
- Fomenta la conciencia corporal

¿Qué hay que hacer?

A los niños les encanta realizar una actividad con pañuelos o fulares de colores que se mueven fluidamente. Dale a tu hijo un pañuelo para cada mano, o un fular para que sujete con ambas manos. Ahora pídele que se convierta en un alga marina, en las olas del océano, en el viento, en el agua etc., y que se mueva rítmicamente al compás de la música. Puedes probar a cambiar la música. Por ejemplo, puedes comenzar con una suave y lenta hasta llegar a una más rítmica y dinámica, pero concluyendo siempre la sesión con un ritmo pausado y tranquilo. Anima a tu hijo a utilizar los pañuelos o el fular para «convertirse» en música. Al final de la experiencia conversa con él sobre lo que ha sentido. ¿Qué sintió físicamente al moverse con la música de ritmo rápido? ¿Y con la música lenta y suave? ¿Qué ocurrió con su respiración? ¿Y con sus movimientos? Al trabajar con niños mayores pídeles que se concentren en moverse con un ritmo lento y tranquilo mientras respiran profundamente, incluso cuando la música es rápida y frenética. Este ejercicio puede dar lugar a buenas conversaciones sobre nuestra capacidad para enfocar la atención y regular la respiración, independientemente de lo que esté sucediendo a nuestro alrededor.

¿Qué hay que decir?

Toma estos pañuelos (o este fular). Voy a poner diferentes tipos de música. Vamos a comenzar con una música lenta y tranquila, y vas a intentar coordinar tus movimientos y tu ritmo con la música. Luego, a lo mejor cambio la música y tú tendrás que decidir si también quieres cambiar tus movimientos, haciendo mover los pañuelos (o el fular) de la forma que te apetezca. ¿Estás preparado?

Malabares con pañuelos

Beneficios

Fomenta la atención y la concentración
Desarrolla la confianza

¿Qué hay que hacer?

Hacer malabares es una actividad que entusiasma a los niños, y muy eficaz para desarrollar la concentración. ¡Es un ejercicio maravilloso para empoderar a los niños a partir de los siete años! Antes de enseñarle a tu hijo cómo hacer malabarismos, primero debes aprender a hacerlo tú con tres pañuelos de diferentes colores. Puedes encontrar información en Internet. No es tan difícil como te imaginas. La clave es empezar sujetando dos pañuelos en una mano, y uno en la otra. Primero tira al aire uno de los dos pañuelos que sujetas con una mano y luego empieza a arrojarlos al aire y a atraparlos alternadamente con cada mano. Pronuncia en voz alta el color del que has atrapado en el aire para mantener la concentración: «Rojo, amarillo, verde, rojo, amarillo, verde», etc.

¿Qué hay que decir?

¡Vamos a hacer malabares! Primero observa cómo lo hago y luego te enseñaré. Mira, tengo dos pañuelos en la mano derecha y uno en la izquierda. En cuanto empiece el juego, tengo que tener siempre un solo pañuelo en cada mano. Allá voy. Rojo, amarillo, verde, rojo, amarillo, verde. ¡Lo he conseguido! ¿Te has fijado en que mis ojos estaban pendientes de los pañuelos en todo momento? ¡Ahora te toca a ti! Muy bien. Sujeta el rojo y el verde con la mano derecha y el amarillo con la izquierda. Agarra el pañuelo rojo con menos fuerza para poder tirarlo al aire en primer lugar. ¿Preparado?...

Metamorfosis

Beneficios

- Fomenta el movimiento consciente y la gracia
- Calma
- Estimula la atención y la concentración

¿Qué hay que hacer?

La siguiente descripción utiliza la metamorfosis de una bellota que crece en un árbol. No obstante, este ejercicio se puede adaptar a cualquier cosa que cambie de forma o evolucione de un estado a otro, como sucede con la oruga que se convierte en mariposa o con un pájaro que nace de un huevo y aprende a volar; pero también puede ser un globo que se desinfla o un helado de cucurucho que se derrite, tal como se describe en el capítulo nueve. Marca el tono y el ritmo del ejercicio haciendo sonar una música muy suave y lenta.

Anima a tu hijo a moverse lentamente y con plena conciencia, guiándolo con un tono de voz suave y un ritmo relajado para que se mueva lo más despacio posible. Recuérdale que respire profundamente mientras se está metamorfoseando. Si hace el ejercicio de convertirse en un árbol, dile que ponga a prueba su equilibrio adoptando la *postura del árbol* mientras tú simulas ser una fuerte ráfaga de viento que mueve sus hojas de un lado a otro. Si quieres lograr que esté concentrado en todo momento, o cuando tiene que hacer la transición a la relajación, puedes decirle que se «caiga» suavemente (como lo hacen las hojas de un árbol que el viento desprende de las ramas) antes de tumbarse en la esterilla o en la manta.

¿Qué hay que decir?

Adopta la *postura del niño* (capítulo seis) para que tu cuerpo sea un poco más pequeño. Imagina que eres una minúscula bellota metida cómodamente bajo la tierra en un sitio cálido y acogedor. Si te quedas muy quieto tal vez sientas caer la lluvia sobre tu espalda (golpetea suavemente la espalda del niño con los dedos). Cuando sientas la lluvia, inhala y empieza a crecer muy pausadamente hasta salir de tu semilla. Los árboles crecen muy despacio. ¿Con qué lentitud puedes moverte? Primero sale un brote... Luego otro. Ahora comienzas a incorporarte poco a poco. Sigue respirando conscientemente... Ahora pon un pie en el suelo para que el tronco crezca fuerte y gane altura. Las ramas y las hojas comienzan a abrirse hacia el cielo. A continuación abres mucho los dedos de las manos para que broten nuevas bellotas. Pop, pop, pop. ¡Lo has conseguido!

Meditación en movimiento con mandalas

Beneficios

- Fomenta la atención plena
- Impulsa la creatividad
- Estimula la autoexpresión y el aprecio de la diversidad
- Desarrolla el sentimiento de pertenencia al grupo

¿Qué hay que hacer?

Busca en tu casa algunos artículos pequeños y coloridos que puedan organizarse en grupos. Pueden ser cintas, botones, trozos de papel o retales de tela coloridos, pañuelos, legumbres secas de diversos colores, elementos de una casa de muñecas, coches *Matchbox*, figuras de animales o de otras cosas, tu colección de cristales pulidos por el mar, piedras, monedas, etc. Coloca cuencos para cada tipo de artículos en la habitación, dejando un espacio abierto en el centro para crear el mandala. Antes de iniciar el ejercicio dile a tu hijo que debe prestar mucha atención, permanecer en silencio y moverse despacio durante toda la actividad. Puedes poner música relajante para marcar el tono y el ritmo de la tarea. Cuando se acaben los materiales, o decidáis de común acuerdo que el mandala está terminado, no te olvides de celebrar la creación conjunta tomándole una foto (con el paso del tiempo, tendrás una hermosa colección de fotos de los mandalas). Para terminar, desmontad el mandala, pieza por pieza, con la misma atención consciente.

¿Qué hay que decir?

Vamos a crear nuestro propio mandala. Nos vamos a turnar para colocar las piezas en este espacio circular que hay en el suelo. Voy a empezar yo colocando este/a _______________ en el centro. Ahora te toca a ti. Puedes elegir cualquier objeto de todos los cuencos que tenemos. Elige uno y colócalo dentro del círculo. Puedes ponerlo cerca del mío o donde te plazca, lo que decidas estará bien. Ahora vamos a seguir completando el mandala eligiendo la siguiente pieza por turno; entraremos y saldremos del círculo en silencio y con plena conciencia para colocarla donde nos apetezca. Una vez que hayamos utilizado todos los objetos que hay en los cuencos, nos sentaremos juntos en la *postura fácil* o en la *postura del héroe* (capítulo seis) para mirar nuestra creación en silencio mientras respiramos juntos durante un minuto. Antes de comenzar vamos a hacer tres respiraciones relajantes del *Pájaro que vuela* (capítulo cinco) para que nuestros cuerpos y nuestras mentes estén preparados para estar en silencio y plenamente atentos... ¡Bien, vamos a empezar!

Realizar el ejercicio al aire libre

Incorpora esta actividad mientras sales a dar un paseo con tu hijo por la naturaleza (ver un poco más adelante, en este mismo capítulo, «Meditación durante un paseo por la naturaleza»). Podéis recoger objetos decorativos naturales mientras camináis (como pueden ser palos, piedras, flores u hojas) y utilizarlos para crear un mandala en un espacio abierto. Un día nevado podéis salir al patio, o ir a un prado cercano, y crear un hermoso diseño de mandala con las huellas de los pies sobre la nieve.

La lavadora

Beneficios

Disipa la ansiedad, la preocupación y la ira
Integra y organiza
Da energía

* La lavadora

¿Qué hay que hacer?

Esta serie de movimientos se basa en el *qigong* (o *chi kung*). Es una secuencia ideal para practicar después de un día muy largo, pues permite liberarse de la tensión y el estrés, integrar los dos lados del cerebro, organizar el cuerpo y revitalizarse. Si quieres vigorizarte al acabar el ejercicio, practica la *respiración energizante*; si por el contrario quieres relajarte, haz la *respiración del pájaro que vuela* (capítulo cinco).

¿Qué hay que decir?

Ponte de pie con los pies separados unos treinta centímetros. Relaja las rodillas y comienza a girar la parte superior del cuerpo de lado a lado, de manera que tus brazos se balanceen alrededor del cuerpo. Piensa en lo que te gustaría «lavar»: la rabia, las preocupaciones o los sentimientos que te producen dolor. Elimínalos inmediatamente de tu cuerpo. Imagina que la pesadez cae desde tu cuerpo hacia la tierra. Cuando termine el «ciclo de lavado», sacude todo tu cuerpo para secarte.

Adopta la *postura de la montaña* (capítulo seis) y respira profundamente una vez. Golpetea suavemente tu cuerpo usando todos los dedos y comienza a conectar contigo mismo. Quizás te apetezca visualizar pensamientos positivos y serenos. Comienza por la cabeza y desde allí baja por la parte anterior del cuerpo, y luego por la parte posterior. Golpetea los dos brazos en sentido descendente, comenzando por los hombros. Rodea tu cuerpo con los brazos para llegar a golpetear suavemente los dos lados. Cambia la posición de los brazos y repite una vez más. Bájalos y cierra los ojos. Intenta percibir cómo te sientes.

Meditación durante un paseo por la naturaleza

Beneficios

Fomenta la conciencia corporal

Potencia la atención consciente

¿Qué hay que hacer?

El simple acto de caminar es un movimiento repetitivo que puede invitar a la meditación. Salir a dar un paseo le ofrecerá a tu hijo la oportunidad de observar, oír, tocar y oler una gran cantidad de cosas. Todo eso despertará sus sentidos, y como consecuencia desarrollará una mayor conciencia de su entorno y de su propio cuerpo. Sal a dar un paseo por la naturaleza con tu hijo. Podéis ir a un parque cercano o una reserva natural. Mientras camináis, sugiérele que preste atención a cada paso que da. Exagera los movimientos que participan en cada uno de los pasos para enseñarle cuáles son y pídele que siga tus instrucciones. Caminad juntos practicando la atención consciente, y después probar a regular el ritmo de la caminata. Durante el paseo pregúntale qué es lo que ve y oye, e invítalo a tocar y oler todo lo que atraiga su atención (¡evidentemente, todo lo que no represente ningún peligro!).

Meditaciones para reflexionar

Segundos silenciosos

Beneficios

Mejora la atención y la concentración

Aquieta la mente

Ayuda a calmarse y centrarse

¿Qué hay que hacer?

Este ejercicio le ofrece a tu hijo la oportunidad de dirigir la atención al momento presente concentrándose en la respiración. Utilízalo con niños de cuatro años y mayores, que estén familiarizados con la práctica de concentrarse en la respiración, normalmente a través de la *respiración del globo* o de la *respiración del océano* (capítulo cinco). Establece un periodo de tiempo para que el niño se concentre en su respiración; puedes comenzar por quince segundos y aumentar poco a poco hasta llegar a dos minutos durante el transcurso de las sesiones. Cuanto mayor sea el niño, más tiempo se puede esperar que consiga practicar esta actividad. Si lo pasa mal manteniendo los ojos cerrados, pídele que observe el segundero de un reloj u ofrécele una figura u objeto donde pueda fijar la mirada, como expliqué para el ejercicio de *Observar la vela* (ver «Meditaciones con el sentido de la vista»).

¿Qué hay que decir?

Siéntate en la *postura fácil* o en la *postura del héroe* (capítulo seis), escoge la que sea más cómoda para ti. Junta y presiona las manos frente al corazón, o apóyalas sobre los muslos o el abdomen. Comienza a practicar la *respiración del globo* (capítulo cinco), llenando completamente los pulmones y el abdomen y luego exhalando lentamente para eliminar todo el aire. Sigue respirando mientras tu cuerpo permanece quieto y silencioso... Si percibes que tu mente comienza a divagar, puedes decirte a ti mismo: «Vaya, mi mente está revoloteando. ¿A dónde se ha ido mi respiración?». Luego vuelve a concentrarte en tu respiración otra vez. Observa cómo el aire entra y sale de tu nariz. ¿Puedes concentrarte en la sensación que experimentas mientras tu abdomen se infla y desinfla al compás de la respiración? Inhala... Exhala... Muy bien. Voy a controlar el tiempo mientras tú te concentras en tu respiración durante el ejercicio de *segundos silenciosos*. Te diré cuándo...

Apuntar reflexiones en un diario

Beneficios

Fomenta la autorreflexión y la autoconciencia
Estimula la creatividad
Fortalece los vínculos afectivos y desarrolla el sentimiento de pertenencia al grupo

¿Qué hay que hacer?

Tener un diario de yoga es una excelente manera de ayudar a tus hijos a procesar la información aprendida durante la práctica y las conversaciones. Los diarios pueden también utilizarse entre las sesiones para que tu hijo deje registrado todo lo que piensa o siente, y también puede apuntar las preguntas que te quiere hacer en la próxima sesión (¡o en cualquier momento!). Hay diversas formas de incorporar el diario a la práctica de yoga que compartes con tu hijo. Puedes invitarlo a tomar notas entre las sesiones, o dejar que escriba o dibuje libremente al final de una sesión algo relativo a su experiencia. Si el niño es muy pequeño y todavía no sabe escribir, puedes pedirle que pegue fotos o recortes de revistas, o que haga un dibujo.

Esto fomentará su creatividad, le permitirá desarrollar su habilidad para la escritura, facilitará la comunicación entre ambos y producirá una sensación de conectividad. Ten en cuenta que tiene la opción de decidir si quiere compartir el diario contigo o si prefiere que sea privado. Y tú debes respetar su decisión.

¿Qué hay que decir?

(Si quieres que el niño escriba o dibuje libremente en su diario, limítate a decir): ¿Qué has aprendido hoy? ¿Tienes alguna duda o pregunta? Escribe o dibuja en tu diario para bucear en tus pensamientos. (Si quieres darle alguna indicación, allá van algunas ideas:) ¿De qué manera te ayuda a fortalecerte la *postura del árbol*? ¿Qué imágenes vienen a tu mente cuando haces la *postura del guerrero*? ¿Qué te enseña la *postura de la rueda* sobre la importancia de ser flexible física y mentalmente?

Pensamientos de gratitud

Beneficios

Equilibra la energía
Estimula la sensación de conectividad
Fomenta el optimismo
Levanta el ánimo
Potencia la reflexión consciente

¿Qué hay que hacer?

Una dosis de gratitud siempre es una buena medicina. De hecho, no hay nada más poderoso que la experiencia de la gratitud para que las energías negativas se transformen en positivas. Recurre a esta meditación para fomentar la propia valoración cuando tu hijo (o tu familia) tiene el ánimo bajo, se muestra pesimista o se encuentra agobiado (ver también la *Relajación de gratitud* en el capítulo nueve).

¿Qué hay que decir?

Cierra los ojos y relaja la cara y los músculos del cuello. Escucha el sonido de tu respiración mientras el aire entra y sale de la nariz. Piensa en todas las cosas buenas que hay en tu vida. Empieza a enumerarlas mentalmente, una por una. Me sentaré junto a ti y haré exactamente lo mismo. Al cabo de un minuto podemos contarnos lo que hemos pensado.

Compartir sentimientos

Beneficios

Fomenta una sensación de conectividad
Estimula la autoconciencia
Potencia la reflexión consciente

¿Qué hay que hacer?

Mejora la relación que tienes con tu hijo compartiendo tus verdaderos sentimientos (dentro de lo razonable) y animándolo a expresar sinceramente lo que piensa y siente. Cuando lo haga, debes prestarle toda tu atención y escucharlo con interés. Recuerda que no es necesario «corregir» los sentimientos. Enséñale que no se deben juzgar los sentimientos, diciendo por ejemplo: «Hoy me siento un poco triste. La tristeza es un sentimiento y no pasa nada si a veces estamos tristes». Crea un espacio seguro para que ambos podáis conectar con vuestros respectivos sentimientos, compartiendo lo que sentís sentados uno al lado del otro y simplemente estando juntos. Después de compartir los sentimientos actuales y otros que podáis haber experimentado previamente, tenéis la opción de conversar sobre la fugacidad de esos sentimientos, que cambian de un momento a otro y también durante el transcurso del día. Esta introducción a la idea de impermanencia* puede ser muy tranquilizadora, porque los pensamientos negativos a veces pueden resultar muy agobiantes para un niño.

¿Qué hay que decir?

Ven a sentarte junto a mí. ¿Qué sentimos? Vamos a respirar un par de veces juntos, practicando la *respiración del globo* (capítulo cinco). ¡Ohhh!, creo que estoy un poco cansado y también un poco frustrado por algo que me ha pasado hace un rato. Pero al mismo tiempo me siento muy a gusto sentado cerca de ti. Y tú, ¿cómo te encuentras en este momento? Cuéntame cómo ha ido el día. ¿Has sentido cosas diferentes de las que sientes ahora? Vamos a quedarnos aquí sentados y a respirar juntos para observar nuestros sentimientos sabiendo que independientemente de lo que estemos sintiendo, todo está bien. Cuando terminemos, si te apetece puedes contarme lo que has sentido. (Si trabajas con un niño mayor puedes animarlo a que continúe con el ejercicio apuntando algunas reflexiones en su diario. Ver, en este mismo capítulo, «Apuntar reflexiones en un diario»).

* N. de la T.: La impermanencia es un tema central del budismo. El budismo nos enseña ecuanimidad en medio del cambio y cómo responder más sabiamente a la impermanencia. En las últimas palabras de Buda, «Todas las cosas condicionadas son transitorias».

Banco de agradecimiento

Esta es una actividad simple para los niños (¡aunque también para los adultos!) que fomenta la gratitud. Haz una ranura en la tapa de una caja de zapatos para niños. Pídele a tu hijo que decore la parte exterior de la caja. Dile que cada noche, antes de irse a la cama (también puede ser al iniciar la sesión de yoga), recuerde algo que le haya sucedido durante el día y por lo que se siente agradecido. Pídele que lo escriba en una tira de papel de color y que la ponga en la caja. (Si el niño todavía no sabe escribir, escríbelo tú). La próxima vez que lo veas malhumorado, pesimista o triste, proponle que lea todo lo que ha guardado en la caja. Esto le ayudará a mejorar su estado de ánimo, y además puede dar lugar a algunas conversaciones interesantes.

Capítulo 5

TÉCNICAS DE RESPIRACIÓN

LA IMPORTANCIA DE LA RESPIRACIÓN

La respiración es probablemente el aspecto más importante del yoga. Se podría decir que el yoga *es* respiración. La respiración aporta oxígeno a nuestros órganos, músculos y células y, como es evidente, es el mecanismo que sostiene la vida. A través de la respiración *consciente* podemos realmente regular nuestro sistema cuerpo-mente. Cuando nos sentimos nerviosos o estresados, podemos relajar nuestro sistema nervioso produciendo un «cortocircuito» en nuestras hormonas del estrés. Del mismo modo, podemos utilizar nuestra respiración para vigorizar nuestro cuerpo, y despejar y relajar la mente. En resumen, cuando alargamos intencionalmente nuestras exhalaciones, activamos el sistema nervioso parasimpático, que nos calma. Cuando alargamos conscientemente las inhalaciones, aumentamos el nivel de oxígeno que circula por el flujo sanguíneo, y esto alivia el cansancio físico y mental. Cuando nos concentramos en que las inhalaciones y exhalaciones tengan la misma duración, equilibramos el cuerpo y la mente. Pero, para poder hacer todo esto, debemos respirar correctamente y con arreglo a una intención.

Seguramente has observado alguna vez cómo respira un bebé. Los bebés llegan al mundo respirando con todo su ser. Su barriga se llena completamente, inflándose y desinflándose con cada inhalación y exhalación. En la infancia empezamos a perder ese don. Con el paso de los años nuestra respiración es cada vez más superficial, y en lugar de respirar con todo el torso, solo trabajan las costillas y los hombros. En realidad, desde la niñez hasta la edad adulta utilizamos únicamente el veinticinco por ciento de nuestra capacidad pulmonar. Aunque tal vez esta respiración parcial parezca suficiente, en verdad puede dar lugar a una multitud de problemas, entre ellos trastornos del sueño, escasa concentración, baja energía, poca fuerza y resistencia, dolores de cabeza, disfunciones corporales, menor control de la motricidad fina y ansiedad crónica. Tal vez lo hayas experimentado personalmente. Por el hecho de ser padres o maestros hemos visto niños con algunos de los síntomas mencionados, pero quizás nunca se nos había ocurrido asociarlos con una forma incorrecta de respirar.

Prueba a respirar tranquilamente

Dedica un minuto a sentarte y respirar tranquilamente. Utiliza una silla y pon los pies planos sobre el suelo o adopta la *postura fácil* (capítulo seis). Observa tu capacidad para respirar más lenta y profundamente. Siente cómo el abdomen se llena de aire, las costillas se expanden hacia los lados y el pecho se levanta ligeramente por debajo de la clavícula. Exhala profundamente, como si quisieras llevar la clavícula y las costillas hacia el corazón y los músculos abdominales hacia la espina dorsal. Continúa respirando conscientemente durante un minuto. Si tu mente comienza a divagar (¡y seguramente lo hará!), invítala amablemente a concentrarse otra vez en la respiración. Cuando hayas terminado, observa cómo te sientes. ¿Tienes sensaciones diferentes a las que tenías un minuto atrás? ¿Puedes describirlas?

De todos los sistemas fisiológicos, el sistema respiratorio es el único que podemos controlar de forma consciente. Y este maravilloso regalo de tener la capacidad de regular nuestra propia respiración nos permite gestionar nuestra habilidad para responder y adaptarnos, e incluso alterar el estado en el que nos encontramos. Todo esto requiere atención y práctica.

ENSEÑAR LAS TÉCNICAS RESPIRATORIAS

Al introducir a tu hijo en la práctica de yoga es esencial que lo ayudes a tomar conciencia del poder de la respiración. Cuando los niños aprenden a respirar profunda y plenamente, de inmediato notan un cambio. A menudo se sienten más tranquilos, más centrados y menos agitados y reactivos.

Intenta incorporar por lo menos un tipo de respiración consciente en cada una de las sesiones de yoga y destaca siempre sus beneficios mediante preguntas que ayudarán al niño a prestar atención a los efectos del ejercicio en su propio cuerpo y mente. Los beneficios y la información presentados en las secciones «¿Qué hay que hacer?» y «¿Qué hay que decir?» de cada uno de los ejercicios respiratorios pueden servir como guía para mantener conversaciones sobre este tema. Por ejemplo, puedes preguntarle a tu hijo cómo se siente después de practicar la *respiración energizante*. Su respuesta puede ser: «Fuerte», «Poderoso» o «Seguro», por lo que puedes preguntarle: «¿En qué momento del día o situación crees que sería útil practicarla?». A través de esas charlas puedes ayudar a tu hijo a asociar el ejercicio con los momentos de su vida en los cuales la respiración podría ser una herramienta útil para autorregularse. Con el paso del tiempo quizás se sienta inspirado para utilizar estos ejercicios simples de respiración consciente cuando lo necesite.

Acaso te preguntes cuánto está aprendiendo y qué será capaz de retener después de la sesión de yoga. Durante la práctica, los padres y los hijos comparten una y otra vez la forma más consistente y efectiva de utilizar los ejercicios respiratorios como una herramienta diaria. Muchos niños expresan que las respiraciones destinadas a fomentar la concentración, tales como la *respiración del océano* y la *respiración del globo*, contribuyen a que duerman mejor, les calma antes de un examen o una prueba de rendimiento o les ayuda a controlarse antes de pegarle a su hermano cuando se sienten frustrados. Si tu hijo puede recurrir a la respiración profunda fuera de la clase de yoga, puedes considerar que tu trabajo como instructor de yoga, y padre o madre, habrá sido un éxito. Las técnicas respiratorias son simples y rápidas y cualquiera, incluso un niño, puede practicarlas en cualquier sitio para calmarse, concentrarse o recuperar energía. En verdad, es la herramienta más simple para la autorregulación.

Conversación oxígeno = energía

Hay un experimento divertido que puede ayudar a tu hijo a comprender la importancia de la respiración. No te olvides de recordarle cuáles son las normas de la familia en cuanto a la seguridad con el uso del fuego. Este experimento solo lo debería realizar un adulto. Coloca un vaso sobre una vela de té encendida. ¿Por qué la llama disminuye de tamaño hasta apagarse? El fuego requiere oxígeno para mantener su energía («vida» o *prana*). ¿Necesitan oxígeno los seres humanos para mantener su energía y su vida? ¿Qué sucede cuando no tienen suficiente oxígeno? Pídele a tu hijo que se siente con la espalda encorvada e intente respirar profundamente... ¿Cuál es el resultado? Ahora enciende otra vez la vela, deja que se haga cada vez más pequeña pero retira el vaso antes de que se extinga por completo. Conversad sobre lo que ha sucedido. Destaca que este experimento demuestra la importancia de dedicar tiempo a respirar profundamente para revitalizar y despejar el cuerpo y la mente.

Considera lo siguiente: una respiración correcta calma física y mentalmente a un niño. Una respiración correcta le enseña a hacer una pausa antes de hablar o actuar. Una respiración correcta le ayuda a liberar su rabia y a afrontar situaciones difíciles con claridad mental. Una respiración correcta le anima a reunir el coraje necesario para asumir un riesgo calculado, independientemente de que esté intentando probar algo diferente o tener un nuevo amigo. Una respiración correcta favorece su atención, y esto a su vez mejora su rendimiento en el colegio, en los deportes y en casa. Una respiración correcta le recuerda sonreír, perdonar, jugar, amar y vivir. Si una respiración correcta puede ayudar a un niño a lograr todo esto, ¡imagina lo que se puede conseguir respirando correctamente durante toda la vida!

Cuando los miembros de una familia se reúnen con el propósito de respirar conscientemente, sucede algo realmente profundo. Dedica tiempo a reunir a tu familia para respirar juntos. ¡Las palabras no son necesarias! Observarás que los niveles de estrés disminuyen mientras aumenta la conectividad, y todo eso gracias a unas pocas respiraciones profundas.

EJERCICIOS RESPIRATORIOS

A menos que se indique lo contrario, los siguientes ejercicios se pueden practicar sentados en la *postura fácil* o en la *postura del héroe*, pero también en una silla apoyando las plantas de los pies sobre el suelo, de pie en la *postura de la montaña* y, en algunos casos, incluso tumbados sobre el suelo. Lo más importante es que tu hijo esté en una posición en la que los pulmones y el diafragma tengan espacio suficiente para moverse y abrirse completamente.

A continuación presento los ejercicios respiratorios separados en dos categorías, energizantes y relajantes, para que sea fácil practicarlos. Pero ten en cuenta que según cuál sea la intención y la situación imperante, muchos de esos ejercicios pueden ser al mismo tiempo energizantes, empoderantes y relajantes. Por ejemplo, un niño que ha tenido un mal día en el colegio puede practicar la *respiración del león* (incluida en la categoría de respiraciones energizantes) para deshacerse de sus frustraciones y al mismo tiempo empoderarse. Y al hacerlo también puede calmarse, estabilizar su sistema nervioso y volver a centrarse. Utiliza los beneficios de las respiraciones que se incluyen en esta sección a modo de guía.

RESPIRACIONES ENERGIZANTES

¿Observas que tu hijo está cansado después de un largo día en el colegio o de un entrenamiento de fútbol agotador? ¿Tiene necesidad de liberar tensión o frustración acumulada? ¿Se siente oprimido? ¿Necesita una inyección de confianza? Elige los ejercicios respiratorios de esta categoría en cualquier momento en que observes que tu hijo está cansado o necesita empoderarse. Puedes incorporarlos en las sesiones de yoga cuando notes que su energía se está agotando.

Respiración del director de orquesta

Beneficios

- Relaja la tensión
- Energiza y empodera
- Levanta el ánimo

¿Qué hay que hacer?

Esta respiración es una variante de la tradicional *respiración de la alegría*, y a los niños les encanta practicarla. Puede ser una forma rápida y fácil para relajarse y conquistar una nueva perspectiva, y para deshacerse de tensiones o frustraciones. No obstante, esta respiración también puede potenciar la energía. Indícale a tu hijo que durante la última exhalación adopte la *postura de la muñeca de trapo* (capítulo seis) y que respire varias veces en esa posición antes de inhalar para volver lentamente a la vertical.

*Respiración del director de orquesta, inhala y eleva los brazos delante del cuerpo

*Respiración del director de orquesta, exhala y deja caer el torso y los brazos hacia delante

¿Qué hay que decir?

Comienza haciendo la *postura de la montaña* (capítulo seis) con los pies separados a una distancia ligeramente mayor que la de las caderas. Inhala suavemente por la nariz mientras elevas los brazos frente al cuerpo. Inhala un poco más y mueve los brazos hacia los lados. Prolonga todavía un poco la inhalación mientras elevas los brazos por encima de la cabeza. Ahora exhala produciendo el sonido «¡Ha!» y deja caer los brazos y el torso hacia delante entre las piernas flexionadas. ¡Muy bien! Vuelve a la posición de pie para inhalar y llevar los brazos hacia delante, luego hacia los lados y por último subirlos por encima de la cabeza otra vez... ¡Ha! Repite varias veces y utiliza el impulso de la caída hacia delante para desplazar la espalda hacia arriba, hasta alcanzar la posición donde se hace la primera inhalación. Cuando termines, descansa en la *postura de la muñeca de trapo* y respira varias veces antes de volver a ponerte de pie.

Respiración alterna

Beneficios

- Integra los dos lados del cuerpo y del cerebro
- Aporta claridad mental
- Mejora la concentración
- Calma y potencia la energía

¿Qué hay que hacer?

Existe una versión para niños de la *respiración alterna* tradicional. Tienes que asegurarte de que no se apriete la nariz con demasiada fuerza cuando cierre una de las fosas nasales, para que no se bloquee también la del otro lado. Pídele que cierre los ojos con el fin de favorecer que se concentre en su interior. Si el niño tiene la nariz ligeramente tapada, esta respiración le ayudará a despejarla. No obstante, si tiene completamente bloqueada una de las fosas, o las dos, es mejor omitir este ejercicio hasta que se sienta mejor.

* Respiración alterna

¿Qué hay que decir?

Siéntate o permanece de pie. Coloca suavemente el índice de la mano derecha sobre la fosa nasal derecha y tápala. Inhala y exhala a través de la fosa izquierda tres veces. Haz una pausa y cambia de lado para tapar la fosa izquierda. Inhala y exhala lenta y profundamente a través del orificio nasal derecho tres veces. Sigue cambiando a uno y otro lado entre uno y tres minutos, o más. Observa cómo te sientes.

Respiración cerebral completa

Respirar a través de la fosa nasal izquierda estimula el hemisferio emocional derecho del cerebro y respirar a través de la fosa derecha estimula el hemisferio racional izquierdo del cerebro. Al alternar la respiración entre ambos lados se integran las dos partes del cerebro y mejora la función cerebral. Practicar la respiración alterna durante un par de minutos antes de hacer las tareas escolares, o de una prueba, será una gran ayuda para tu hijo porque su cerebro rendirá mejor.

Respiración del abejorro

Beneficios

- Ayuda a dirigir la atención hacia el interior
- Conecta con el ser interior
- Estimula el desarrollo del lenguaje
- Calma y centra
- Posibilita tener una nueva perspectiva

* Respiración del abejorro

¿Qué hay que hacer?

Esta respiración se presenta en tres pasos y su objetivo es trasladar la atención consciente desde el exterior hacia el interior. Después de cada uno de los pasos, anima a tu hijo a compartir lo que ha experimentado. En cuanto se sienta a gusto practicando la respiración del abejorro, pídele que pruebe haciendo otros sonidos durante la exhalación, como por ejemplo «zzzzz», «ohhh», «shhh», «llll» o «sssss». Ten en cuenta que algunos niños pueden sorprenderse o asustarse, o incluso sentirse incómodos, por la intensidad del sonido que sale de sus labios cuando lo oyen con los oídos tapados. Para evitarlo, sugiérele a tu hijo que coloque suavemente las manos sobre las orejas en lugar de taparse los oídos con los dedos.

¿Qué hay que decir?

Siéntate o permanece de pie. Respira larga y profundamente por la nariz antes de exhalar, mientras pronuncias el sonido «hummmmm» alargándolo todo lo que puedas. Prueba una vez más, pero en esta ocasión con los ojos cerrados. Concéntrate en el zumbido. Nota la vibración que producen tus labios. ¿Has experimentado algo nuevo? ¿Qué? Ahora vamos a intentarlo otra vez pero con los ojos cerrados y tapándote las orejas con las manos. ¿A qué estabas prestando atención? ¿Cómo te sientes? ¿Quieres que probemos una vez más?

Respiración del conejo

Beneficios

- Anima y da energía
- Aporta claridad mental

¿Qué hay que hacer?

Hay una delgada línea entre energizar nuestro cuerpo y nuestra mente e hiperventilarlos. El niño debe practicar la *respiración del conejo* únicamente entre tres y cinco veces. Además, debes asegurarte de que suspire produciendo un sonido al exhalar, de manera que puedas comprobar si elimina completamente el aire. Anima a tu hijo pequeño (o incluso a tu hijo mayor) a imitar las orejas del conejo con sus manos, fruncir la nariz y saltar como si fuera el animal. ¡Así la sesión será más divertida!

¿Qué hay que decir?

Siéntate o permanece de pie. Imagina que eres un conejo que está husmeando por los alrededores en busca de sabrosas zanahorias. Inhala brevemente entre tres y cinco veces. Haz una pausa y después exhala por la boca lenta y prolongadamente, produciendo un suspiro que yo pueda oír. Repite este ejercicio entre cuatro y cinco veces.

Respiración energizante

Beneficios

- Empodera
- Fomenta la confianza
- Aporta energía

¿Qué hay que hacer?

Intenta acompañar esta respiración con afirmaciones que potencien la energía mientras el niño eleva los brazos siguiendo tus movimientos. Puedes decir por ejemplo: «Siento el sol dentro de mí... ¡Ah! o «Cuando me siento ansioso puedo respirar con la energía del sol... ¡Ha!» o «Estoy lleno de energía... ¡Ha!». Anima a tu hijo a que invente sus propias afirmaciones, y luego pronunciadlas en voz alta por turnos mientras ptacticáis juntos este ejercicio.

* Respiración energizante, inhala, estírate hacia el sol

* Respiración energizante, exhala y atrae la energía hacia ti

¿Qué hay que decir?

Adopta la *postura de la montaña* (capítulo seis) con los pies separados. Inhala y abre los brazos hacia los lados y desplázalos luego hacia arriba en dirección al sol. Toma parte de la potente energía solar y exhala intensamente diciendo «¡ah!» mientras la acercas hacia tu propio centro de poder, el plexo solar, situado justo por debajo de las costillas. Repite esta secuencia tres veces como mínimo, o hasta que sientas que tu centro de poder personal está lleno de fuerza y luz. ¡Ah! ¿Cómo te sientes?

SEGUNDA PARTE

Respiración del león

Beneficios

Fortalece el diafragma
Alivia la tensión de la cara, el cuello y el cuerpo
Conecta a los niños con su fuerza interior
Elimina la energía sobrante

* Respiración del león

¿Qué hay que hacer?

Con esta respiración es posible producir un sonido realmente fuerte, ¡y eso es precisamente lo que se espera! Anima a tu hijo a conectarse con su coraje y fuerza interior cuando practique la *respiración del león*. Si quieres que la sesión sea más divertida, finge que tienes miedo y que quieres alejarte de su rugido.

¿Qué hay que decir?

Adopta la *postura del héroe* (capítulo seis), cierra los ojos e imagina que eres un león fuerte y feroz. Inhala profundamente por la nariz. Exhala con la boca muy abierta mientras sacas la lengua y luego la estiras hacia el mentón. Abre los ojos muy grandes y deja salir un potente rugido. ¡Eso es, eres un león feroz!

RESPIRACIÓN RELAJANTE

¿Observas que tu hijo está sobrestimulado, ansioso o disgustado? ¿Acaso necesita eliminar energía sobrante? Estos ejercicios respiratorios relajantes e integradores son ideales para iniciar o concluir las sesiones de yoga que compartes con tu hijo o para practicar antes de la hora de la siesta o de irse a la cama por las noches, en los momentos en que notas que se siente frustrado o antes de que empiece con los deberes escolares.

Cuenta atrás para calmarse

Beneficios

- Alivia la frustración
- Disipa la ansiedad
- Calma
- Fomenta la atención

¿Qué hay que hacer?

Aquietar y profundizar la respiración puede ayudarnos a bajar el ritmo y relajar nuestro cuerpo y nuestra mente. Anima a tu hijo a pensar en qué momentos se puede beneficiar con la respiración de la cuenta atrás para calmarse. Si tu hijo pequeño tiene problemas para contar con los dedos, puedes pedirle que te mire mientras tú cuentas con tus propios dedos. Un niño mayor puede optar por no utilizar sus dedos, cerrar los ojos y contar mentalmente.

* Cuenta atrás para calmarse

¿Qué hay que decir?

Siéntate o permanece de pie. Manteniendo una mano en alto, levanta un dedo cada vez contando uno, dos, tres, cuatro, cinco, mientras inhalas. Haz una pausa. Exhala y cuenta hacia atrás cinco, cuatro, tres, dos, uno, mientras flexionas un dedo cada vez. Repite el ejercicio entre tres y cinco veces, o hasta que te sientas sereno y relajado.

Empieza un diario sobre las respiraciones

La cuenta atrás para calmarse y otros ejercicios respiratorios pueden ser herramientas maravillosas para autorregularse, y tus hijos pueden utilizarlas por su propia cuenta cada vez que las necesiten. Pídele a tu hijo que piense en qué momentos sería útil recurrir a este ejercicio respiratorio, y también a otros. Anímalo a llevar un registro de las respiraciones (tal vez también tú desees hacerlo), apuntando dónde y cuándo ha practicado una determinada respiración, cómo se sentía antes de hacer el ejercicio, y cómo se sintió al terminar. Como es evidente, un niño que todavía no sabe escribir necesitará tu ayuda para hacer este ejercicio. Tal vez puedas crear un gráfico o una tabla usando etiquetas adhesivas para animarlo a usar estas valiosas herramientas.

Respiración con exhalación prolongada

Beneficios

- Calma
- Alivia la ansiedad
- Fomenta la atención y la concentración

¿Qué hay que hacer?

Al practicar esta respiración la exhalación debe ser el doble de larga que la inhalación. Cuenta hasta cinco mientras le indicas a tu hijo que inhale lentamente, llenando de aire sus pulmones. Cuenta hasta diez mientras exhala despacio. Quizás sea necesario probar varias veces hasta descubrir lo pausadamente que puede exhalar el niño; así podrá llegar hasta diez sin sentir que se está quedando sin aliento. ¡Lo más importante de este ejercicio es la práctica! No te preocupes si no comprende el objetivo las primeras veces que lo realiza. Tendrás que guiarlo un poco más hasta que lo consiga.

¿Qué hay que decir?

Siéntate o permanece de pie. Inhala por la nariz llenando de aire tu barriga, uno, dos, tres, cuatro, cinco. Haz una pausa. Ahora exhala lentamente, diez, nueve, ocho, siete, seis, cinco,-cuatro, tres, dos, uno. ¡Bien! Vamos a probar otra vez. (El ejercicio se debe repetir entre tres y cinco veces, como mínimo).

Respiración del océano

Beneficios

Calma
Fomenta la atención y la concentración
Centra y fomenta la conexión a tierra

¿Qué hay que hacer?

El nombre de esta respiración se debe a que hay que imitar el sonido de las olas, contrayendo la parte posterior de la garganta (la glotis) durante la inhalación y la exhalación. En este ejercicio se respira siempre por la nariz, pero es útil iniciarlo respirando primero por la boca hasta que el niño se familiarice con él. Si no consigue «oír» las olas del océano, pídele que se tape las orejas y cierre los ojos. ¿Le gusta a tu hijo *La guerra de las galaxias*? Si la respuesta es afirmativa, se alegrará al saber que esta respiración también es conocida como la *respiración de Darth Vader*.

¿Qué hay que decir?

Siéntate o permanece de pie. Inhala profundamente por la nariz y luego exhala produciendo el sonido «hhhhh» a través de la boca, como si quisieras empañar un espejo. Inhala otra vez por la nariz. En esta ocasión debes mantener la boca prácticamente cerrada mientras exhalas produciendo el sonido «hhhhh». Inhala lentamente por la nariz, manteniendo la parte posterior de la garganta ligeramente contraída. ¡Muy bien! ¿Puedes oír el sonido de las olas que rompen sobre la playa y luego se alejan? Sigue respirando de este modo durante un minuto. Inhala... Exhala.

Respiración de la ola que rompe sobre la playa

Beneficios

Calma
Fomenta la gracia y la delicadeza
Ayuda a estar conectado y potencia el sentimiento de pertenencia al grupo

¿Qué hay que hacer?

Si quieres que el ejercicio sea más divertido, puedes utilizar un pañuelo, aunque no es imprescindible. La *respiración de la ola que rompe sobre la playa* puede practicarla únicamente el niño, pero también podéis realizarla los dos juntos (sentados frente a frente) o todos los miembros de la familia (sentados en círculo). Cada persona sujeta un pañuelo. Este ejercicio ayuda a centrarse y es ideal para iniciar una sesión de yoga o para utilizar en el momento de la transición a la relajación.

¿Qué hay que decir?

Imagina una ola que se acerca a la orilla y rompe sobre la arena antes de volver a alejarse mar adentro. Inspira lenta y profundamente mientras caminas hacia delante como una ola que se acerca a la orilla. Sujeta el pañuelo con ambas manos y levanta los brazos como si fueras la ola que está creciendo. Ahora, mientras caminas hacia atrás, exhala produciendo el sonido de la ola que rompe sobre la playa: «Pshhhhhhh». (Repite el ejercicio cinco veces, como mínimo).

Respiración del globo

Beneficios

- **Mejora la atención**
- **Aporta claridad mental**
- **Calma y centra**

¿Qué hay que hacer?

Cuando guíes a tu hijo durante la *respiración del globo*, utiliza las manos para mostrarle cómo sube y baja el abdomen. Esto le servirá también como ayuda para marcar el ritmo de sus inhalaciones y exhalaciones. Como alternativa, puedes utilizar una esfera Hoberman® (capítulo tres), uno de los accesorios recomendados para utilizar como ayuda visual para marcar el ritmo, y ofrecerle un objeto sobre el que pueda concentrar su atención. Si tu hijo está deseando cerrar los ojos para practicar la *respiración del globo*, puedes darle una ayuda visual proponiéndole que imagine el color de ese «globo».

¿Qué hay que decir?

Siéntate, permanece de pie o túmbate. Apoya suavemente las manos sobre la parte inferior de tu abdomen. Cierra los ojos e imagina que tu barriga es un globo. Inhala despacio por la nariz para inflar el globo llenándolo de aire. Muy bien. Debes inflarlo al máximo. Ahora exhala lentamente y deja que el globo se desinfle. Deja salir todo el aire que has guardado a través de la nariz. (Repite entre cuatro y seis veces). ¿Qué has notado? ¿Cómo te sientes?

* Respiración del globo

Respiración de la vela

Beneficios

- Calma e integra
- Potencia la motricidad fina

¿Qué hay que hacer?

Este es un ejercicio muy simple para comenzar a practicar las técnicas de respiración con tu hijo pequeño. La exhalación prolongada de la *respiración de la vela* estimula el sistema nervioso parasimpático y tiene un efecto relajante. Para evitar un excesivo aporte de oxígeno, esta respiración no se debe practicar más de cinco veces, y siempre de forma muy lenta, poniendo el énfasis en la exhalación. Si quieres que sea más divertida, pídele al niño que muestre con los dedos la edad que tiene. Cuando hagas cualquier ejercicio en el que intervenga una vela, o fuego, ya sean reales o imaginarios, siempre debes recordarle a tu hijo cuáles son las normas de seguridad de la familia para el fuego.

¿Qué hay que decir?

Siéntate o permanece de pie. Pon las manos frente a ti, uniendo los dedos y orientando los índices hacia arriba. ¡Esa es tu vela! Imagina que hay una llama. Inhala profundamente por la nariz para llenar tu barriga de aire. Ahora sopla lentamente como si quisieras apagar la vela... Vamos a repetirlo dos veces más.

* Respiración de la vela

Respiración del pájaro que vuela

Beneficios

Calma y centra
Estimula la conciencia corporal
Fomenta la desenvoltura y la gracia

* Respiración del pájaro que vuela

¿Qué hay que hacer?

La *respiración del pájaro que vuela* es una respiración simple y relajante, adecuada para todas las edades. Se puede practicar sentado, de pie o incluso durante un paseo tranquilo. Al levantar y bajar los brazos marcarás un ritmo lento y le ofrecerás al niño un elemento visual que le servirá de ayuda para hacer el ejercicio. Puedes pedirle que cierre los ojos, siempre que no se sienta incómodo, para fomentar que dirija su atención hacia el interior. Intenta utilizar esta respiración como una transición entre una y otra actividad, o en cualquier momento en que tu hijo necesite recuperar el aliento o tomarse un descanso durante una sesión.

¿Qué hay que decir?

Siéntate o permanece de pie con los ojos cerrados. Imagina que eres un pájaro hermoso y fuerte que tiene sus grandes alas desplegadas. Inspira lentamente mientras elevas los brazos hacia los lados con las palmas hacia arriba. Sigue inhalando hasta que los brazos estén rectos y las palmas se toquen por encima de la cabeza. Exhala muy despacio mientras giras las palmas hacia abajo y bajas los brazos. Repite varias veces lenta y fluidamente el movimiento al compás de tu respiración. Observa cómo te sientes.

Aventuras en vuelo

La *respiración del pájaro que vuela* puede ser una actividad ideal para ayudar a un niño a centrarse. Pídele que cierre los ojos mientras la realiza y que imagine que está levantando el vuelo. Si el niño tiene menos de seis años, guíalo para que visualice un trayecto en particular e imagine todo lo que puede ver durante el vuelo. A un niño mayor puedes hacerle preguntas del tipo de: «¿Qué es lo que estás viendo?». Deja pasar un par de minutos y pídele que termine su viaje y te cuente su aventura.

Respiración del perro

Beneficios

Refresca el cuerpo y despeja la mente

Ayuda a eliminar la ira y la frustración

¿Qué hay que hacer?

Enrollar la lengua o poner la boca en forma de «o» ayuda a que el flujo de aire salga más lentamente. Esta respiración es segura para todas las edades.

¿Qué hay que decir?

Siéntate o permanece de pie. Enrolla la lengua. Si no puedes hacerlo, forma una «o» con los labios. Inhala por la boca y cuenta hasta tres. Haz una pausa. Luego exhala mientras cuentas hasta cinco (repite cinco o seis veces).

Respiración del soplido

Beneficios

Fortalece el diafragma

Potencia el desarrollo del lenguaje

¿Qué hay que hacer?

Utilizando cualquier objeto que tengas a mano (pueden ser flores de papel a las que les has pulverizado aroma de lavanda, molinetes, plumas, pañuelos de papel o bolas de algodón), pídele al niño que los sople. Este ejercicio es tan simple como divertido. Debes tener cuidado al practicar esta respiración con un niño pequeño y asegurarte de que pone el énfasis

* Respiración del soplido

en prolongar el soplido/la exhalación, y nunca la inhalación. Además, esta respiración solo se debe repetir unas pocas veces para evitar mareos o hiperventilación.

¿Qué hay que decir?

Toma este molinete. Inspira profundamente por la nariz y luego sopla el molinete. ¿Puedes lograr que gire? Mantén los ojos fijos en él. ¿Puedes conseguir que siga en movimiento gracias a tu respiración?

Detenerse para sentir el aroma de las flores

Beneficios

- Calma
- Expande los pulmones
- Limpia

¿Qué hay que hacer?

Intenta utilizar flores frescas o artificiales a las que les hayas pulverizado *niebla mágica* (capítulo tres) cuando practiques este ejercicio con tu hijo pequeño. Anímalo a sentir el aroma de las flores lentamente, tomándose su tiempo para llenar los pulmones por completo. Luego asegúrate de que exhala produciendo sonido para que tú puedas comprobar si la exhalación es completa.

¿Qué hay que decir?

Imagina que estás en un jardín o en un prado lleno de tus flores preferidas. Detente a sentir su aroma. Cierra los ojos e intenta visualizar tu flor favorita, su color, forma y aroma. Inhala muy lenta y profundamente para sentir su fragancia. ¿A qué huele? Di «ahhhh» mientras exhalas muy despacio. (Repite esta respiración entre tres y seis veces, concentrándote en respirar muy despacio).

Respiración para inhalar lo positivo y exhalar lo negativo

Beneficios

- Fomenta el cambio de perspectiva
- Empodera
- Disipa la negatividad

¿Qué hay que hacer?

Esta respiración es una práctica perfecta para un niño mayor. Los preadolescentes y los adolescentes suelen pasar por periodos de negatividad que les sirven como un mecanismo de protección para poder afrontar los desafíos y los cambios inherentes a esta etapa de la vida. Anima a tu hijo a practicar esta respiración en cualquier momento que necesite una inyección de confianza o un cambio de perspectiva.

¿Qué hay que decir?

Encuentra una postura sedente o de pie que te resulte cómoda y cierra los ojos. Piensa en algo positivo sobre ti. Utiliza la *respiración del océano* a modo de guía. Inhala mientras tienes un pensamiento positivo, dejando que se agrande, fluya hacia tu corazón y luego se dirija hacia todas las partes de tu cuerpo. Exhala deshaciéndote de los pensamientos negativos que puedan aparecer en tu mente. Por ejemplo, mi pensamiento positivo podría ser: «Puedo dar lo mejor de mí». Inhalo mientras tengo ese pensamiento y luego exhalo todos los pensamientos negativos que se opongan a él, como por ejemplo: «Es demasiado difícil, no soy capaz de hacerlo». Imagina cómo esos pensamientos negativos abandonan tu cuerpo y salen a través de la ventana en dirección al cielo. Durante las últimas respiraciones concéntrate en el pensamiento positivo, para que cualquier negatividad residual se elimine de forma natural.

Respiración espalda contra espalda

Beneficios

- Calma
- Fomenta la conciencia de la respiración
- Estimula la conectividad

¿Qué hay que hacer?

Este es un ejercicio que se hace en pareja y te ofrece la oportunidad de conectar con tu hijo de una forma profunda y efectiva. Utilízalo para pasar un rato juntos, como una transición para la hora de irse a dormir por la noche, y también en cualquier momento en que los dos necesitéis estar tranquilos y conectados.

¿Qué hay que decir?

Vamos a sentarnos espalda contra espalda en la *postura fácil* (capítulo seis). Deja caer el peso de tu cuerpo sobre el mío. ¿Puedes sentir el calor de mi espalda? Yo puedo sentir el de la tuya. Es una sensación de calma y calidez. Vamos a practicar la *respiración del globo*. Inhala lentamente por la nariz, llenando tu barriga de aire como si fuera un globo. Sigue inhalando hasta que sientas que tu pecho se expande. Ahora exhala muy despacio y siente que tu barriga comienza a desinflarse. Deja salir todo el aire que has guardado dentro de tu cuerpo a través de la nariz. Ahora vamos a repetirlo juntos. ¿Qué has notado? ¿Cómo te sientes?

* Respiración espalda contra espalda

Capítulo 6

POSTURAS INDIVIDUALES Y POSTURAS EN PAREJA

TRABAJAR CON LAS POSTURAS

El movimiento es la base del desarrollo físico y cognitivo. La primera forma de comunicación de los bebés es el lenguaje corporal. Con el paso del tiempo, a medida que experimentan y amplían el espacio por el que se mueven, aprenden a rodar sobre sí mismos, gatear y luego andar, agarrar objetos y más tarde incluso arrojar una pelota. Hoy en día solemos llevarlos en portabebés, a la hora de dormir los tumbamos sobre la espalda (tal como se recomienda para evitar el síndrome de muerte súbita del lactante y nos mostramos reacios a dejarlos en el suelo. Mientras crecen es más probable que miren la televisión a que jueguen fuera de casa, y en el colegio pasan la mayor parte del tiempo sentados. Por todo esto no debe sorprendernos que ahora los niños tengan trastornos relacionados con las actividades motrices y dificultades de aprendizaje.

Las posturas son el componente físico de la práctica yóguica. Concebidas para abrir las articulaciones y estirar y fortalecer los músculos, las posturas y los movimientos de yoga fomentan que la linfa circule por todo el cuerpo (lo que es esencial para el funcionamiento correcto del sistema inmunitario), ayudan a mejorar la coordinación, mejoran la circulación y estimulan la atención plena a través de los movimientos realizados de forma consciente. Hay que destacar que el movimiento también es la base del aprendizaje. Cuando los niños flexionan el cuerpo para adoptar la *postura de la muñeca de trapo*, aumenta el flujo sanguíneo que se dirige hacia el cerebro; cuando mantienen el equilibrio en la *postura del águila*, mejora su capacidad de concentración; cuando se estiran en la *postura de la estrella* en torsión, realizan movimientos transversales que optimizan la comunicación entre los hemisferios derecho e izquierdo del cerebro, algo que es fundamental para el desarrollo del razonamiento superior y la planificación motora. Los movimientos estructurados basados en el yoga ofrecen a los niños la oportunidad de tomar conciencia de sus cuerpos. Cuando las posturas se combinan con ejercicios de respiración, meditación y relajación, aprenden a ser conscientes de lo que sienten y comienzan a autorregularse recurriendo a estos simples ejercicios cada vez que lo necesitan.

Las posturas más tradicionales (a las que a veces les he dado un nombre más adecuado para los niños) incluyen únicamente instrucciones básicas, porque se asume que de alguna manera ya estás familiarizado con ellas. En este capítulo presento también posturas especiales para niños. Algunas incluyen variaciones, sugerencias que las hacen más atractivas para ellos, versiones en pareja para que padres e hijos puedan practicarlas juntos, juegos, movimientos creativos o preguntas, que en gran parte tienen el propósito de prolongar la postura para que sea más instructiva o simplemente para que resulte más divertida para los niños.

Al final de este libro (en la página 299) he incluido un índice temático para que te resulte fácil localizar las posturas. En cuanto hayas elegido un tema, o una intención, para una secuencia de movimientos determinada (capítulo diez), puedes escoger la postura más conveniente entre las que presento en este capítulo.

A continuación daré algunas sugerencias generales que es bueno tener en cuenta durante las sesiones de yoga compartidas con los niños. Te ayudarán a que se beneficien lo máximo posible de la práctica y también garantizarán su seguridad:

- **Comienza por las posturas básicas.** En primer lugar enseña a tu hijo las tres posturas básicas porque son un buen lugar al que retornar entre una y otra postura, y además favorecen los movimientos conscientes. Una postura de pie básica es la *postura de la montaña*. Una postura sedente básica es la *postura fácil*. Y para hacer una postura tumbada básica, hay que tumbarse sobre el suelo con la espalda recta.
- **Fomenta la conciencia de la respiración.** Si trabajas con niños de cinco años o mayores, debes seguir las instrucciones para los ejercicios respiratorios que se describen en las secciones «¿Qué hay que decir?».
- **Fomenta la atención consciente.** Ser consciente significa prestar atención plena a lo que se hace (en el capítulo cuatro encontrarás más información sobre *mindfulness*). Durante la práctica de yoga (y a lo largo de todo el día), anima a tu hijo a «conectarse conscientemente con tu cuerpo» y a estar «plenamente atento». Estimúlalo para que preste atención a las sensaciones de su cuerpo mientras practica las posturas, pues es una manera de enseñarle a escucharlo. Por ejemplo, puedes preguntarle: «¿Dónde sientes el estiramiento?», y luego: «¿Notas cuáles son los músculos que se están fortaleciendo? Ese es el músculo X». Si el niño está luchando por adoptar bien la postura, motívalo para que afronte ese desafío sin emitir ningún juicio y haciéndole las correcciones pertinentes. Si se queja porque le duele algo, puedes responder: «Es maravilloso que te des cuenta de lo que tu cuerpo te está diciendo (es una forma de enfocarse en lo positivo). ¿Podrías ser amable con tu cuerpo haciendo la postura de una forma más cómoda? ¿Por qué no pruebas esta versión?».
- **Define «el punto para fijar la mirada».** Cuando le enseñas posturas de equilibrio, como por ejemplo el avión, el árbol, el águila, el triángulo o el guerrero III, pídele que fije su

mirada en un punto determinado, algo que se encuentre en su campo de visión, que sea pequeño y no esté en movimiento. El punto focal favorece la concentración. Debes recordarle que siempre que haga una postura de equilibrio debe encontrar un punto donde enfocar su atención.

- **Flexiones laterales frente a flexiones hacia delante.** Cuando enseñes a tu hijo posturas que incluyan flexiones laterales, como pueden ser la luna creciente o el triángulo, puede ser muy útil pedirle que se imagine que es el relleno de un bocadillo que sobresale por los lados del pan, pero nunca por delante ni por detrás. Este elemento visual lo ayudará a efectuar una verdadera flexión lateral y a diferenciarla de una flexión hacia delante.
- **Contar durante una postura difícil.** Para mantener al niño activo en una postura difícil, prueba a contar en voz alta mientras la está realizando.
- **Las instrucciones y expectativas deben ser adecuadas para la edad.** Utiliza la sección «¿Qué hay que decir?» a modo de guía. Una regla básica es: cuanto más pequeño es el niño, más simples deben ser las instrucciones y menos palabras hay que utilizar. Si te apetece saber algo más sobre las distintas franjas de edad y sobre lo que hay que tener en cuenta en relación con la presentación del ejercicio y las expectativas, vuelve a leer el capítulo tres.

Postura del avión

Beneficios

Mejora el equilibrio y la coordinación
Estira y fortalece los tendones de las corvas, la espalda y los brazos

¿Qué hay que hacer?

Para facilitar que un niño pequeño consiga adoptar esta postura, puedes sugerirle que mientras la realiza mantenga el dedo gordo del pie que está por detrás en contacto con el suelo, o cerca de él.

¿Qué hay que decir?

Comienza en la *postura de la montaña* y prepárate para levantarte. Concentra la mirada en un punto que te ayude a mantener el equilibrio. Inhala... Exhala... Ahora extiende los brazos hacia los lados como si fueran las alas de un avión y desplaza tu peso corporal hacia el pie derecho. Inhala y estira los brazos todo lo que puedas. ¡Prepárate para despegar! Levanta suavemente la pierna izquierda por detrás del cuerpo. Flexiona el torso hacia delante hasta que esté a la misma altura que las caderas y concentra tu mirada en el punto focal que has elegido. ¿Puedes mantener el avión estable? Intenta hacerlo mientras inhalas y exhalas durante el vuelo.

* El avión

Ahora debes preparar tu cuerpo para aterrizar suavemente: tres, dos, uno... Baja el pie izquierdo muy despacio hasta tocar el suelo. Vuelve a la *postura de la montaña*. ¡Bravo, lo has conseguido! Ahora vamos a cambiar de lado.

Volar y contar

Contar en voz alta mientras el niño realiza una postura es una forma muy efectiva de fomentar que esté atento y respire correctamente, y al mismo tiempo ayudarlo a practicar la habilidad de contar. Anima a tu hijo a contar hasta cinco mientras permanece en la postura. Con un poco de práctica, y a medida que pase el tiempo, podrá llegar a contar hasta diez, o más, y se sentirá satisfecho por haberlo conseguido.

Postura de la pelota

Beneficios

Masajea la columna vertebral
Desarrolla la coordinación
Potencia la fuerza de la parte central del cuerpo

¿Qué hay que hacer?

La *postura de la pelota* se debe practicar sobre una alfombra gruesa o sobre una esterilla de yoga de doble capa para proteger la columna. Cuando enseñas esta postura a un niño pequeño, o a un niño que tiene poca fuerza en la parte central de su cuerpo, para ayudarlo puedes arrodillarte junto a él y apoyar una de tus manos sobre la parte superior de su espalda y la otra en la espinilla por debajo de sus rodillas.

* La pelota

¿Qué hay que decir?

Comienza en la *postura fácil*. Coloca las plantas de los pies sobre el suelo y rodea las rodillas con los brazos. Rueda suavemente como si fueras una pelota e inhala. Exhala y utiliza los músculos del abdomen para volver a sentarte. ¡Buen trabajo! ¿Puedes seguir rodando? Inhala moviéndote hacia atrás... Exhala volviendo hacia delante. ¡Es fantástico rodar como una pelota!

Variaciones de la *postura de la pelota*

La *postura de la pelota* fortalece la parte central del cuerpo. Prueba las siguientes variaciones para que el niño se mantenga activo y atento y se divierta mientras fortalece esa región de su cuerpo:

- **La pelota de mantequilla.** Esta es una postura intermedia entre la *postura de la mariposa* y *de la pelota*. Rueda como una pelota mientras haces la *postura de la mariposa*, rodeando los pies con las manos.
- **¡Rodar y parar!** Rueda hacia atrás y luego vuelve hacia delante para balancearte sobre el trasero sin que los dedos de los pies toquen el suelo.

Postura de la abeja

Beneficios

- Estira y fortalece los hombros
- Abre el pecho y los pulmones

¿Qué hay que hacer?

Pídele a tu hijo que desplace los omóplatos hacia atrás y los junte para estirar los hombros y abrir el pecho. Cuando «vuele», puedes animarlo a que se desplace por la habitación o sobre la esterilla, dependiendo de las dimensiones del espacio y de su nivel de energía.

* La abeja

¿Qué hay que decir?

Comienza en la *postura de la montaña*. Conviértete en una abeja con un aguijón. Lleva los hombros hacia atrás y junta las manos detrás de la espalda. ¡Buen trabajo! Ahora abre el pecho para volar mientras subes las manos para mostrar tu aguijón. Inhala profundamente y luego exhala diciendo «bzzzz», mientras echas a volar hacia tu colmena.

Postura del barco

Beneficios

- Fortalece los músculos centrales del cuerpo
- Tonifica los riñones
- Mejora la digestión
- Estira los tendones de las corvas

¿Qué hay que hacer?

Esta postura se debe practicar sobre una alfombra o sobre una esterilla de yoga gruesa para proteger el coxis. La *postura del barco* fortalece la parte central del cuerpo y no es fácil de realizar, razón por la cual quizás tu hijo no se muestre muy dispuesto a hacerla, o la deshaga rápidamente ante la primera dificultad. Por ello te recomiendo presentar la postura por etapas. Primero invítalo a mantener los dedos de los pies en contacto con el suelo. En cuanto desarrolle un poco de fuerza en el centro de su cuerpo, puedes pedirle que separe los pies

* El barco

* Versión más difícil del barco

del suelo mientras mantiene las rodillas flexionadas. La variación final, que es la más difícil, consiste en estirar completamente los brazos y las piernas. En cualquiera de los tres niveles podéis entonar juntos la canción *Rema en tu bote* (capítulo ocho) mientras imita la acción de remar en la *postura del barco*. Esto resulta muy divertido y el niño se olvidará de la dificultad que entraña .

¿Qué hay que decir?

Siéntate con los pies sobre el suelo y las rodillas flexionadas. Extiende los brazos por la parte exterior de las rodillas. Contrae los músculos del abdomen para sentarte erguido. Eleva los pies del suelo, uno detrás del otro, y luego encuentra el equilibrio sobre los huesos del trasero (isquiones). Mantén la postura y respira asegurándote de que el barco no vuelque. Intenta estirar las piernas si sientes que tienes suficiente fuerza. ¡Ahora estás preparado para salir a navegar! ¿Puedes inhalar y exhalar manteniendo la postura mientras yo cuento hasta cinco? Cinco, cuatro, tres, dos, uno. Relájate y descansa un momento antes de que probemos otra vez.

Variaciones de la *postura del barco*

Los niños mayores disfrutarán con variaciones un poco más difíciles y creativas. ¡Prueba las siguientes!:

- **Balancear el barco.** Rueda hacia atrás en la *postura de la pelota* y luego hacia delante para incorporarte y mantener el equilibrio en la *postura del barco*. Para complicarlo un poco más, sujeta los dedos de los pies, o los pies, en la *postura del barco*, lleva el cuerpo hacia atrás y luego hacia delante para adoptar la postura manteniendo el equilibrio.

- **Medio barco.** En la *postura del barco* utiliza los músculos abdominales para bajar ligeramente el cuerpo y desplazarte por el agua sin hundirte. ¡No te hundas! Ahora intenta incorporarte otra vez. ¡Bravo, lo has conseguido!
- **Barco doble.** Para realizar la postura en pareja siéntate frente a tu hijo con las rodillas flexionadas. Agarrados de las manos, debéis echaros hacia atrás y juntar las plantas de los pies. Para levantar y extender una pierna cada vez es preciso presionar los propios pies contra los pies del compañero. Así se hace el barco doble.

Medio arco y arco completo

Beneficios

Mejora la postura
Colabora con la digestión
Fortalece y estira los hombros, los brazos, las piernas, la espalda y los glúteos
Abre los pulmones

¿Qué hay que hacer?

Las posturas del medio arco y del arco completo son muy beneficiosas después de pasar todo el día sentado en el colegio. Ayudan a mejorar la postura corporal y al mismo tiempo abren el pecho y los pulmones. Pídele a tu hijo que respire contigo profunda y regularmente mientras practicáis las posturas. La respiración diafragmática es especialmente útil para los niños que tienen asma y otros trastornos respiratorios, y también se puede practicar en cualquier momento en que estén bajos de energía.

¿Qué hay que decir?

Comienza la postura tumbado sobre la barriga. Extiende el brazo izquierdo por delante del cuerpo mientras mantienes la pierna izquierda estirada. Ahora flexiona la pierna derecha y sujeta el tobillo con la mano derecha. Presiona el tobillo contra la mano y siente cómo se expande el pecho. ¡Eres un medio arco! Inhala... Exhala... Ahora relájate y apoya la cabeza sobre los

* Medio arco

* Arco completo

brazos. Cambia de lado. Muy bien, ahora vamos a practicar el arco completo. Túmbate sobre la barriga. En esta ocasión vas a llevar las manos hacia atrás para agarrar los dos tobillos. Mira hacia delante e inhala para levantarte y abrir el pecho, mientras empujas los pies contra las manos. Respira unas cuantas veces y luego relájate y descansa en la *postura del niño*.

Postura del arco y la flecha

Beneficios

- **Abre las caderas**
- **Alarga los músculos de las piernas**
- **Mejora la postura y desarrolla la fuerza de la parte central del cuerpo**

¿Qué hay que hacer?

Motiva a tu hijo para que adopte una buena postura mientras practica *El arco y la flecha*, pues esto fortalecerá la región central de su cuerpo y mejorará su coordinación y equilibrio. Si ves que está luchando por mantener la postura, puedes sugerirle que apoye la otra mano sobre el suelo por detrás del cuerpo, tal como se muestra en la foto. También puedes ayudarlo sosteniendo su espalda con la mano. Intenta que se estire y mantenga la postura durante tres respiraciones antes de cambiar de lado.

* El arco y la flecha

¿Qué hay que decir?

Comienza en la *postura fácil*. Rodea el dedo gordo, o la parte exterior del pie, con el índice del mismo lado. Extiende la pierna. ¡Eres un arco y una flecha! Vamos a mantener la postura durante tres respiraciones y luego cambiamos de lado. (Si trabajas con un niño mayor, intenta que mantenga el equilibrio con las dos piernas extendidas).

Postura del puente

Beneficios

- Fortalece las piernas, la espalda y los glúteos
- Mejora la digestión
- Abre el pecho y los pulmones

¿Qué hay que hacer?

Para adoptar esta postura es útil visualizar un puente levadizo y un barco que está a punto de pasar por debajo de él. Pregunta: «¿Puedo pasar?» mientras simulas que tu mano es el «barco» que intenta pasar por debajo del «puente». Si trabajas con un niño pequeño, puedes incluso utilizar un barco de juguete para «navegar» por debajo del «puente» cuando está elevado. Un niño mayor, o un adolescente, puede intentar llevar los hombros hacia atrás y acercar los codos para agarrarse las manos por debajo del cuerpo mientras eleva las caderas. Pídele a tu hijo que respire entre tres y cinco veces mientras mantiene la postura antes de descansar un instante y repetirla una vez más.

* El puente

¿Qué hay que decir?

Túmbate sobre la espalda. Apoya las plantas de los pies en el suelo a la misma distancia que las caderas. ¡Aquí llega el barco! Es el momento de levantar el puente. Manteniendo los hombros y los pies sobre el suelo, levanta las caderas en el aire. ¡Muy bien! Eleva el pecho para arquear la columna. (Cuando se trabaja con niños mayores: Mueve los hombros hacia atrás y acerca los codos al cuerpo para agarrarte las manos). Inhala y exhala lentamente tres veces. Ahora vamos a bajar el puente. Exhala mientras bajas poco a poco las caderas hasta el suelo, estirando suave y lentamente la columna. Descansa y repite esta secuencia de movimientos varias veces. Cuando termines, lleva las rodillas hacia el pecho y balancéate a uno y otro lado para masajear y relajar la parte baja de la espalda.

Postura de la mariposa

Beneficios

- Abre las caderas
- Estira la parte interior de los muslos
- Mejora la postura y fortalece la parte central del cuerpo

¿Qué hay que hacer?

Si tu hijo tiene las caderas rígidas, sugiérele que se siente sobre una manta doblada para que las caderas estén un poco más altas que las piernas y los pies. Para que el ejercicio sea más provechoso, pídele que se siente bien erguido mientras practica la *postura de la mariposa*.

¿Qué hay que decir?

Siéntate cómodamente con la espalda recta y junta las plantas de los pies para formar las alas de la mariposa. Inhala y eleva las rodillas, luego bájalas durante la exhalación. Estás volando... Cierra los ojos e imagina de qué color es tu mariposa y hacia dónde le gustaría volar. Sigue respirando y moviendo las alas durante un minuto.

* La mariposa

Variaciones de la *postura de la mariposa*

- **Cantar la *canción de la mariposa*.** Si trabajas con un niño pequeño, pídele que mueva las alas mientras entona esta canción (capítulo ocho).
- **Acercar los dedos de los pies a la nariz.** Sugiérele a tu hijo que flexione el cuerpo hacia delante para acercar los dedos de los pies a la nariz. Puede levantar una pierna en dirección a la nariz y luego bajarla y subir la otra. «¿Cómo huelen hoy tus pies?».

Postura del camello

Beneficios

- Estira los hombros, los muslos y las caderas
- Fortalece la espalda
- Abre la espalda, el pecho y los pulmones
- Proporciona descanso

¿Qué hay que hacer?

Al adoptar esta postura es importante moverse lenta y conscientemente para proteger el cuello y la espalda. Los empeines deben estar planos sobre el suelo, o los dedos de los pies apoyados por la parte posterior, para que los talones estén más cerca de las manos. El objetivo es que el niño extienda y eleve la parte inferior de la espalda y alargue el cuello en lugar de dejarlo caer hacia atrás. Debe utilizar las manos para ofrecer un buen apoyo a la parte baja de la espalda mientras se arquea hacia atrás, y también para abandonar la postura de forma segura.

* El camello

¿Qué hay que decir?

Arrodíllate a mi lado. Puedes mantener los pies planos sobre el suelo o apoyar la parte posterior de los dedos para que los talones estén más cerca de las manos. Apoya las manos sobre la parte inferior de la espalda con los dedos orientados hacia abajo. Abre el pecho todo lo que puedas, inhala... y exhala. Ahora intenta llegar con una mano cada vez a cada uno de tus talones. Empuja las caderas hacia delante, abre el pecho y levanta y alarga el mentón hacia el cielo. Eres un hermoso camello. Inhala y exhala tres veces muy despacio. Antes de abandonar la postura coloca primero una mano y después la otra sobre la parte baja de la espalda para que te sirvan de apoyo.

Postura de la vela

Beneficios

- Fomenta el buen funcionamiento del sistema endocrino
- Estimula el flujo sanguíneo hacia el cerebro
- Alivia los síntomas de los senos nasales
- Colabora con la digestión

¿Qué hay que hacer?

Para ofrecerle a tu hijo una versión más simple de la *postura de la vela*, puedes pedirle que levante las piernas en el aire. El beneficio añadido de este ejercicio es el fortalecimiento de los músculos centrales del cuerpo. Si trabajas con un niño mayor y ves que está luchando por adoptar la postura completa (elevar el cuerpo sobre los hombros) pero no lo consigue, puedes tirar suavemente de sus piernas hacia arriba sujetándolas por los tobillos o sugerirle que apoye los pies contra una pared y ejerza presión sobre ella. Entonces será capaz de colocar correctamente los hombros, los codos y las manos para soportar su peso corporal. Para trabajar sin peligro alguno para los niños, te recomiendo que no utilices una vela real, sino que

* La vela modificada

* La vela

SEGUNDA PARTE

recurras a la visualización de encender, soplar o ser una vela. También puedes aprovechar para recordarle al niño las normas familiares en relación con el fuego, como por ejemplo el peligro de jugar con cerillas.

¿Qué hay que decir?

Túmbate sobre la espalda. Ahora sube las piernas y mantenlas en el aire, sujetándolas con las manos y con los brazos y los codos apoyados firmemente sobre el suelo. ¿Puedes juntar un poco más los hombros? Mantén las piernas rectas y los dedos estirados hacia el cielo. (Si trabajas con niños más pequeños puedes decir: «Mueve los dedos para que la llama titile»).

Variación en parejas

Llamas gemelas. Puedes hacer la postura de la vela al mismo tiempo que tu hijo. Los dos debéis estar tumbados sobre el suelo con las cabezas separadas a unos pocos centímetros. Al levantar las piernas, los dedos de los pies deben tocarse en el aire para crear las llamas gemelas.

Postura del gato (gato feliz/gato asustado)

Beneficios

- Mejora la coordinación
- Estira y fortalece la espalda y la columna vertebral
- Masajea los órganos internos, como por ejemplo los riñones

¿Qué hay que hacer?

Esta combinación dinámica requiere un cierto nivel de conciencia corporal y coordinación, que pueden estar aún en desarrollo según cuál sea la edad del niño. Enséñale a tu hijo una postura cada vez para que disfrute de ella, permitiéndole hacer ruido y también hacer el tonto mientras la realiza. Una vez que llegue a dominar las posturas individuales puedes combinarlas para que resulten más amenas y divertidas.

¿Qué hay que decir?

Comienza en la *postura de la mesa*. Inhala y abre el pecho, dirigiendo la mirada al cielo. Di «miau». Eres un gato feliz. Ahora arquea la columna elevando la espalda hacia el cielo y mírate el ombligo. Di «hissss». Inhala, gato feliz, di «miau». Exhala, gato asustado, di «hissss». Luego

* El gato feliz

* El gato asustado

di «miau» e «hissss» mientras pasas de la *postura del gato feliz* a la *postura del gato asustado* varias veces. ¡Qué gatito tan dulce eres!

Variaciones de la *postura del gato*

Las siguientes posturas ayudan al niño a desarrollar el equilibrio y la coordinación, y al mismo tiempo fortalecen su espalda, sus brazos y sus piernas.

- **Estiramiento del gato.** Adopta la *postura de la mesa* y eleva el brazo derecho por delante del cuerpo, manteniéndolo recto. A continuación levanta la pierna izquierda, estirándola por detrás del cuerpo. Ahora debes mantener el equilibrio durante una respiración completa (inhalación y exhalación) antes de exhalar y bajar el brazo y la pierna. Cambia de lado; ahora tienes que inhalar mientras levantas la pierna derecha y el brazo izquierdo y exhalar al bajarlos.
- **El gato tonto.** En la *postura de la mesa* estira el brazo derecho hacia arriba, manteniéndolo en el aire. Inspira profundamente con la mirada fija en la mano. Exhala y baja el brazo pasándolo por debajo del brazo izquierdo para descansar sobre el hombro derecho. Inhala y exhala en esta posición varias veces. Vuelve a la *postura de la mesa* y cambia de lado.

Postura de la silla

Beneficios

Fortalece los pies, los tobillos, las pantorrillas y los muslos

Fortalece y estira los hombros, los brazos y la parte superior de la espalda

* La silla

¿Qué hay que hacer?

Una de las mejores formas de despertar el interés de tu hijo es proponerle algún desafío. Cuando le presentes por primera vez la *postura de la silla*, concéntrate únicamente en la alineación correcta: la mirada fija en un punto determinado, los brazos levantados, los hombros bajos, las rodillas flexionadas, la parte central del cuerpo activa y el coxis ligeramente desplazado hacia dentro para proteger la parte baja de la espalda. En cuanto el niño domine la postura y compruebe cuánto tiempo puede sostenerla mientras respira conscientemente, se sentirá satisfecho por haber superado el desafío. Utiliza un cronómetro o el minutero de un reloj de pared para controlar el tiempo, comenzando por un periodo de diez segundos. Aumenta cinco segundos cada vez que practiquéis juntos la *postura de la silla*.

¿Qué hay que decir?

Comienza en la *postura de la montaña* con los pies un poco separados. Encuentra un punto para fijar la mirada. Inhala y levanta los brazos por encima de la cabeza o frente al cuerpo (para mantener el equilibrio). Flexiona las rodillas y «siéntate» como si fueras a utilizar una silla. Inhala y exhala lenta y regularmente tres veces. ¿Cuánto tiempo puedes mantenerla? Voy a controlarlo...

Postura del niño

Beneficios

- Alivia el estrés
- Sirve como una postura de descanso
- Estira los muslos, las caderas, los tobillos y las rodillas
- Relaja las tensiones de la espalda

¿Qué hay que hacer?

La *postura del niño* puede servir como descanso después de practicar posturas más difíciles, pero también se puede acudir a ella en cualquier momento que sea necesario recuperar la serenidad y la concentración. Existe una versión en la que se realiza un suave estiramiento del cuello. Indícale a tu hijo que gire la cabeza a un lado y la mantenga en esa posición durante varias respiraciones. Luego debe hacer lo mismo hacia el otro lado. Hay otra variante que sirve para estirar los brazos y los hombros. Sugiérele que extienda los brazos frente al cuerpo para adoptar la *postura del niño extendida*.

¿Qué hay que decir?

Comienza la postura sentado sobre los talones. Separa un poco las rodillas. Flexiona el torso hacia delante hasta que la frente se apoye en el suelo o se acerque a él. Relaja los brazos sobre el suelo a ambos lados del cuerpo, con las palmas orientadas hacia arriba. Cierra los ojos y relaja los hombros, el cuello y los músculos de la espalda. Descansa en esta posición respirando varias veces, inhalando y exhalando lenta y profundamente.

* El niño

Postura de la cobra

Beneficios

- Abre el pecho y los pulmones
- Fortalece la parte baja de la espalda, la columna y los glúteos
- Masajea y estimula los órganos internos
- Alivia el estrés y el cansancio

¿Qué hay que hacer?

Pídele a tu hijo que mantenga el cuello y la columna alargados y los hombros muy relajados, lo más lejos posible de las orejas. En esta ocasión, en lugar de levantarse empujando con las manos sobre el suelo, debe usar los músculos de la parte baja de la espalda. Para que la postura sea más divertida puedes proponerle una «carrera de serpientes» en la que debe deslizarse ayudándose únicamente con las manos y los brazos (esto resulta más fácil sobre un suelo resbaladizo). Moverse como una serpiente desarrolla la fuerza de la parte superior del cuerpo y también la coordinación.

¿Qué hay que decir?

Comienza tumbado sobre la barriga, con las piernas juntas como si fueran la larga cola de una serpiente. Coloca las manos sobre el suelo directamente por debajo de los hombros. Inhala y eleva el pecho utilizando las manos como apoyo. ¡Ahora eres una cobra que escupe! Exhala produciendo el sonido «hisssss» mientras bajas el pecho al suelo y descansas. Repite los movimientos una vez más, pero en esta ocasión debes mostrarme la cara atemorizante de la serpiente mientras produces el sonido al exhalar. ¿Preparado?

* La cobra

Postura del cangrejo

Beneficios

- Desarrolla la fuerza de la parte central del cuerpo, los brazos y las piernas
- Mejora la coordinación

¿Qué hay que hacer?

En la *postura del cangrejo* intervienen muchos músculos al mismo tiempo, motivo por el cual supone un gran desafío para los niños. Puedes recurrir a las variaciones de la postura para mantener al niño activo e interesado mientras fortalece sus músculos y desarrolla la coordinación.

* El cangrejo

¿Qué hay que decir?

Comienza la postura sentado con las rodillas flexionadas y las plantas de los pies apoyadas sobre el suelo. Coloca las manos sobre el suelo detrás del cuerpo, con los dedos orientados hacia delante. Levanta la barriga hacia el cielo. ¡Arriba, arriba! ¡Muy bien! ¡Ahora eres un cangrejo! Intenta caminar como los cangrejos, ellos pueden andar hacia delante, hacia atrás y hacia los lados...

Variaciones de la *postura del cangrejo*

Fomenta una relación divertida con tu hijo recurriendo a las siguientes variaciones del cangrejo:

- **La danza del cangrejo.** Levanta y baja el pie derecho y luego el izquierdo, alternando los pies para crear una «danza». Para descansar, baja el trasero al suelo, rodea las rodillas con los brazos e inhala y exhala profundamente. Para que el ejercicio sea más divertido podéis escuchar una música dinámica.

- **Chocar los cinco con el cangrejo.** Trabajando en parejas, debéis tocaros los pies al mismo tiempo: «¡Choca los cinco, amigo!».
- **La carrera de cangrejos.** La carrera consiste en caminar hacia delante, hacia atrás y hacia los lados desde la línea de salida hasta la meta.
- **Fútbol de cangrejos.** Se puede utilizar una pelota de playa inflable y las porterías se pueden marcar con libros o almohadones. Este juego es especialmente divertido en un espacio abierto y cuando hay al menos dos personas en cada equipo.

Postura de la luna creciente

Beneficios

Estira y fortalece la cintura, la parte central del cuerpo y la columna vertebral
Colabora en la digestión
Masajea los órganos abdominales

¿Qué hay que hacer?

La *postura de la luna creciente* implica hacer una flexión lateral. Puede practicarse sentado o de pie. Una variación más fácil de esta postura consiste en pedirle al niño que mantenga el brazo derecho junto al cuerpo (si está sentado, se le indica que coloque la mano derecha sobre el suelo junto al lado derecho de su cuerpo) mientras levanta y estira el brazo izquierdo. Luego debe cambiar de lado.

* La luna creciente

¿Qué hay que decir?

Comienza sentado en la *postura fácil* o de pie en la *postura de la montaña*. Levanta los brazos por encima de la cabeza y presiona las palmas entre sí o junta las manos con los dedos índices apuntando hacia arriba. Inhala y estírate todo lo que puedas. Ahora exhala y flexiona el cuerpo hacia la derecha. ¡Eres una hermosa luna creciente! Inhala para enderezar el cuerpo y exhala inclinándolo a la izquierda. Utiliza tu respiración para moverte fluidamente hacia uno y otro lado unas cuantas veces.

Postura del grillo

Beneficios

- Mejora la coordinación
- Fortalece la parte central del cuerpo

¿Qué hay que hacer?

Los grillos viven prácticamente en todas las regiones del mundo donde hay plantas. Sus «oídos» están situados en sus patas delanteras. Haz una búsqueda en Internet para compartir con tus hijos algunas características interesantes de estos insectos.

¿Qué hay que decir?

Túmbate sobre la espalda. Levanta los pies y las manos al mismo tiempo. Junta las palmas de las manos y las plantas de los pies y frótalas rápido e intensamente para producir una fricción. ¡Eso es! ¿Puedes oír los grillos?

* El grillo

SEGUNDA PARTE

Postura del cocodrilo

Beneficios

- Alivia la tensión y el dolor de cabeza
- Es regeneradora

¿Qué hay que hacer?

La *postura del cocodrilo* es una postura regeneradora, similar a *Savasana* o a la *postura del niño*, y puede incluso utilizarse en lugar de *Savasana* cuando los niños no se sienten cómodos al tumbarse sobre la espalda.

* El cocodrilo

¿Qué hay que decir?

Túmbate sobre la barriga. Separa un poco las piernas. Los pies deben estar apoyados sobre el suelo (o con los dedos hacia dentro para que estén los de un pie frente a los del otro pie). Flexiona los brazos y coloca las manos sobre el suelo, con las palmas hacia abajo, para apoyar la frente. Ahora puedes girar la cabeza hacia un lado. ¡Ahhh! Inhala y exhala entre tres y cinco veces, o todo el tiempo que necesites.

Postura del delfín

Beneficios

- Fortalece los brazos, los hombros y la espalda
- Estira los tendones de las corvas y las pantorrillas
- Aporta oxígeno fresco al cerebro

¿Qué hay que hacer?

Esta postura es un poco complicada y se debería reservar para niños mayores, o para aquellos que tengan fuerza suficiente en los hombros y los brazos para sostener gran parte de su peso corporal. También es una forma de proteger el cuello y la cabeza de los niños. La cabeza no debe tocar el suelo. Un niño pequeño también puede practicar esta postura para obtener sus beneficios, pero es imprescindible que mantenga las rodillas apoyadas en el suelo. Indícale a tu hijo que descanse durante varias respiraciones en la *postura del niño* antes de hacer un nuevo intento por adoptar la *postura del delfín*.

¿Qué hay que decir?

Comienza adoptando la *postura de la mesa*, con las manos y las rodillas apoyadas en el suelo. Baja los antebrazos al suelo manteniendo los codos paralelos entre sí por debajo de los hombros. A continuación junta las manos, con los pulgares orientados hacia arriba. Apoya la parte posterior de los dedos de los pies en el suelo y comienza a levantar las rodillas ayudándote con la fuerza de los brazos y los hombros. ¡Muy bien! Estira las piernas y empuja los talones hacia atrás, tal como se hace en la *postura del perro* con el hocico hacia abajo. Ahora relaja el cuello y la cabeza. ¿Puedes mover la cabeza para decir «sí» y «no»? Cuando quieras abandonar la postura y descansar, simplemente vuelve a bajar las rodillas al suelo y luego respira varias veces en la *postura del niño*.

* El delfín

* El delfín que suelta un chorro de agua

Variación de la *postura del delfín* para niños mayores

A los niños mayores, o a los que estén deseando hacer posturas más difíciles, puedes proponerles la siguiente variación del delfín:

- **El delfín que suelta un chorro de agua.** Ayudado por la fuerza de los brazos y los hombros, lleva el cuerpo hacia delante para adoptar la *postura de la tabla* sobre los antebrazos. Estira el mentón para que sobrepase las manos, que están unidas sobre el suelo. Respira para echar agua como un delfín: «¡Pshhhh!». Continúa moviéndote hacia atrás y adelante.

Postura del perro con el hocico hacia abajo

Beneficios

- Estira los hombros, los brazos, los tendones de las corvas y las pantorrillas
- Fortalece los brazos, los hombros y la espalda
- Fomenta el flujo de oxígeno y los nutrientes hacia el cerebro

¿Qué hay que hacer?

Pídele a tu hijo que lleve las caderas hacia atrás y arriba mientras empuja con los talones en dirección al suelo. Lo ideal es que la espalda esté recta, y no redondeada, los dedos de las manos abiertos y los hombros lo más lejos posible de las orejas. Para estirar los tendones de los talones y de las corvas, consigue que el perro «mueva la cola» levantando una pierna y sacudiéndola hacia atrás. Luego hay que cambiar de pierna. No pasa nada si el niño dobla un poco la rodilla mientras desarrolla su flexibilidad.

* El perro con el hocico hacia abajo

* El perro con el hocico hacia abajo moviendo el rabo

¿Qué hay que decir?

Comienza en la *postura de la mesa*. Separa los dedos de las manos. Luego apoya en el suelo la parte posterior de los dedos de los pies y contrae y sube el trasero para mantenerlo en el aire. Los brazos deben permanecer rectos y fuertes. Relaja la cabeza y el cuello. ¡Muy bien! Ahora comprueba la posición de tus pies. Estira los talones hacia atrás para acercar los pies lo más posible al suelo. ¡Qué bien se estira el perro! Inhala... Exhala. (Si trabajas con niños mayores, puedes decir: «Vamos a quedarnos en esta posición y respirar tres veces en la *postura del perro con el hocico hacia abajo*». A los niños más pequeños puedes preguntarles: «¿Cuál es el sonido que hace un perro? Guau, guau»). Ahora baja nuevamente el cuerpo para adoptar la *postura de la mesa* y vuelve a sentarte sobre tus talones. ¡Bien hecho!

Variaciones de la *postura del perro con el hocico hacia abajo*

Imitar a un perro es muy divertido. Prueba los siguientes ejercicios para que la postura sea más dinámica:

- **Marcar el territorio.** Eleva la pierna izquierda y abre las caderas hacia la derecha. Mira hacia arriba por debajo del brazo derecho. ¡Siente el estiramiento! Inhala y exhala dos veces antes de bajar la pierna al suelo y cambiar de lado.
- **El perro doble.** Para hacer una versión de la postura en pareja, uno de los participantes adopta la *postura del perro* con el hocico hacia abajo. El otro coloca las manos a unos treinta centímetros de su compañero (un poco más si sus piernas son más largas) y a continuación levanta lentamente el pie derecho y lo apoya sobre la cadera derecha del compañero. Después utilizará ese apoyo para elevar el pie izquierdo y apoyarlo en la cadera izquierda del compañero.

* El perro doble

Postura del dragón

Beneficios

- Ayuda a desarrollar el equilibrio y la coordinación
- Fomenta la atención y la concentración
- Estira y fortalece los brazos, los hombros y la espalda
- Elimina toxinas y colabora en la digestión (dragón en torsión)

¿Qué hay que hacer?

Para proteger las rodillas es preciso practicar esta postura sobre una alfombra, una manta o una esterilla de yoga. Pídele a tu hijo que imagine las cualidades de un dragón: ferocidad, fuerza, protección. Estimúlalo para que sienta esas mismas cualidades mientras practica esta postura; incluso puedes añadir alguna afirmación, como por ejemplo: «¡Soy feroz!». Emplear la *respiración del dragón* mientras se adopta la postura es una forma constructiva de limpiar emociones reprimidas o energía sobrante.

¿Qué hay que decir?

Ponte de rodillas. Avanza la pierna derecha y coloca la planta del pie sobre el suelo. Asegúrate de que la rodilla está por encima del tobillo o ligeramente detrás de él. Inhala profundamente a través de la nariz y eleva los brazos por encima de la cabeza manteniéndolos rectos. Dirige la mirada hacia el cielo (los niños más pequeños pueden mirar hacia delante). Los hombros deben estar relajados y lejos de las orejas. ¡Uau, qué fuerte y feroz eres! Ahora inhala y estira los brazos hacia el cielo, exhala con la respiración del dragón «haaa!» y luego baja los brazos para colocarlos frente al cuerpo. ¡Qué feroz es tu respiración! Prueba otra vez. Respira y eleva los brazos... Exhala y baja los brazos frente al cuerpo. Ahora deshaz la postura y descansa en la *postura del héroe* antes de cambiar de lado.

* El dragón

Variaciones de la *postura del dragón*

- **El dragón en torsión (o el dragón muerto).** Desde la *postura del dragón*, junta las manos frente al corazón. Inclínate hacia delante y pasa el codo por encima de la rodi-

* Dragones gemelos

lla contraria, haciendo una torsión lateral. Encuentra un punto en la pared para enfocar la mirada. ¡Ahora eres un dragón en torsión! ¿Puedes mantener el equilibrio y respirar conmigo? (Para que la postura sea un poco más difícil, puedes decirle: Si puedes mantener el equilibrio, intenta encontrar un punto en el techo para enfocar la mirada). Permanece en la postura durante varias respiraciones profundas. Relájate y cambia de lado.

- **Dragones gemelos.** Para hacer una versión de la postura en pareja, practica el dragón frente a frente con tu hijo, con el pie derecho por delante. Las partes internas de las dos rodillas derechas deben estar enfrentadas. Tenéis que estiraros para juntar las manos por encima de la cabeza y miraros a los ojos. Inhalad y exhalad a la vez varias veces antes de cambiar de lado.

Postura del águila

Beneficios

- Ayuda a desarrollar el equilibrio, la coordinación y la atención
- Estira los hombros y la parte superior de la espalda
- Fortalece las piernas, las rodillas y los tobillos
- Integra los dos lados del cerebro

¿Qué hay que hacer?

A continuación se describe la *postura del águila* completa. Sin embargo, también se pueden conseguir beneficios similares realizando una versión más simple con tu hijo pequeño. Tan solo debes pedirle que cruce los brazos sobre el pecho y coloque una pierna encima de la otra, manteniendo los dos pies en el suelo (ver las variaciones que se muestran en las fotos).

¿Qué hay que decir?

Comienza en la *postura de la montaña*. Busca un punto para fijar la mirada. Extiende el brazo izquierdo hacia fuera y pásalo por encima del derecho. Flexiona los codos, junta los antebrazos y une las palmas de las manos. Ahora desplaza el peso corporal hacia el pie izquierdo y flexiona ligeramente las rodillas. Pasa la pierna derecha por encima de la izquierda. Los dedos deben estar apoyados sobre el suelo, pero si sientes que puedes mantener el equilibrio, puedes ir un poco más lejos y colocar el pie junto a la parte posterior de la pierna izquierda. ¡Eres un águila sabia y majestuosa! Mantén el equilibrio, inhalando y exhalando varias veces. Cuando estés preparado, inhala y abre los brazos como si quisieras volar como un águila antes de exhalar y volver a la *postura de la montaña*. Repite la secuencia con el otro lado.

* El águila   * El águila modificada

Postura fácil

Beneficios

- Calma y equilibra
- Fortalece la espalda y la columna vertebral
- Fomenta una buena postura
- Estira las piernas, los tobillos y los pies

¿Qué hay que hacer?

Si a tu hijo le resulta difícil sentarse recto porque tiene las caderas rígidas o poca fuerza en la parte central del cuerpo, o se queja de que le duele la región inferior de la espalda, coloca una manta o una esterilla de yoga doblada debajo de sus caderas para que los isquiones estén más altos que las piernas. En general, al practicar posturas sedentes es más cómodo colocar una manta debajo de las caderas, independientemente de la fuerza de los músculos centrales del cuerpo, en especial si hay que sostener las posturas durante varias respiraciones.

* Postura fácil

¿Qué hay que decir?

Siéntate cómodamente con las piernas cruzadas y las manos sobre el regazo. Estira la espalda, el cuello y la columna como si tu cabeza fuera una marioneta conectada al cielo raso por medio de un hilo. ¡Perfecto! Ahora inhala profundamente y eleva los hombros como si quisieras que tocaran las orejas. Exhala diciendo «ahhhh» y baja los hombros. Repite el movimiento. Ahora cierra suavemente los ojos. Junta las manos junto al corazón, haciendo una ligera presión sobre el pecho con los pulgares. Respira lenta y profundamente.

¿Contento o malhumorado?

En cualquier ejercicio que se realice en posición sedente es esencial mantener una correcta postura corporal para aprovechar al máximo sus

beneficios. Siéntate con la espalda encorvada como si estuvieras cansado y de malhumor. Pídele a tu hijo que te imite y pregúntale cómo se siente en esa postura. ¿Cansado? ¿Aburrido? ¿Malhumorado? Proponle respirar juntos manteniendo la postura. ¿Es posible? A continuación invítalo a sentarse junto a ti con la espalda recta y pregúntale: «¿Cómo te sientes ahora? ¿Atento? ¿Contento? ¿Vigoroso? ¿Puedes respirar profundamente al mismo tiempo que yo?». Muéstrale que es posible cambiar el ánimo y la respiración mejorando la postura corporal. Para ayudarlo a mantener una buena postura mientras practica yoga contigo, pregúntale con algo de sorna: «¿Estás contento o malhumorado?». ¡Inmediatamente lo verás corregir la postura y sentarse con la espalda recta!

Postura del codo en la rodilla

Beneficios

- Facilita la digestión
- Fortalece la parte central del cuerpo
- Desarrolla las funciones cerebrales (integra el flujo de información de los dos lados del cerebro)

¿Qué hay que hacer?

Si tu hijo no gateó cuando era un bebé, es posible que esta postura tan beneficiosa le resulte complicada. La *postura del codo en la rodilla* ayuda a integrar el flujo de información en los dos lados del cerebro y fomenta la coordinación física y la disposición a aprender. Si quieres hacer una versión más simple, pídele que acerque la mano a la rodilla en lugar del codo. Esta postura también puede practicarse de pie.

* El codo en la rodilla

¿Qué hay que decir?

Túmbate sobre la espalda. Apoya los dedos detrás de las orejas y mantén los codos abiertos hacia los lados. Levanta la rodilla izquierda para llevarla hacia el codo derecho. Luego cambia de lado. ¿Puedes hacerlo más rápidamente, alternando los dos lados? ¡Eso es! Ahora voy a contar hasta diez para cada movimiento... Uno, dos, tres... Relájate sobre el suelo estirando las piernas y también los brazos por encima de la cabeza. Inhala profundamente y exhala diciendo «ahhhh». Vamos a probar una vez más. ¿Preparado?

Postura del pez

Beneficios

- **Estira y estimula todos los músculos y órganos de la parte anterior del cuerpo**
- **Mejora la postura corporal**
- **Abre el pecho y los pulmones**
- **Fortalece los músculos de la parte superior de la espalda, los hombros y el cuello**

¿Qué hay que hacer?

Esta es una postura complicada para los niños pequeños, y puede ser potencialmente peligrosa para el cuello si no se realiza de la forma apropiada. Debes enseñársela a tu hijo asegurándote en todo momento de que no apoye la cabeza en el suelo mientras adopta la postura. Otra posibilidad es que la haga y la deshaga con tu ayuda. Pasa por alto esta postura si el niño tiene menos de seis años.

¿Qué hay que decir?

Túmbate sobre la espalda con las rodillas flexionadas y las plantas de los pies apoyadas en el suelo. Coloca las manos debajo de las caderas con las palmas hacia abajo. Inhala y abre el pecho todo lo que puedas mientras llevas los codos hacia el cuerpo. (Para niños mayores: Extiende las piernas. Imagina que son la cola de un pez). Ahora inhala y presiona los antebrazos

* El pez

contra el suelo para levantar el torso y la cabeza. Las branquias de tu pez están completamente abiertas... Inhala y exhala profundamente. Levanta la cabeza muy despacio antes de volver a apoyar la espalda sobre el suelo. Relájate.

Postura de la bandera

Beneficios

- Fortalece los brazos, los músculos centrales del cuerpo y las piernas
- Estira y fortalece las muñecas
- Mejora el equilibrio

¿Qué hay que hacer?

La *postura de la bandera*, también llamada *postura de la tabla lateral*, es una postura de equilibrio compleja que requiere una gran fuerza en los brazos. Intenta practicarla utilizando como apoyo una pared. Además, es aconsejable que al realizarla por primera vez el niño tenga los dos pies apoyados en el suelo, uno frente al otro, en lugar de colocarlos uno sobre el otro.

¿Qué hay que decir?

Comienza en la *postura del perro con el hocico hacia abajo*. Gira el cuerpo sobre el borde externo del pie derecho. Comienza a trasladar el peso corporal hacia la mano derecha, al mismo tiempo que giras el cuerpo a la izquierda. Coloca una pierna encima de la otra y levanta el brazo izquierdo hacia el cielo. ¡Eres una bandera! ¿Eres capaz de mantener el equilibrio respirando tres veces, o más, en esta postura? ¡Claro que puedes hacerlo! Cuando estés preparado para abandonar la postura, baja el cuerpo al suelo y sacude los brazos antes de repetirla hacia el otro lado.

* La bandera

Postura del flamenco

Beneficios

- Estimula la atención y la concentración
- Mejora el equilibrio
- Fortalece la espalda, los muslos, los tobillos y los pies

¿Qué hay que hacer?

Si tu hijo es muy pequeño, puede tener dificultades con las posturas de equilibrio. Puedes ayudarlo sujetando su mano o bien decirle que deje el dedo gordo apoyado sobre el suelo en lugar de levantar la rodilla. También puedes sugerirle que mantenga en equilibrio un muñeco de felpa sobre la rodilla mientras practica la *postura del flamenco* para que le resulte más divertida.

¿Qué hay que decir?

Comienza en la *postura de la montaña* y encuentra un punto donde enfocar la mirada. Coloca las manos debajo de las axilas a modo de alas. ¡Magnífico! Ahora soporta tu peso corporal sobre la pierna izquierda y levanta la rodilla derecha todo lo que puedas. ¡Eres un flamenco! ¿Puedes mantener el equilibrio en la postura mientras cuento hasta cinco? Uno, dos, tres, cuatro, cinco. ¡Bravo, lo has conseguido! Ahora vamos a cambiar de lado y lo haces otra vez.

* El flamenco

Postura de la flor

Beneficios

- Abre el pecho y los pulmones
- Estira el cuello, los hombros, la parte superior de la espalda, los muslos, los glúteos y las caderas
- Tonifica los órganos internos

¿Qué hay que hacer?

Esta postura dinámica sirve como un elemento visual para ayudar a los niños más pequeños a aprender en qué momento hay que inhalar y exhalar (se inhala al abrir y se exhala al cerrar). Mientras tu hijo inhala, recuérdale que abra el pecho y los brazos para obtener el máximo beneficio de la postura.

¿Qué hay que decir?

Comienza en la *postura fácil*. Flexiona los codos y coloca los dedos justo detrás de las orejas. Inhala para que «broten» los pétalos de tus brazos. Exhala y junta los codos frente a la cara y después bájalos hasta el suelo. Ahora inhala para «florecer» completamente mientras disfrutas de la delicada fragancia de tu flor. Exhala y vuelve a bajar cerrando los pétalos. Repite los movimientos para abrir y cerrar los pétalos de la flor, usando la respiración a modo de guía. Inhala para abrir... Exhala para cerrar... Repite el movimiento de tres a cinco veces como mínimo.

* Flor abierta

* Flor cerrada

Postura sobre los antebrazos

Beneficios

- Fortalece los hombros y los brazos
- Mejora el equilibrio y la circulación

¿Qué hay que hacer?

Esta postura es una buena preparación para las posturas sobre la cabeza. Con el fin de proteger el cuello y la cabeza de los niños, debe reservarse para los que son mayores, o los que tienen suficiente fuerza en los brazos y hombros para sostener su peso corporal de forma segura. La cabeza no debe tocar el suelo. Observa muy bien al niño mientras practica cualquiera de las posturas de inversión.

* Postura sobre los antebrazos

¿Qué hay que decir?

Comienza en la *postura de la mesa* frente a una pared. Apoya los antebrazos sobre el suelo. ¡Comprueba la posición de tus brazos! ¿Están paralelos y colocados directamente bajo los hombros? ¿Están los dedos a unos cinco centímetros de la pared? Bien. Ahora mantén los brazos y los hombros fuertes y apoya la parte posterior de los dedos de los pies en el suelo para comenzar a estirar las piernas, tal como haces en la postura del perro *con el hocico hacia abajo*. Acerca los pies a los brazos. Cuando la columna esté alineada con el cuello y la cabeza, contrae los músculos del abdomen para separar los pies del suelo, levantar las rodillas y acercarlas al torso. ¡Permanece en esta postura, o intenta estirar las piernas hacia el cielo! Respira. Realiza la misma secuencia de movimientos en sentido inverso cuando quieras abandonar la postura... Flexiona suavemente las rodillas en dirección al cuerpo, luego apoya los pies en el suelo y por último baja las rodillas. Descansa en la *postura del niño*.

Postura de la rana

Beneficios

- Fomenta la flexibilidad de las piernas
- Estira las caderas y la parte interior de los muslos
- Favorece la digestión
- Mejora el equilibrio

* La rana

¿Qué hay que hacer?

Observa que esta versión de la *postura de la rana* es más adecuada para los niños que la postura tradicional, aunque proporciona beneficios semejantes. A tu hijo puede apetecerle mantener el equilibrio sobre los dedos de los pies, y eso está muy bien porque supone un desafío. No obstante, para beneficiarse al máximo de la postura es mejor que le pidas que apoye los talones sobre el suelo, lo que resulta más fácil cuanto más separados están los pies. También puedes colocar una esterilla de yoga o una manta enrollada debajo de los pies del niño para que le sirva de apoyo y esté más cómodo.

¿Qué hay que decir?

De pie con los pies ligeramente más separados que las caderas, flexiona y baja las rodillas orientadas hacia fuera hasta que el trasero esté casi en contacto con el suelo. ¿Puedes apoyar los talones? Coloca las dos manos en el suelo entre las piernas para mantener el equilibrio. ¡Ahora eres una rana! ¡Croac! Mantén la postura mientras respiras varias veces. Ponte de pie y sacude las piernas antes de repetir una vez más la postura.

Variaciones de la *postura de la rana*

Sugiérele a tu hijo las siguientes variaciones cuando haya dominado la postura básica:

- **Equilibrio *namaste* en la postura de la rana.** Coloca las manos en la *posición de Namaste* con los codos en medio de las rodillas y presionándolas hacia fuera. Comprueba si la postura es correcta y respira... ¿Cuánto tiempo puedes mantener el equilibrio?
- **Saltos de rana.** Salta sin moverte del lugar, volviendo una y otra vez a la *postura de la rana*. ¡Uau! ¿Hasta qué altura puedes saltar? Vamos a contar juntos. Un, dos, tres. ¡Hop! Un, dos, tres. ¡Hop!

Postura de la puerta

Beneficios

- Estira la cintura y la columna vertebral
- Mejora el equilibrio
- Limpia los órganos internos
- Abre los pulmones

¿Qué hay que hacer?

Es preciso realizar la *postura de la puerta* sobre una alfombra, una esterilla de yoga o una manta doblada para proteger las rodillas delicadas de los niños. Además, debes asegurarte de que la rodilla extendida esté orientada hacia arriba. Con el fin de que el niño haga una verdadera flexión lateral, debes indicarle que se estire hacia un lado desde la cintura, y no hacia delante desde las caderas. La mano que se apoya sobre la pierna debe llegar hasta la parte inferior del muslo o, en el mejor de los casos, un poco más abajo de la rodilla.

¿Qué hay que decir?

De rodillas, estira lateralmente la pierna derecha. Orienta los dedos de los pies hacia fuera y la rodilla hacia el cielo. Ahora estira ambos brazos a los lados. Ya has hecho la puerta. Para abrirla, inhala y estira el cuerpo. Al exhalar, dobla la cintura hacia la derecha mientras tu mano derecha se desliza por la pierna extendida y el brazo izquierdo se eleva. ¡Ya has abierto la puerta! (Si trabajas con niños mayores, puedes decir: ¿Puedes mirar hacia arriba y mantener el equilibrio?). Permanece en la postura durante tres respiraciones. A continuación deshazla cuidadosamente y repítela hacia el otro lado.

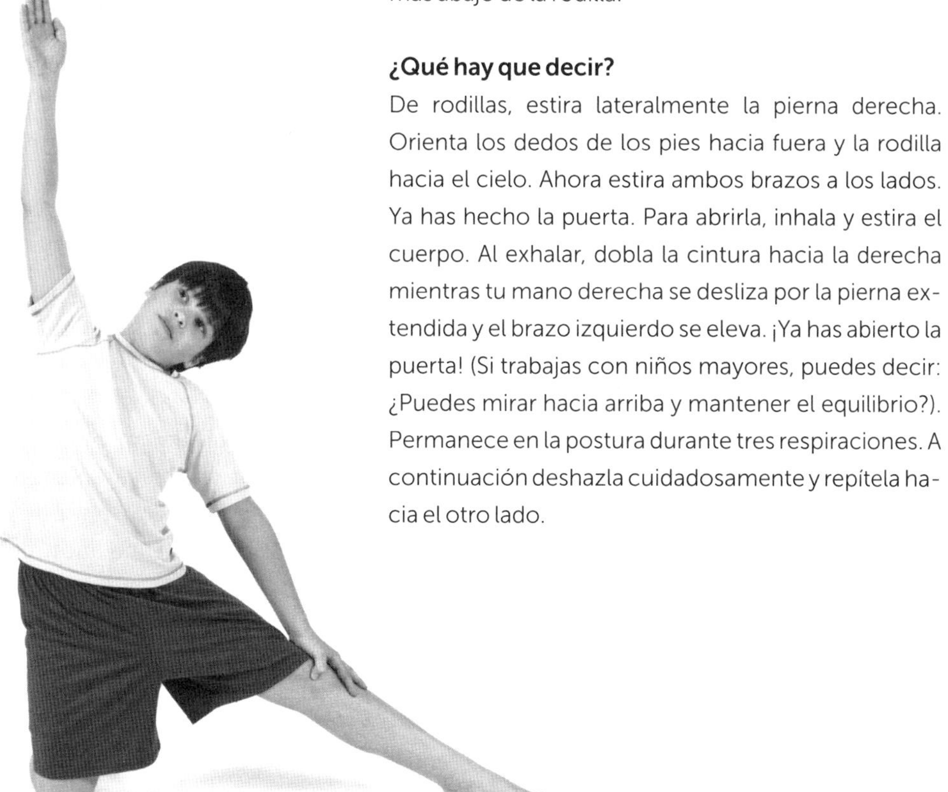

* La puerta

Postura del géiser

Beneficios

Alivia la tensión y el estrés
Elimina el exceso de energía o negatividad

¿Qué hay que hacer?

Explícale a tu hijo qué es un géiser. Haz una búsqueda en Internet para mirar juntos el vídeo en directo del géiser *Old Faithful** del Parque Nacional de Yellowstone. Después de practicar la *postura del géiser* con tu hijo, podéis conversar sobre las siguientes cuestiones: «¿Qué pasaría en la Tierra si no hubiera erupciones ocasionales de géiseres?», «¿Qué te pasaría a ti si no fueras capaz de manifestar tus sentimientos?», «¿Puedes imaginar cómo liberar la rabia, la frustración, las emociones y la energía acumuladas de otras formas que no sean agresivas?».

* El géiser

¿Qué hay que decir?

Comienza en la *postura de la montaña*, con las manos unidas junto al corazón. Cierra los ojos y mira dentro de ti para comprobar si has acumulado rabia o energía. Déjala fluir desde tu corazón y tu cuerpo hacia el exterior a través de las manos. Inhala por la nariz profunda y pausadamente. Luego abre los brazos y las piernas con vigor mientras produces el sonido que hace el géiser al liberar vapor de agua caliente: «¡Psssssshhh!». Imagina que el vapor de agua sale de tu cuerpo y de tu mente. Baja los brazos y las piernas antes de inhalar y lleva nuevamente las manos junto al corazón mientras absorbes paz y serenidad. Repite el ejercicio entre tres y cinco veces, o hasta que sientas que tu géiser interior se ha enfriado y tranquilizado.

* N. de la T.: El *Old Faithful*, traducido al español como Viejo Fiel, es uno de los géiseres más conocidos del Parque nacional de *Yellowstone*, en Wyoming. Estados Unidos, donde hay alrededor de cien géiseres activos.

Postura de la jirafa

Beneficios

- Mejora el equilibrio y la atención
- Estira los tendones de las corvas, las pantorrillas y las caderas
- Estimula la circulación y el flujo sanguíneo hacia el cerebro

¿Qué hay que hacer?

La jirafa es una postura dinámica que requiere la capacidad de mantener el equilibrio y la coordinación. Es recomendable para niños mayores que están deseosos de afrontar desafíos. También puede ser útil para que el niño imagine que está caminando sobre la cuerda floja mientras realiza la postura. O mejor aún, utiliza una vieja corbata o una correa de yoga para crear una cuerda real. Pídele a tu hijo que coloque un pie delante del otro sobre la cuerda mientras «camina como una jirafa».

¿Qué hay que decir?

Comienza en la *postura de la montaña*, con las caderas y los pies orientados hacia delante. Inhala mientras subes los brazos hacia el cielo y estiras la pierna derecha frente al cuerpo. Con las dos piernas estiradas, exhala y flexiona el cuerpo hacia delante para llevar los brazos hacia el suelo y la pierna adelantada hacia atrás. Cambia de lado volviendo a la posición de pie y elevando la pierna izquierda para «caminar como una jirafa» hacia delante, con las piernas estiradas y fuertes. ¿Puedes mantener el equilibrio? Recuerda que cuanto más atenta y lentamente te muevas, mejor te saldrá la postura. ¿Cuántos pasos de jirafa puedes dar sin perder el equilibrio?

* La jirafa, inhala

* La jirafa, exhala

Postura de la media luna

Beneficios

- Fomenta el equilibrio
- Fortalece las muñecas y las piernas
- Tonifica la espina dorsal

¿Qué hay que hacer?

Cuenta con la ayuda de una pared cuando practiques por primera vez la *postura de la media luna* con tu hijo. Pídele que se ponga de pie junto a la pared mientras adopta la postura. La pared le servirá de apoyo para mantener el equilibrio y se pondrá muy contento al ver que es capaz de hacerla. Cuando esté preparado para abandonar la postura, indícale que mueva la esterilla para probar hacia el otro lado.

¿Qué hay que decir?

Comienza en la *postura de la estrella*. Pasa a la *postura del triángulo* flexionando el torso hacia la derecha. A continuación dobla lentamente la rodilla derecha e inclínate hasta que la mano derecha se apoye sobre el suelo. Levanta el brazo izquierdo hacia el cielo. ¡Muy bien! Ahora comienza lentamente a estirar la pierna derecha mientras extiendes la pierna izquierda hacia fuera. Mantén la mirada fija en un punto de la pared que esté frente a ti. (Si trabajas con niños mayores, puedes decir: Ahora intenta elevar la mirada hacia el cielo). ¿Puedes permanecer en la postura durante cinco segundos? Voy a contar hasta cinco... ¡Buen trabajo! Abandona lentamente la postura para volver a la *postura de la estrella* antes de cambiar de lado.

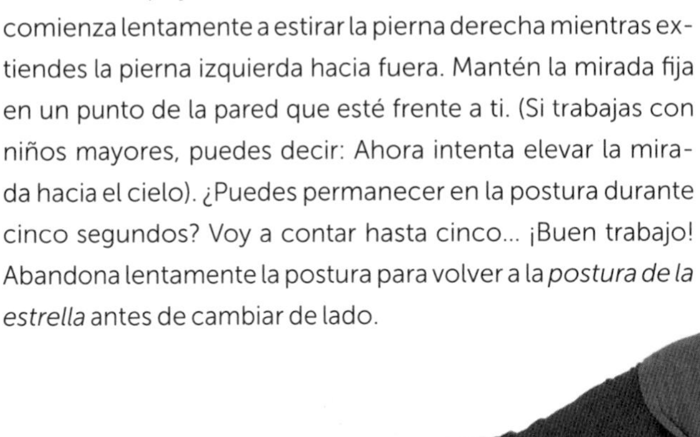

* La media luna

Postura sobre las manos

Beneficios

- Estimula la circulación, aporta al cerebro sangre rica en oxígeno
- Favorece la confianza

¿Qué hay que hacer?

Las posturas sobre las manos pueden despertar miedos porque, por lo general, son la primera experiencia que tiene un niño de invertir su cuerpo. Prueba alguna de las siguientes ideas para ayudar a tu hijo a adoptar la postura. En primer lugar, pídele que haga la *postura de la mariquita** (también conocida como *postura del hombre araña*) sobre las manos, para constatar que la parte superior del cuerpo tiene fuerza suficiente para sostener la postura. Después, sugiérele que haga la *postura del perro con el hocico hacia abajo* cerca de una pared y que apoye los talones en el suelo. A continuación debe levantar un pie cada vez para «caminar sobre la pared como lo haría una mariquita» (o el hombre araña). Otra opción para que el niño se sienta seguro es utilizar la *visualización del árbol* (capítulo nueve) para que pueda imaginarse en esa postura. También pueden ayudarlo algunas afirmaciones, como por ejemplo: «¡Lo estoy consiguiendo!» o «¡Tengo confianza en mí mismo y me siento fuerte!». Es aconsejable practicar siempre esta postura frente a una pared y observar al niño mientras la hace.

* Postura sobre las manos

¿Qué hay que decir?

Adopta la *postura del perro con el hocico hacia abajo*, colocando las manos a unos pocos centímetros de la pared. Acerca paulatinamente los dedos de los pies a las manos, hasta que los hombros estén alineados con las muñecas. Levanta una pierna cada vez manteniéndolas estiradas y ayúdate con la fuerza de tus brazos. En cuanto las piernas estén apoyadas sobre la pared, contrae las piernas y los pies al mismo tiempo para mantenerlos en su posición. Mira hacia el suelo. De vez en cuando atrévete a separar los pies de la pared. Cuando estés listo para deshacer la postura, baja las piernas al suelo, primero una y después la otra.

---

* N. de la T.: Coleóptero conocido también como vaquita de San Antonio.

Postura del bebé feliz

Beneficios

- Estira y abre las caderas, los tendones de las corvas, los glúteos y las ingles
- Relaja la parte inferior de la espalda

¿Qué hay que hacer?

Para hacer una variación divertida y muy beneficiosa de esta postura, pídele a tu hijo que estire una pierna y luego la otra, como hacen los bebés.

¿Qué hay que decir?

Túmbate sobre la espalda. Rodea los dedos gordos, o los bordes externos de los pies, con los dos primeros dedos de la mano. Tira de los pies hacia atrás de manera que las rodillas se acerquen a las axilas. ¡Ga, ga! ¿Eres un bebé feliz?

* El bebé feliz

Postura preparatoria para la postura sobre la cabeza

Beneficios

- Favorece el equilibrio y el aplomo
- Vigoriza el cuerpo
- Aporta sangre con oxígeno fresco al cerebro

¿Qué hay que hacer?

Las posturas en las que el peso corporal se soporta sobre la cabeza y el cuello no son apropiadas para niños menores de seis años. Para asegurarte de que tu hijo tiene la parte superior del cuerpo lo suficientemente fuerte para sostenerse en una postura sobre la cabeza (ver el recuadro), deberías enseñarle primero la postura preparatoria. Debes asegurarte de que apoya la cabeza sobre la coronilla, y no sobre la frente. Es recomendable que comience a practicarla cerca de una pared para que pueda adoptar la postura de una forma segura y observarlo detenidamente en todo momento para que no se haga daño.

* Postura preparatoria para la postura sobre la cabeza

* Postura sobre la cabeza

¿Qué hay que decir?

Adopta la *postura de la mesa* frente a la pared. Las manos deben estar a unos treinta centímetros de ella, orientadas hacia delante con los dedos abiertos. Ahora inclínate hacia delante y coloca la coronilla sobre el suelo frente a las manos, para formar un triángulo con los tres lados iguales. Apoya la parte posterior de los dedos de los pies sobre el suelo y estira las piernas tal como lo haces en la *postura del perro con el hocico hacia abajo*. Comienza a desplazar los pies hacia arriba para acercarlos a las manos, manteniendo los brazos y las piernas firmes, hasta que estés completamente cabeza abajo. Siente el peso de tu cuerpo distribuido equitativamente entre las manos y la cabeza. Levanta suavemente la rodilla derecha para colocarla sobre la parte posterior del brazo derecho y luego apoya la rodilla izquierda sobre la parte posterior del brazo izquierdo. ¡Ya estás en la postura preparatoria para la postura sobre la cabeza!

Postura sobre la cabeza

Desde la postura preparatoria, utiliza los músculos abdominales para elevar las rodillas y llevarlas hacia el cuerpo. Presionando las dos piernas al mismo tiempo, estíralas hacia el cielo utilizando la pared que está detrás de ti como soporte. ¡Ya has conseguido hacer la *postura sobre la cabeza*!

Postura del héroe y postura del rayo*

Beneficios

- Calma el cuerpo y favorece la respiración profunda
- Estira los muslos y los cuádriceps
- Ayuda a aliviar los trastornos estomacales

¿Qué hay que hacer?

La *postura del héroe* es una buena alternativa para los niños a quienes les resulta difícil sentarse erguidos en la *postura fácil*. Debes asegurarte de que los empeines del niño permanezcan planos sobre el suelo y que no esté sentado con los muslos abiertos, «formando una W» con las piernas. (Si tiene algún problema de espalda, o en las rodillas, debes omitir la *postura del rayo*).

* El héroe

* N. de la T.: También conocida como Postura del diamante. (En sánscrito *Vajra* significa *rayo*, pero además indestructible, firme, imperturbable, diamantino o «como diamante»).

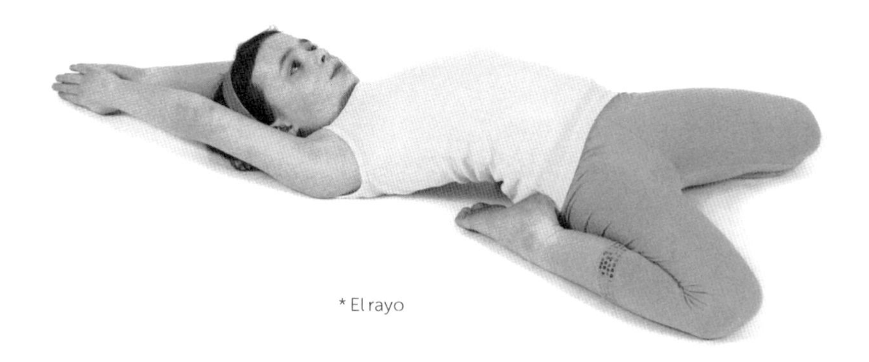
* El rayo

¿Qué hay que decir?

Comienza arrodillándote y manteniendo las rodillas juntas. Desliza ligeramente las espinillas y los pies hacia los lados y luego deja que el trasero descanse sobre el suelo entre los talones. Vuelve a sentarte con la espalda recta y coloca las manos sobre los muslos. Respira...

Postura del rayo

Inclina ligeramente el torso hacia atrás y estira los brazos para apoyar las manos en el suelo a cada lado de los pies. Comienza a doblar los codos y baja cuidadosamente la espalda hasta el suelo. Eleva los brazos por encima de la cabeza. ¡Eres un rayo! Permanece en esta postura respirando profundamente durante unos instantes. Cuando quieras incorporarte, vuelve a colocar los brazos a los lados del cuerpo y luego empuja los codos y los antebrazos contra el suelo para abandonar la postura.

Postura de la medusa

Beneficios

- Calma y revigoriza
- Desarrolla la fuerza de los músculos centrales del cuerpo

¿Qué hay que hacer?

La *postura de la medusa* suscita serenidad y por ello es muy adecuada para usarla como transición hacia la relajación. Indícale al niño que extienda sus extremidades mientras flota en esta postura para que los músculos centrales del cuerpo se fortalezcan.

* La medusa

¿Qué hay que decir?

Túmbate sobre la espalda. Levanta los brazos y las piernas para que sean los tentáculos de la medusa. Déjalos flotar y balancearse tal como lo harían en el océano. Concéntrate en flotar y fluir sin pensar en dirigirte a ningún lugar en particular.

Variación en parejas

El pulpo. Crea un pulpo con ocho tentáculos tumbándote en el suelo junto a tu hijo. Utiliza los dedos de los pies para recoger pequeños objetos que previamente has dejado en el suelo.

Ahora alimenta al pulpo utilizando los brazos para llevarte la comida a la boca (es el pequeño espacio que hay entre tu cintura y la del niño). Toma el objeto con la mano y desafía a tu hijo (y a ti misma) a pasarlo de una mano a un pie, de manera que vaya de tentáculo en tentáculo antes de caer en la boca del pulpo.

Postura del bailarín

Beneficios

- Mejora el equilibrio y la atención
- Estira los hombros y el pecho
- Fortalece los tobillos y las piernas
- Fomenta el aplomo y la postura corporal correcta

¿Qué hay que hacer?

Esta es una postura de equilibrio que presenta cierta dificultad. Pídele al niño que se acerque a una pared para tener un apoyo en caso de que lo necesite y que practique la postura con los dos lados mientras desarrolla la confianza necesaria para mantener el equilibrio en ella.

* El bailarín

¿Qué hay que decir?

Comienza en la *postura de la montaña* y encuentra un punto donde enfocar la mirada. Traslada el peso de tu cuerpo al pie izquierdo y levanta el brazo derecho para equilibrarte. Estira lentamente la mano izquierda hacia atrás para sujetar el borde externo, o el empeine, del pie izquierdo. Mantén el equilibrio y respira... ¿Te gustaría probar una versión más difícil de la postura? Presiona el pie contra la mano mientras arqueas la espalda y flexionas el cuerpo hacia delante. Sin apartar la mirada del punto focal, inhala... exhala. ¿Puedes sostener la *postura del bailarín* de tres a cinco respiraciones? ¡Vamos a comprobarlo! Ahora cambia de lado.

Variaciones de la *postura del bailarín*

- **El bailarín doble.** De pie, uno frente a otro en la *postura de la montaña*, los dos participantes deben extender el mismo brazo y presionar una palma sobre la otra y después estirar la otra mano hacia atrás para agarrar el pie del lado contrario. Tienen que mantener juntos el equilibrio durante cinco respiraciones y luego cambiar de lado.

SEGUNDA PARTE

- **Saltar y parar.** Salta sin moverte del lugar en la *postura del bailarín*. Para. ¿Puedes mantener el equilibrio? Seguramente podrás hacerlo si saltas de manera controlada. Buscar un punto para enfocar la mirada te ayudará a realizar la postura.

Postura del medio loto y del loto completo

Beneficios

Mejora la postura corporal
Estira los tobillos y las rodillas
Mejora la atención y la concentración
Abre las caderas

¿Qué hay que hacer?

Si tu hijo tiene los tendones de las corvas rígidos, o los músculos centrales de su cuerpo no son muy fuertes, pídele que se siente sobre una esterilla de yoga enrollada o una manta doblada para que las piernas estén más bajas que las caderas. De ese modo podrá permanecer sentado con la espalda recta con comodidad. Al practicar la *postura del medio loto*, el niño debe cambiar de posición las piernas (la que está arriba se coloca abajo) y pasar el mismo tiempo en ambos lados. A menos que sea superflexible, es preciso que practique la *postura del medio loto* como calentamiento antes de adoptar la *postura del loto*.

* El medio loto

* El loto

¿Qué hay que decir?

Comienza en la *postura fácil*. Coloca el pie derecho sobre el muslo izquierdo. La planta del pie debe estar orientada hacia arriba. Inhala y exhala lentamente entre tres y cinco veces... Relaja la pierna derecha y sacude las dos piernas. Cambia de lado. Al terminar intenta hacer la *postura del loto* completa. A partir de la *postura de medio loto*, levanta el otro pie sobre el muslo contrario. Siéntate con la espalda recta y las manos apoyadas sobre las rodillas. Respira.

Postura de la sirena

Beneficios

- Fomenta la postura correcta y la estabilidad
- Limpia los órganos internos y estimula la digestión
- Abre los pulmones
- Estira las caderas y los tendones de las corvas

¿Qué hay que hacer?

La *postura de la sirena* fomenta la postura corporal correcta. En ella se produce una torsión espinal completa. Utilízala como postura preparatoria para la *postura de la paloma*. Indícale a tu hijo que baje los hombros apartándolos de las orejas mientras alarga el cuello.

¿Qué hay que decir?

Siéntate con las dos rodillas orientadas hacia la derecha. Coloca el pie derecho frente a la rodilla izquierda y el pie izquierdo detrás del cuerpo. Pon las manos sobre el suelo a ambos lados de la rodilla derecha. A continuación siéntate como una sirena que está tomando el sol sobre una roca. Estira la espalda y abre el pecho, mirando por encima del hombro izquierdo. Respira varias veces antes de cambiar de lado.

* La sirena

Variaciones de la *postura de la sirena*

- **La sirena que salpica.** Lleva el cuerpo hacia atrás y coloca las manos sobre el suelo. Manteniendo los pies «pegados» al suelo, eleva las rodillas

SEGUNDA PARTE

y llévalas hacia la dirección opuesta. Mueve las piernas a uno y otro lado: «¡Splish, splah!».

- **La sirena que nada.** Inhala profundamente para sentarte con la espalda recta y llena los pulmones de oxígeno. Exhala produciendo el sonido «¡pshhhh!» mientras te inclinas hacia delante iniciando el movimiento desde las caderas y baja el pecho sobre el muslo. Repite los movimientos, levantando y bajando la cabeza como si quisieras zambullirte en el agua, siguiendo el ritmo de tu respiración. Cambia de lado para «zambullirte» y nadar en la dirección opuesta.

Postura del mono

Beneficios

Estira los tendones de las corvas, los muslos, las ingles y las caderas

Fortalece los tendones de las corvas y los músculos

Estimula los órganos abdominales

¿Qué hay que hacer?

Es recomendable realizar esta postura sobre una esterilla de yoga, alfombra o manta para proteger las delicadas rodillas de los niños. También se pueden usar bloques de yoga o libros para colocar las manos de modo que el niño pueda estar cómodamente sentado con la espalda recta y al mismo tiempo regular el estiramiento que se produce. La *postura de la paloma* se puede usar como calentamiento antes de adoptar la *postura del mono*.

¿Qué hay que decir?

Comienza arrodillándote en el suelo. Estira el pie derecho frente al cuerpo mientras colocas las manos sobre el suelo para que te sirvan de soporte. Ve deslizando el pie izquierdo hacia

* El mono

atrás, lo más lejos que puedas mientras el estiramiento te resulte cómodo. ¡Eres un mono¡ Presiona las manos contra el suelo para mantenerte recto. ¿Qué dice un mono cuando está haciendo tonterías? Cuando estés preparado, empuja las manos contra el suelo y desliza el pie izquierdo hacia delante. Luego desplaza el pie derecho hacia atrás para volver a la posición de rodillas. Siéntate o ponte de pie para sacudir las piernas como un mono antes de cambiar de lado.

Postura de la montaña

Beneficios

- **Ayuda a centrarse y fomenta la conexión a tierra**
- **Favorece una postura corporal correcta**

¿Qué hay que hacer?

La *postura de la montaña* es la base de todas las posturas que se hacen de pie. Tu hijo puede utilizarla para centrarse antes de probar otras posturas. Los niños a menudo se confunden al realizar esta postura, y se mantienen rígidos en lugar de poner a prueba su fuerza y su estabilidad. Es importante que los niños estén activos pero a la vez relajados mientras llevan a cabo la postura, porque esa es la forma de aprovechar todos sus beneficios.

¿Qué hay que decir?

Ponte de pie con la espalda recta, los brazos a los lados del cuerpo y los pies separados a una distancia semejante a la que hay entre las caderas. Busca un punto donde enfocar tu mirada que esté a la altura de tus ojos. Inhala profundamente y acerca los hombros a las orejas. Ahora exhala para bajarlos. Mientras lo haces, visualiza que tus pies son la base de una montaña y empújalos contra el suelo imaginando que dejas caer el peso de la montaña sobre él. Relájate y respira normalmente entre tres y cinco veces.

* La montaña

SEGUNDA PARTE

¿Montaña estable o soldadito de plomo?

Con frecuencia los niños se ponen rígidos cuando practican la *postura de la montaña*, mantienen los hombros cerca de las orejas y se olvidan de

respirar. Para ayudar a tu hijo a mantenerse activo en la postura sin tensar el cuerpo, prueba a darle un pequeño empujoncito en el hombro mientras le preguntas: «¿Eres una montaña o un soldadito de plomo?». Si es un soldado de plomo, es muy probable que pierda el equilibrio y se tambalee. Sacúdele suavemente los hombros para que los relaje y pídele que vuelva a subirlos durante la inhalación y a bajarlos mientras exhala. Respira profundamente al mismo tiempo que él, para mostrarle cómo se hace. Vuelve a darle un empujoncito para que sienta que es una montaña fuerte y estable.

Postura *namaste*

Beneficios

Ayuda a calmarse y centrarse

Fomenta el equilibrio e integra los dos lados del cerebro

¿Qué hay que hacer?

La postura *Namaste*, también conocida como *anjali mudra*, generalmente se considera como una posición de plegaria, pero en realidad no tiene ese significado. En India, presionar una mano contra otra y decir «*namaste*» es una forma de saludar u honrar a alguien. La palabra namaste se traduce simplemente como «yo te honro», o como algunos de mis alumnos de cuatro años la han traducido, «Veo la belleza que hay en tu corazón». Por otra parte, colocar las manos junto al corazón y presionar las puntas de los dedos ayuda a enfocar y concentrar la mente, por lo que a menudo se utiliza en diversas posturas de yoga y ejercicios de meditación. Pídele a tu hijo que cierre los ojos mientras practica la postura *namaste*.

* Namaste

¿Qué hay que decir?

Junta las manos frente al corazón. Presiona los dedos entre sí y empuja los pulgares contra el esternón. Cierra los ojos y respira...

Postura del búho

Beneficios

Mantiene las piernas flexibles
Estira las caderas, la parte interior de los muslos y las pantorrillas
Favorece la digestión
Mejora el equilibrio
Abre el pecho y los pulmones

¿Qué hay que hacer?

Quizás tu hijo manifieste que quiere mantener el equilibrio sobre los dedos de los pies, y eso está muy bien porque pone a prueba su estabilidad. No obstante, para obtener los máximos beneficios de esta postura es recomendable que apoye los talones en el suelo, lo que resulta más fácil cuanto más separados están los pies. Para ayudarlo a adoptar esta postura puedes ofrecerle una esterilla de yoga o una manta enrollada para que le sirva de «rama» para apoyar los talones.

* El búho

¿Qué hay que decir?

Enrolla tu esterilla de yoga o manta. ¡Esa es tu rama! Mantente de pie en la *postura de la montaña* con los pies separados y los talones sobre la rama. Inhala profundamente y estírate para agarrarte los codos por detrás de la espalda. Ponte en cuclillas para posarte sobre la rama: «Hu, hu». Mantén el equilibrio sobre la rama y respira entre tres y cinco veces.

Variaciones de la postura del búho

- **Búhos amigos.** Pósate en una rama junto a tu hijo pero mirando en la dirección opuesta. Los dos debéis girar la cabeza al unísono para miraros: «¡Hu, hu!». A continuación debéis girar hacia el otro lado. «¡Hu, hu!».
- **El oído del búho.** Los búhos tienen un oído muy fino. Siéntate en silencio sobre tu «rama» durante un minuto. Cuando hayas terminado, puedes compartir conmigo los sonidos que has oído.

* Búhos amigos

SEGUNDA PARTE

Postura de la paloma

Beneficios

- Abre las caderas
- Estira los glúteos, las ingles y los tendones de las corvas
- Estimula los órganos internos
- Alarga la espalda y mejora la postura corporal

¿Qué hay que hacer?

Si el niño tiene las caderas muy rígidas, no debes preocuparte si no consigue orientar la espinilla hacia la parte delantera de su esterilla. De cualquier modo se beneficiará de la postura aunque la espinilla esté ligeramente en ángulo o no consiga formar un ángulo en absoluto. Esta postura puede implicar un esfuerzo para la articulación de la rodilla, por lo que te recomiendo que vayas con cuidado, especialmente si tu hijo tiene algún problema en la rodilla. Para que realice un estiramiento más profundo debes indicarle que flexione el torso hacia delante desde las caderas, para bajar la cabeza hasta el suelo y apoyarla sobre los brazos.

¿Qué hay que decir?

Comienza en la *postura de la mesa*. Desliza la rodilla derecha hacia delante en dirección a la mano derecha. Flexiona la rodilla derecha hacia la derecha, hasta que forme un ángulo, y desliza la espinilla un poco más adelante. Extiende la pierna izquierda por detrás de tu cuerpo, manteniendo las caderas orientadas hacia delante. Abre el pecho como si fueras una paloma

* La paloma

orgullosa. Respira profundamente entre tres y cinco veces. Empuja las manos contra el suelo y desliza la pierna izquierda para volver a la *postura de la mesa*. Descansa en la *postura del niño* unos instantes y luego cambia de lado.

Variaciones de la *postura de la paloma*

- **La paloma que picotea.** Desde la *postura de la paloma* inhala para abrir el pecho. Exhala y flexiona los codos hacia dentro para bajar el pecho sobre el muslo. Baja la cabeza para picotear tu comida. Repite el movimiento varias veces hasta que tu barriga se haya llenado. (Los padres pueden «alimentar» a sus palomas simulando que tiran migas de pan frente a los niños).
- **La paloma en parejas.** Los dos participantes deben adoptar la *postura de la paloma* frente a frente. Luego unen sus manos por encima de la cabeza y respiran juntos mirándose a los ojos ... ¡No hay que olvidarse de cambiar de lado!

Postura de la paloma doble

Beneficios

- Abre las caderas
- Estira los tobillos, las rodillas, la parte superior de los muslos, la parte baja de la espalda y los glúteos
- Desarrolla la fuerza de la parte central del cuerpo

* La paloma doble

¿Qué hay que hacer?

La paloma doble es una postura maravillosa para abrir las caderas. Si tu hijo tiene las caderas rígidas o poca fuerza en la parte central del cuerpo, indícale que se siente sobre una manta o esterilla doblada para que los isquiones estén más altos que las piernas, y los tobillos permanezcan uno sobre el otro sobre el suelo. A lo largo de la semana puedes pedirle que se siente de este modo mientras mira la televisión o lee, cambiando de lado después de uno o dos minutos. Para que el estiramiento sea más profundo, puedes sugerirle que mueva las manos hasta colocarlas frente a las espinillas, mientras hace una flexión hacia delante iniciando el movimiento desde las caderas. Debes observarlo para que no se haga daño. Incluso el movimiento más pequeño puede hacer que la postura sea mucho más intensa.

¿Qué hay que decir?

Comienza sentado en la *postura fácil*. Coloca el tobillo derecho sobre la rodilla izquierda, y desliza el tobillo izquierdo ligeramente hacia fuera hasta colocarlo exactamente por debajo de la rodilla derecha. Ahora dime si ves un triángulo invertido en medio de las piernas cuando miras hacia abajo. Ahora siéntate con la espalda recta y las manos sobre las rodillas para respirar conmigo. Inhala... Exhala... Inhala... Exhala. Ahora vamos a estirar las piernas y sacudirlas. Finalmente vamos a repetir los movimientos con el otro lado.

Mecer al bebé

Desde la *postura de la paloma doble*, coloca las manos en torno al pie y la rodilla de la pierna que está por encima, para llevar la espinilla hacia arriba y acercarla al cuerpo. Balancéate de lado a lado para liberar la tensión de los músculos que han intervenido en el estiramiento. Ve un poco más lejos y canta: «Duérmete niño, duérmete ya». Relaja la pierna y cambia de lado.

Postura de la tabla

Beneficios

Fortalece los brazos, los hombros, las muñecas, las piernas y la parte central del cuerpo
Fomenta el estiramiento de la columna vertebral y la postura corporal correcta

¿Qué hay que hacer?

Con el fin de evitar que la parte media del cuerpo del niño se hunda en la *postura de la tabla*, pídele que utilice la fuerza de los brazos para contraer los músculos abdominales y activar la parte central del cuerpo. ¿Observas que la *postura de la tabla* que hace tu hijo se parece más a la *postura del perro con el hocico hacia abajo*? En ese caso, puedes decirle: «Intenta formar una línea recta con tu cuerpo. ¡Eso es!». También puede servir de ayuda utilizar un espejo o tomar una foto digital para que el niño pueda ver cómo realiza la postura. Luego pídele que la repita, incluyendo las correcciones. Esto fomentará que desarrolle su confianza mientras mejora la conciencia de su propio cuerpo.

* La tabla

¿Qué hay que decir?

Comienza en la *postura de la mesa*. Mueve las manos y el cuerpo ligeramente hacia delante y levanta la cabeza y el pecho. Dobla los dedos de los pies y levanta las rodillas del suelo. Intenta estirar el cuerpo para formar una tabla larga y fuerte. Mantén el cuello estirado mientras miras a un punto en el suelo frente a ti. Inhala y exhala de tres a cinco veces y luego vuelve a la *postura de la mesa*. Descansa en la *postura del niño* y finalmente estírate para hacer la *postura de la tabla* una vez más. ¡Bien, lo has conseguido!

Postura del arado

Beneficios

- Estira los hombros y la columna vertebral
- Estimula los órganos abdominales
- Revitaliza, alivia el estrés y elimina el cansancio

¿Qué hay que hacer?

Omite esta postura si tu hijo tiene alguna lesión o dolor en el cuello. Por lo general es recomendable decirle que adopte la *postura del arado* lenta y conscientemente con el fin de proteger el cuello. No tiene ninguna importancia el hecho de que pueda llegar a tocar el suelo con los dedos de los pies por detrás de la cabeza. Además, una vez que haya adoptado la postura, debes asegurarte de que mantiene la cabeza centrada y que mira hacia delante. La cabeza y el cuello nunca deben estar girados hacia un lado.

¿Qué hay que decir?

Comienza en la *postura de la vela*. Alarga el cuello y separa los hombros de las orejas. Inhala profundamente. Exhala y baja suavemente las piernas por detrás del cuerpo. Apoya los brazos en el suelo para que te sirvan de soporte mientras permaneces en la postura. Mantén la cabeza y la mirada hacia el frente mientras respiras y te relajas. Baja lentamente las piernas al suelo cuando quieras deshacer la postura. Descansa durante un momento antes de sentarte o de pasar a otra postura.

* El arado

Postura del conejo

Beneficios

Estira el cuello, los brazos y la espalda
Aporta oxígeno fresco al cerebro
Estimula la digestión

¿Qué hay que hacer?

Pídele al niño que mantenga un libro en equilibrio sobre la cabeza para que pueda sentir físicamente cuál es la parte de la cabeza que tiene que apoyar sobre el suelo al practicar la *postura del conejo*. Para proteger la coronilla, debe realizar la postura sobre una manta o una esterilla de yoga doblada y mantener la cabeza inmóvil, para que el cuello no sufra ningún daño.

¿Qué hay que decir?

Comienza en la *postura de la mesa*. Inclina el torso hacia delante para acercar la frente a las rodillas. Lleva el mentón hacia el pecho y coloca suavemente la parte superior de la cabeza sobre el suelo. Estira el cuerpo hacia atrás para agarrarte las manos por detrás del cuerpo. Arquea la espalda hacia el cielo mientras apoyas la coronilla en el suelo y eleva los brazos por detrás de la cabeza. Respira entre tres y cinco veces, y después relájate en la postura. Invierte lentamente los movimientos y relaja los pies. Vuelve a la *postura del niño* y descansa unos instantes.

* El conejo

Postura de la muñeca de trapo

Beneficios

- Calma el sistema nervioso
- Revitaliza y elimina el cansancio
- Estira la parte posterior del cuerpo, desde el cuello hasta los talones
- Ayuda a mejorar la concentración
- Estimula las funciones orgánicas internas y mejora la digestión

¿Qué hay que hacer?

Tu hijo pequeño puede necesitar que lo motives para mantener esta postura. Una sugerencia: puedes pedirle que se cuente los dedos de los pies. Como alternativa, puedes colocarle un muñeco de felpa entre los pies y sugerirle que le haga cosquillas en la barriga mientras estira el torso en dirección al suelo. Debes indicarle que flexione ligeramente las rodillas, aunque si tiene los tendones de las corvas rígidos, puede flexionar más las piernas para que se sienta cómodo en la postura.

* La muñeca de trapo

¿Qué hay que decir?

Comienza en la *postura de la montaña*, con los pies separados a la misma distancia que las caderas. Inhala profundamente mientras elevas los brazos hacia el cielo. Exhala y flexiona el cuerpo hasta la altura de las caderas para dejar caer el torso hacia delante como si fueras una muñeca de trapo. Sacude suavemente la cabeza diciendo «sí» y «no», hasta que descargues toda la tensión acumulada en los hombros, el cuello y la cabeza. Los brazos deben estar flojos y relajados. Intenta balancearlos de lado a lado como si fueras un gorila, antes de dejarlos caer en el centro. Relájate y respira, alargando un poco el estiramiento con cada exhalación. Ahhhh. Cuando estés preparado, comienza a desplazar el coxis hacia dentro e inhala para subir lentamente hasta adoptar la *postura de la montaña*.

Torsión en posición tumbada

Beneficios

- Tonifica los órganos internos y mejora la digestión
- Abre los pulmones
- Estira la espalda y los músculos del cuello

¿Qué hay que hacer?

La torsión en posición tumbada es reconstituyente y relajante, razón por la cual es ideal para utilizar como transición para la relajación. Pídele al niño que mantenga los hombros sobre el suelo mientras gira el cuerpo, con el fin de beneficiarse de una torsión espinal completa.

¿Qué hay que decir

Túmbate sobre la espalda. Coloca las plantas de los pies sobre el suelo. Extiende los brazos a ambos lados del cuerpo. Inhala profundamente. Exhala y lleva las rodillas hacia la izquierda mientras giras la cabeza hacia el hombro derecho. Comprueba tus hombros: ¿están los dos sobre el suelo? Bien. Descansa durante dos respiraciones. Cuando estés preparado, inhala mientras separas las rodillas del suelo para cambiar de lado.

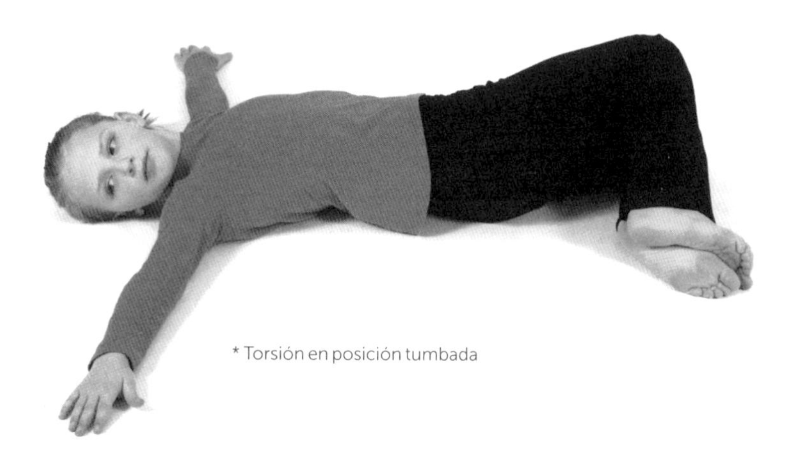

* Torsión en posición tumbada

Postura del correcaminos

Beneficios

- Estira las ingles, las piernas, los brazos y la espalda
- Estimula los órganos internos y mejora la digestión

¿Qué hay que hacer?

La *postura del correcaminos* (también llamada *postura de la estocada alta*) se puede realizar fácilmente comenzando en las posturas de la mesa, del perro con el hocico hacia abajo o de la muñeca de trapo. Pídele a tu hijo que compruebe si la rodilla que está por delante se sitúa ligeramente más atrás que el tobillo. La pierna izquierda debe estar recta y activa.

¿Qué hay que decir?

Comienza en la *postura de la muñeca de trapo* (o en la *postura del perro con el hocico hacia abajo* o en la *postura de la mesa*, tal como acabo de mencionar). Flexiona las rodillas y lleva las manos al suelo. Da un gran paso hacia atrás con el pie izquierdo. ¡Bien! Ahora organiza tu cuerpo de manera que las manos se sitúen a ambos lados del pie que está por delante. La pierna que está por detrás permanece recta y activa, y los dedos de los pies se apoyan en el suelo por la parte posterior. ¡Comprueba tus rodillas! La de delante debe estar justamente por encima del tobillo, o escasamente por detrás de él. Muy bien. Ahora mantén el cuello y la espalda estirados y encuentra un punto que esté frente a ti para fijar la mirada. Respira lentamente entre tres y cinco veces. Cambia de lado.

Variaciones de la *postura del correcaminos*

- **¡Preparados, listos, ya!** Baja lentamente al suelo la rodilla que está por detrás. Di «preparados», levanta la rodilla, di «listos» y ahora di «ya» mientras saltas y cambias de pierna. Repite este movimiento cinco veces, como mínimo.
- **Desafío de equilibrio** (para niños mayores). Siéntate con la espalda recta y levanta las manos del suelo para apoyarlas sobre la rodilla.

*El correcaminos

SEGUNDA PARTE

Postura del bocadillo

Beneficios

- Calma el sistema nervioso
- Revitaliza y elimina el cansancio
- Estira la parte posterior del cuerpo, desde el cuello hasta los talones
- Ayuda a mejorar la concentración
- Estimula el funcionamiento de los órganos internos y mejora la digestión

¿Qué hay que hacer?

Si tu hijo tiene los tendones de las corvas rígidos, debe sentarse sobre una manta o una esterilla de yoga doblada para efectuar esta postura, de modo que los isquiones descansen sobre la manta y las piernas estén estiradas sobre el suelo. Cuanto más rígidos tenga los tendones, más altas deben estar las caderas (en los casos en que la tensión es muy intensa, se puede utilizar un bloque de yoga o unos cuantos libros apilados). También puedes indicarle que deje las rodillas ligeramente flexionadas; de este modo se reduce el esfuerzo de la parte inferior de la espalda. Por lo general, hay que intentar que el niño inicie el movimiento para llevar el torso hacia delante desde las caderas, y no desde la cintura.

¿Qué hay que decir?

Comienza en la *postura fácil*. Para hacer la primera rebanada de pan, estira las piernas frente al cuerpo, con los dedos de los pies orientados hacia el cielo. A continuación inhala y estira los brazos por encima de la cabeza para crear la segunda rebanada de pan. Exhala mientras flexionas el torso hacia delante desde las caderas. Estira las manos hacia las espinillas, o los pies, para terminar el bocadillo. Sigue respirando lenta y profundamente. Intenta estirarte un poco más con cada exhalación.

* El bocadillo

Prepara un sándwich de mantequilla de cacahuete y mermelada*

Para que la postura resulte más divertida, prepara un sándwich de mantequilla de cacahuete y mermelada. Desde la *postura del bastón*, gira a la izquierda y simula sacar mantequilla de cacahuete de un bote que hay a tu lado (elige otro producto si eres alérgico). Distribuye la mantequilla por la cara, los brazos, la barriga y el resto del cuerpo. Ahora gira a la derecha y toma un poco de mermelada del bote que hay junto a ti. Recuerda que debes untar todo tu cuerpo con ella. A continuación flexiona el cuerpo hacia delante para juntar las dos rebanadas de tu «pan». Presiona las manos entre sí para formar un «cuchillo» y cortar el sándwich por la mitad. Desliza el cuchillo entre las piernas, desde los pies hasta la cintura. Ahora separa las piernas: ¡esas son las dos mitades del sándwich! Flexiona el torso sobre las piernas para comer las dos partes de tu sándwich. ¡Mmmmm!

Postura *Savasana*

Beneficios

- Relaja el cuerpo y baja la presión sanguínea
- Calma la mente

¿Qué hay que hacer?

Algunos niños pueden sentir temor de hacer esta postura. Cubre a tu hijo con una manta pesada para que tenga una sensación de calidez y seguridad. Una almohadilla para los ojos con aroma a lavanda (capítulo tres) también puede ser muy reconfortante. Pídele que fije su mi-

* Savasana

* N. de la T.: Es un sándwich muy popular en los Estados Unidos, incluye una capa de mantequilla de cacahuete y otra de mermelada, normalmente entre dos rebanadas de pan aunque también puede comerse abierto.

rada en un punto sobre el cielo raso, pues esto lo ayudará a relajarse (una pegatina con una cara sonriente pegada en el techo es muy adecuada para este propósito). Si con todo esto no consigue relajarse en la postura *Savasana*, pídele que adopte la *postura del cocodrilo* o la *postura del niño*. En el capítulo nueve presento muchas posturas de transición y variaciones de posturas de relajación, así como también ejercicios con imágenes visuales.

¿Qué hay que decir?

Túmbate sobre la espalda y estira tu cuerpo todo lo que puedas. Ahora relaja los brazos a ambos lados del cuerpo con las palmas de las manos orientadas hacia arriba. Deja que los pies caigan hacia los lados. Si te sientes a gusto, puedes cerrar los ojos. Ahora inhala profundamente por la nariz, llenando el pecho y la barriga de aire. Exhala diciendo «haaa...». Muy bien. Repite dos veces más y siente que tu cuerpo es cada vez más pesado y se abandona cada vez más sobre la tierra con cada exhalación. Descansa en la postura *Savasana* durante unos cuantos minutos. Yo te haré saber cuándo debes abandonar la postura.

Postura del tiburón

Beneficios

- Abre el pecho y los pulmones
- Estira los hombros y los brazos
- Fortalece la parte central del cuerpo y la parte inferior de la espalda

¿Qué hay que hacer?

Pídele a tu hijo que comience la postura tumbado sobre el abdomen, con los brazos a los lados del cuerpo, las palmas de las manos hacia abajo, la cara contra el suelo y la columna recta. Para evitar que la extensión de la espalda sea demasiado intensa, debes enseñarle que mantenga la mirada fija en el suelo para formar una línea recta con su cuerpo mientras levanta el cuerpo del suelo. Puedes decirle: «Mientras levantas el cuerpo, debes mantener el cuello alargado y mirar al suelo; de este modo la espina dorsal del tiburón se mantendrá recta». No

* El tiburón

puede decirse que esta postura sea una flexión hacia atrás, sino más bien un ejercicio para estirar la columna.

¿Qué hay que decir?

Túmbate sobre la barriga. Agárrate las manos por detrás de la espalda para formar la aleta del tiburón. Inhala y levanta los brazos, las piernas y el pecho al mismo tiempo. ¡Eres un tiburón que está nadando! Respira profundamente una vez más y relájate en la *postura del cocodrilo*. ¡Oh, oh, allí viene otra vez el tiburón! (Repite el ejercicio tres veces). Ahora vamos a descansar en la *postura del niño*.

Torsión en posición sedente

Beneficios

Masajea los órganos internos y colabora con la digestión
Potencia la flexibilidad de la columna vertebral
Mejora la circulación
Tranquiliza

¿Qué hay que hacer?

Si tu hijo tiene los tendones de las corvas rígidos o poca fuerza en los músculos centrales del cuerpo, debe sentarse en una manta o esterilla de yoga doblada para que las caderas estén más altas que las piernas. Así le resultará más fácil sentarse con la espalda recta y se beneficiará de una torsión espinal completa. Si la postura es correcta, las manos, que están apoyadas sobre el suelo, soportan muy poco peso corporal.

* Torsión en posición sedente

¿Qué hay que decir?

Comienza en la *postura fácil*. Siéntate con la espalda recta. Extiende la mano derecha hasta apoyarla sobre la rodilla izquierda y coloca la mano izquierda sobre el suelo detrás del cuerpo. Muy bien. Ahora siéntate lo más erguido que puedas e inhala profundamente. Exhala mientras giras el torso y el cuello para mirar hacia atrás. Respira en la postura entre tres y cinco veces. Ahora relájate y cambia de lado.

Postura del tobogán

Beneficios

- Fortalece los brazos, los hombros, las piernas y los músculos centrales del cuerpo
- Abre el pecho y los pulmones
- Alarga el cuello y la columna

¿Qué hay que hacer?

Esta postura fortalece todo el cuerpo y puede suponer un reto para los niños. Los más pequeños, o los que tienen poca fuerza en la parte central del cuerpo, pueden empezar por la *postura del cangrejo*. Debes indicarle que utilice la fuerza de sus brazos para mantener los hombros separados de las orejas. La parte central del cuerpo debe estar activa durante toda la postura para evitar que la espalda se «hunda».

¿Qué hay que decir?

Comienza en la *postura del bastón*. Coloca las manos en el suelo detrás del cuerpo, con los dedos orientados hacia delante. ¡Muy bien! Estira bien las piernas y también los dedos de los pies. Ahora eleva las caderas. Utiliza los músculos de tu barriga para mantener el cuerpo recto y sólido en el aire. Respira en esta postura tres veces. Baja el trasero al suelo y descansa unos instantes antes de probar otra vez. (Repite la postura tres veces).

* El tobogán

Postura de la esfinge

Beneficios

Abre el pecho, los pulmones y la garganta
Fortalece los hombros, los brazos y la parte inferior de la espalda
Activa los músculos del habla

¿Qué hay que hacer?

La *postura de la esfinge* es una suave flexión hacia atrás que pueden realizar sin riesgo incluso los niños más pequeños. Esta postura fortalece la parte superior del cuerpo y abre la garganta, y también vigoriza los músculos que intervienen en el desarrollo del habla. Indícale a tu hijo que presione los antebrazos contra el suelo, separe los hombros de las orejas, alargue el cuello y abra el pecho.

¿Qué hay que decir?

Túmbate sobre la barriga. Estira las piernas manteniendo los empeines apoyados sobre el suelo. Observa la posición de tus codos. ¿Están justo por debajo de los hombros? Corrige la postura y estira los antebrazos para que los codos queden orientados hacia delante. Ahora mantén los brazos y los hombros firmes para abrir el pecho y llevar los hombros hacia abajo, lo más lejos posible de las orejas. Muy bien. Ahora mira fijamente un punto frente a ti. Respira tres veces y, cuando estés preparado para deshacer la postura, descansa en la *postura del niño*.

* La esfinge

Postura de la araña

Beneficios

Mantiene las piernas flexibles
Estira las caderas, la parte interior de los muslos y las ingles
Facilita la digestión
Mejora el equilibrio

¿Qué hay que hacer?

Aunque al adoptar la *postura de la araña* tu hijo pretenda mantener el equilibrio sobre los dedos de los pies, debes indicarle que baje los talones al suelo. Esto resulta más fácil cuanto más separados estén los pies.

* La araña

¿Qué hay que decir?

Comienza de pie. Los pies deben estar un poco más separados que la distancia que hay entre las caderas. Flexiona las rodillas hacia los lados para ponerte en cuclillas hasta que el trasero esté prácticamente sobre el suelo. ¿Puedes apoyar los talones en el suelo? Muy bien. Ahora coloca las manos sobre el suelo entre los dos pies y deslízalas hacia los bordes externos. ¡Eres una araña! Mira hacia arriba y pon cara de araña mientras respiras tres veces.

Prueba lo siguiente:

- **La araña que camina.** «Andar» en la postura de la araña requiere movimientos conscientes y un buen equilibrio. Inténtalo. Levanta la mano y el pie del lado derecho y da un paso hacia delante. Luego haz lo mismo con el lado izquierdo. ¿Hasta dónde eres capaz de caminar como una araña?
- **Teje una red.** Con las manos sobre el suelo, mueve el trasero hacia arriba y hacia abajo para tejer tu red. ¿Dónde sientes el estiramiento? (La respuesta debe ser en los tendones de las corvas).

Postura del aspersor

Beneficios

- Estimula los órganos internos y la digestión
- Mejora la postura corporal

¿Qué hay que hacer?

Si tu hijo tiene las caderas rígidas o poca fuerza en la parte central del cuerpo, debe sentarse sobre una esterilla de yoga o manta doblada para que los isquiones estén más altos que las piernas, que se mantienen flexionadas sobre el suelo frente al cuerpo. Esta postura ofrece incluso a los niños más pequeños la oportunidad de pasárselo bien mientras hacen una torsión con la columna y utilizan su respiración de forma productiva.

* El aspersor

¿Qué hay que decir?

Siéntate en la *postura fácil*. Coloca los dedos de las manos sobre los hombros y abre los codos hacia los lados. Inhala profundamente por la nariz, exhala y gira el torso de lado a lado mientras imitas el ruido que hace un aspersor: «Pshh, pshh, pshh». Cuando te quedes sin agua, deja de girar el cuerpo durante un momento y respira profundamente por la nariz para volver a llenar la manguera del aspersor. Exhala y gira el cuerpo de un lado a otro una vez más: «Pshh, pshh, pshh».

Sacudir el cuerpo y quedarse quieto

En cuanto estés empapado, ponte de pie y sacude el cuerpo al compás de la música. Comienza por la cabeza y luego sigue con cada parte del cuerpo, hasta sacudirlo todo al mismo tiempo. Cuando la música se detenga, quédate quieto allí donde estés.

Postura del bastón

Beneficios

- Fortalece la espalda, los hombros y los músculos centrales del cuerpo
- Mejora la postura corporal

¿Qué hay que hacer?

Si tu hijo no tiene fuerza en los músculos centrales del cuerpo o los tendones de las corvas están rígidos, debe sentarse sobre una esterilla de yoga o manta doblada para que los isquiones estén más altos que las piernas, que permanecen estiradas frente al cuerpo. Si no consigue apoyar cómodamente las manos sobre el suelo, puedes colocar algunos libros o revistas debajo de cada mano, ocupándote de que ambas estén a la misma altura.

¿Qué hay que decir?

Siéntate en el suelo con las piernas extendidas delante del cuerpo. Empuja las manos contra el suelo a cada lado del cuerpo. Muy bien. Ahora activa las piernas y flexiona los pies para que los dedos queden orientados hacia el cielo. Siéntate con la espalda recta y respira...

* El bastón

Postura de la estrella

Beneficios

- Fortalece y tonifica todo el cuerpo
- Estira la columna y mejora la postura corporal

¿Qué hay que hacer?

La *postura de la estrella* (o *La estrella de cinco puntas*) parece simple; sin embargo, es todo un desafío sostenerla correctamente. Dile a tu hijo que debe activar *todos* los músculos de su cuerpo para mantener la postura durante un determinado tiempo.

¿Qué hay que decir?

Comienza en la *postura de la montaña*. Separa los pies y estira los brazos a cada lado del cuerpo. ¿Cuántas puntas tiene tu estrella? Vamos a contarlas: uno, dos, tres, cuatro, cinco (comienza por la cabeza y señala cada una de las extremidades). Muy bien. Ahora mantente de pie muy erguido, elevando la cabeza hacia el cielo. Presiona los pies contra el suelo y estira los brazos hacia los lados. ¡Observa tus hombros! ¿Están cerca de las orejas, o están relajados? Vale, exhala y bájalos todo lo que puedas. ¿Cuánto tiempo puedes mantener la *postura de la estrella*? Vamos a respirar en la postura durante diez segundos...

* La estrella

Variaciones de la postura de la estrella

Es muy fácil ser creativo con la *postura de la estrella*. Prueba las siguientes variaciones:

- **La estrella que titila.** «Titila» manteniendo los brazos y las piernas rectas mientras te balanceas atrás y adelante, y de un pie al otro. Canta *Estrellita donde estás* mientras te balanceas. Para potenciar el equilibrio del niño, baja de vez en cuando el volumen de la música para que se quede inmóvil (normalmente sobre uno de sus pies) cuando la música deje de sonar.
- **La estrella plegada.** Inhala y estira los brazos hacia atrás, abriendo el pecho. Exhala mientras llevas el cuerpo hacia delante. Sujeta los bordes externos de los pies o los tobillos. Los niños mayores pueden agarrarse los dedos gordos. Hay que respirar tres veces antes de pasar a la *postura de la estrella en torsión*.
- **La estrella en torsión.** Desde la *postura de la estrella plegada*, coloca la mano derecha sobre el suelo entre las piernas. Inhala y levanta el brazo izquierdo hacia el cielo. Dirige la mirada hacia la mano levantada. Respira tres veces en la posición antes de cambiar de lado.

* La estrella plegada

* La estrella en torsión

Postura de la estrella de mar

Beneficios

Reconstituyente

¿Qué hay que hacer?

La *postura de la estrella de mar* es ideal para usar durante la relajación, o como un descanso para hacer la transición entre otras posturas durante una sesión de yoga. Pídele a tu hijo que se tumbe sobre una esterilla de yoga, una alfombra o una manta para que esté más cómodo cuando practique la *postura de la estrella de mar*. Añade un poco de magia al ejercicio incorporando la actividad del *Pañuelo del mar* que presento en el capítulo nueve.

¿Qué hay que decir?

Túmbate sobre la espalda. Adopta la *postura de la estrella*. Cierra suavemente los ojos e imagina que eres una estrella de mar que está tomando el sol sobre una roca. Inhala y al mismo tiempo estira y abre los brazos y las piernas, tensando todos los músculos del cuerpo. Mientras exhalas, di «haaa» dejando que tu cuerpo de estrella de mar se relaje sobre la roca. Descansa en esa posición durante un minuto, inhalando y exhalando lenta y regularmente.

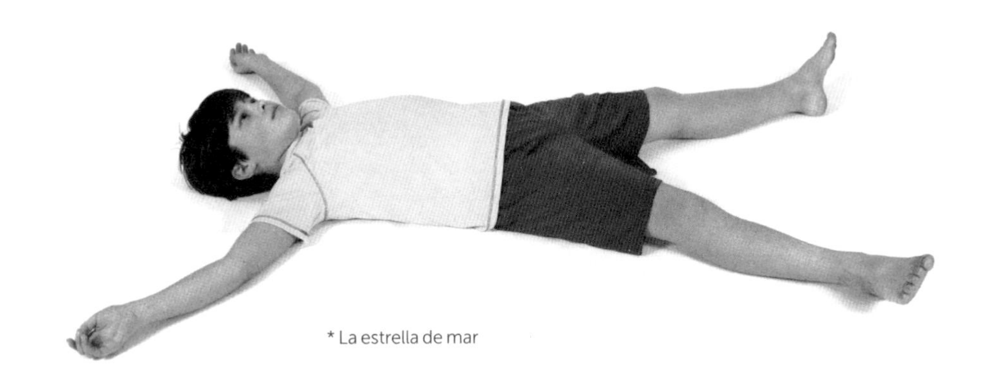

* La estrella de mar

Postura del cisne

Beneficios

- Abre el pecho
- Fortalece las muñecas y los brazos
- Estira la columna, la espalda y los muslos

¿Qué hay que hacer?

Algunos niños son capaces de llegar con la cabeza hasta los pies, pero eso depende en gran medida de su flexibilidad, y también de la longitud de las piernas y del torso. Asegúrate de que tu hijo comprende que todos los cuerpos son diferentes, y que es más importante el esfuerzo que hace por intentar realizar esta postura y todas las demás que hacerla efectuar como aparece en las fotos.

¿Qué hay que decir?

Comienza en la *postura de la mesa*. Inclínate hacia delante sobre las manos mientras flexionas las rodillas y elevas los pies en el aire. ¡Muy bien! Mantén los brazos rectos mientras estiras la espalda y el cuello y simultáneamente abres el pecho. Estírate hacia atrás para acercar los dedos de los pies a la cabeza. ¡Eres un cisne hermoso y grácil! Inhala y exhala tres veces antes de pasar a la *postura del niño* para descansar. Si te apetece, puedes probar una vez más.

* El cisne

Postura de la mesa

Beneficios

Fortalece las muñecas, los brazos, los hombros y los músculos centrales del cuerpo

Estira la columna y los músculos de la espalda y del cuello

* La mesa

SEGUNDA PARTE

¿Qué hay que hacer?

Si el niño ha sufrido recientemente lesiones en los brazos o en las muñecas, evita esta postura y otras que impliquen soportar el peso corporal. Para que tu hijo adopte la *postura de la mesa* con la espalda recta y sólida, puedes proponerle que la realice frente a un espejo, o también puedes tomar una foto digital y mostrársela. Si necesitas hacer alguna corrección, pídele que haga la postura una vez más y tómale más fotos hasta que la realice como corresponde.

¿Qué hay que decir?

Ponte a cuatro patas y apoya los empeines sobre el suelo. Coloca las manos en el suelo directamente debajo de los hombros y las rodillas debajo de las caderas. Abre bien los dedos de las manos. Muy bien. Ahora observa la parte central de tu cuerpo. ¿Eres capaz de mantener la espalda estirada, fuerte y recta como si fuera una mesa? Inhala y exhala tres veces en la *postura de la mesa*.

Poner la mesa

Para que el niño llegue a mantener la espalda recta y sólida al practicar esta postura, invítalo a poner la mesa. Crea un escenario con un cuchillo, un tenedor y una cuchara. Coloca un plato de papel o de plástico sobre su espalda. Simula que estás sentado a la mesa comiendo: levanta y apoya los cubiertos, corta los alimentos, etc. Es probable que todo esto provoque risas; ¡será un gracioso desafío para el control corporal!

Postura del árbol

Beneficios

- Fomenta la atención y la concentración
- Mejora el equilibrio
- Estira la parte interior de los muslos y las ingles

¿Qué hay que hacer?

La atención, la concentración y el equilibrio pueden resultar difíciles para algunos niños. Con un poco de práctica, la *postura del árbol* ofrece una gran oportunidad para potenciar esas habilidades y desarrollar confianza.

¿Qué hay que decir?

Comienza en la *postura de la montaña* con las manos juntas en la posición de *namaste*. Encuentra un punto para enfocar la mirada. Cuando estés preparado, deja caer el peso corporal sobre el pie izquierdo y gira la rodilla derecha hacia fuera. Apoya el talón derecho sobre el tobillo izquierdo, con los dedos del pie en el suelo (versión 1). Si consigues mantener el equilibrio, prueba a elevar el pie derecho hasta que descanse sobre la parte interior de la pantorrilla (versión 2). Levanta muy despacio las ramas del árbol, que son tus brazos, manteniendo los hombros relajados y lejos de las orejas. Puedes unir las manos por encima de la cabeza para hacer un pino o mantenerlas separadas para hacer un roble. (Los niños mayores pueden probar la versión 3: lleva el pie derecho hasta la parte interior del muslo). Mantén el equilibrio en la *postura del árbol* de tres a diez respiraciones lentas y profundas, o todo el tiempo que seas capaz de hacerlo.

* El árbol, versión 1

* El árbol, versión 2

* El árbol, versión 3

Prueba lo siguiente:

- **De las ramas brotan hojas o frutos.** Levanta los brazos por encima de la cabeza y hacia los lados como si fueran ramas. Algunas hojas o frutos brotan de tus dedos: «¡Pop, pop, pop!»
- **Balancea las ramas.** Deja que el viento balancee tus ramas mientras mantienes tus «raíces» enterradas en lo más profundo de la tierra.

Postura del triángulo

Beneficios

Estira y fortalece las piernas, los brazos, la espalda y la cintura
Abre el pecho y los pulmones
Estira la columna vertebral
Mejora el equilibrio y la resistencia
Estimula los órganos internos y la digestión

¿Qué hay que hacer?

Es bastante frecuente que los niños hagan una flexión hacia delante en lugar de una flexión lateral para adoptar la *postura del triángulo*. Para que pueda «sentir» la flexión lateral, indícale que inicie la postura con la espalda contra una pared. Para ayudarlo a profundizar el estiramiento y abrir la caja torácica, coloca una mano por encima de su cabeza y pídele que se estire hasta tocarla.

¿Qué hay que decir?

Comienza en la *postura de la montaña*. Separa los pies lo máximo que puedas y gira el pie derecho hacia la derecha. Estira los brazos a los costados del cuerpo. Inhala profundamente mientras estás de pie con la espalda recta, y cuando exhales abre los brazos e inclina el cuerpo lentamente hacia la derecha, hasta que la mano derecha se apoye sobre la espinilla de ese lado mientras el brazo izquierdo se mueve en dirección al cielo. Comprueba que estás flexionando el cuerpo hacia el lado y no hacia delante, imaginando que tu cuerpo es el relleno de mantequilla de cacahuete y mermelada que hay entre dos rebanadas de pan. Intenta mirar hacia la mano izquierda y mantén la postura entre tres y cinco respiraciones. Flexiona ligeramente la rodilla derecha y vuelve a la posición de pie con los brazos estirados. Ahora repite el movimiento hacia el otro lado.

* El triángulo

Variaciones de la postura del triángulo

- **¿Cuántos triángulos hay?** Hay uno entre las piernas, los dos pies forman la base y la mano que está levantada forma el vértice. La base de otro triángulo está formada por la mano que está sobre la rodilla y el hombro, y la cintura forma el vértice. ¿Puedes encontrar más triángulos?
- **Canta la *canción de la tetera y el triángulo*** (capítulo ocho).
- **Jugar a quedarse «congelado» en la postura** (capítulo siete).
- **El reloj del pueblo.** Coloca un reloj en tu «campanario» estirando un dedo y moviendo en círculo solamente el antebrazo mientras cuentas hasta doce.
- **El triángulo en pareja.** Los dos participantes deben estar frente a frente y hacer la *postura del triángulo* sujetándose las manos por encima de la cabeza.

Postura de la tortuga

Beneficios

- Estira las caderas, la espalda, las ingles y los tendones de las corvas
- Estimula los órganos internos y la digestión

¿Qué hay que hacer?

Una alternativa para los niños más pequeños, o para aquellos que tienen las caderas o los tendones de las corvas rígidos, es comenzar en la *postura de la mariposa*. Indícale a tu hijo que deslice ligeramente los pies hacia delante, de modo que pueda hacer una flexión hacia delante para deslizar las manos y los brazos por debajo de las piernas. Luego puede dejar los brazos abiertos sobre el suelo o colocarlos en torno a los pies para formar su caparazón.

* La tortuga

¿Qué hay que decir?

Comienza sentado con las piernas separadas formando una V. Flexiona el torso hacia delante y coloca las palmas de las manos sobre el suelo para deslizarlas luego por debajo de las piernas. Inclínate hacia delante con la cabeza baja para ocultarte dentro de tu caparazón. Asoma la cabeza moviéndola hacia arriba y hacia fuera. Permanece en la postura, pero coloca las plantas de los pies juntas para crear un caparazón con otra forma.

Postura del perro con el hocico hacia arriba

Beneficios

- Fortalece la columna, los brazos, los hombros y las muñecas
- Abre el pecho y los pulmones
- Mejora la postura corporal

¿Qué hay que hacer?

Tu hijo más pequeño quizás no tenga la fuerza necesaria para sostener su cuerpo en el aire, de manera que la *postura del perro con el hocico hacia arriba* puede parecerse a la *postura de la cobra*. ¡No hay ningún problema! La alineación en la postura mejorará a medida que desarrolle fuerza y mejore su coordinación, y gracias a tu ayuda.

* El perro con el hocico hacia arriba

¿Qué hay que decir?

Túmbate sobre la barriga. Coloca las manos sobre el suelo a los costados del pecho, con los dedos bien separados. Los codos deben estar muy cerca de tu cuerpo. Bien. Ahora, estira las piernas por detrás de ti. Presiona los empeines y las manos contra el suelo. Ahora mantén los brazos y los hombros activos y firmes para elevar el cuerpo. ¡Perfecto! Ya estás en la *postura del perro con el hocico hacia arriba*. Comprueba la posición de tu cuerpo. Las únicas partes que tocan el suelo son los empeines y las manos. Vale. Ahora estira la espalda y el cuello y respira... Respira tres veces en esta posición antes de bajar el cuerpo al suelo. Descansa en la *postura del niño*.

Postura sedente con las piernas abiertas en forma de V

Beneficios

- **Fortalece la parte central del cuerpo**
- **Mejora la postura corporal**
- **Estira los tendones de las corvas**

¿Qué hay que hacer?

Tu hijo debe sentarse sobre una manta o esterilla de yoga doblada si tiene los tendones de las corvas rígidos para que los isquiones estén más elevados, mientras mantiene las piernas estiradas sobre el suelo frente al cuerpo. Cuanto más rígidos estén los tendones de las corvas, más altas deben estar las caderas (si los tendones están excesivamente rígidos, también se puede utilizar un bloque de yoga o varios libros apilados). Además, puedes sugerirle que

* El árbol en posición sedente

* Postura sedente con las piernas abiertas en forma de V

mantenga las piernas ligeramente flexionadas, lo que reducirá el esfuerzo en la parte baja de la espalda.

¿Qué hay que decir?

Comienza en la *postura del bastón*. Coloca las manos en el suelo y presiónalas hacia abajo. Separa las piernas hasta crear una «V». Abre el pecho y utiliza los músculos abdominales para sentarte recto. Respira en la postura entre tres y cinco veces.

El árbol en posición sedente

Comienza en la *postura sedente con las piernas en forma de V*; luego coloca el pie izquierdo sobre la parte interna del muslo derecho. Ahora inhala y sube los brazos hacia el cielo. Gira el cuerpo para orientarlo hacia la pierna derecha. Exhala y flexiona el torso hacia delante sobre la pierna derecha, iniciando el movimiento desde las caderas. Estírate en esta posición durante tres respiraciones. Inhala subiendo los brazos y luego exhala bajándolos a los lados del cuerpo. Cambia de piernas y repite la postura.

Serie del guerrero (guerrero I, II y III)

Beneficios

- Fortalece todo el cuerpo
- Mejora el equilibrio
- Estimula la audacia, el poder personal y la confianza
- Fomenta la atención y la concentración

Hay tres variaciones básicas de la *postura del guerrero*. Cuando el niño sea capaz de hacer las tres versiones, puede practicarlas en la siguiente secuencia:

Postura del guerrero I

¿Qué hay que hacer?

En las *posturas del guerrero I y II*, la rodilla que está por delante permanece flexionada y la pierna que está por detrás, recta. Suele suceder que los niños se olviden de flexionar la rodilla mientras están aprendiendo a adoptar la postura. Por lo tanto, puedes decirle a tu hijo «¡comprueba la posición de tu rodilla!» para recordarle que debe mantenerla flexionada.

¿Qué hay que decir?

Comienza en la *postura de la montaña*. Da un gran paso hacia atrás con el pie derecho, manteniendo las caderas orientadas hacia delante. Flexiona la rodilla izquierda hasta que el muslo quede paralelo al suelo. La pierna de atrás debe estar estirada. Levanta los brazos hacia el cielo y respira. Ahora di: «¡Soy fuerte!». Vuelve a la *postura de la montaña* y cambia de pierna.

* El guerrero I

SEGUNDA PARTE

Postura del guerrero II

¿Qué hay que hacer?

En esta postura las caderas se abren lateralmente mientras las piernas permanecen en su sitio, con la rodilla de delante flexionada y la pierna de atrás recta. Si dices rápidamente «¡comprueba la posición de tu rodilla!», el niño recordará cuál es la alineación correcta sin sentir que lo has corregido. Además puedes sugerirle que relaje los hombros, apartándolos de las orejas. ¡Los guerreros fuertes no tienen los hombros encogidos!

* El guerrero II

¿Qué hay que decir?

Adopta la *postura del guerrero I* y abre las caderas hacia un lado. Mantén la pierna izquierda flexionada; la rodilla debe estar alineada con el tobillo. Abre los brazos a cada lado del cuerpo y mantenlos paralelos al suelo. Gira la cabeza a la izquierda para mirar por encima de los dedos de la mano que está por delante. Di: «¡Soy poderoso!». Ahora pasa a la postura del guerrero III.

SEGUNDA PARTE

Un poco de surf

Utilizando tu esterilla de yoga como una tabla de surf, túmbate sobre la barriga para nadar hasta encontrar la ola perfecta. Cuando la veas, presiona la mano contra la tabla para incorporarte de un salto y adoptar la *postura del guerrero II* para surfear la ola.

Postura del guerrero III

¿Qué hay que hacer?

En la *postura del guerrero III* es importante mantener recta la pierna que está sobre el suelo y el pie firmemente plantado. Esto contribuye a generar una sensación de «poder» en la postura. Puedes presionar firmemente contra el suelo el pie sobre el que está apoyado para ayudarlo a sentir el «poder» de la conexión a tierra, siempre que el niño te deje hacerlo. Luego puedes decir: «¡Una base sólida hace fuerte a un guerrero!».

¿Qué hay que decir?

En la *postura del guerrero II* gira las caderas hacia delante una vez más. Deja caer tu peso corporal sobre el pie izquierdo y comienza a estirar la pierna izquierda. Estira los brazos frente al

cuerpo. Cuando sientas que puedes mantener el equilibrio, levanta el pie derecho y estíralo hacia atrás mientras flexionas el torso hacia delante. ¡Bravo! Las dos piernas deben estar activas y fuertes mientras mantienes el equilibrio. Di: «¡Soy valiente!» y después vuelve a la *postura de la montaña*. Repite con el otro lado la *postura del guerrero III* o la serie completa de las posturas del guerrero.

* El guerrero III

SEGUNDA PARTE

Postura de la rueda

Beneficios

- Mejora la flexibilidad de la columna
- Fortalece todos los músculos del cuerpo
- Abre el pecho y los pulmones

¿Qué hay que hacer?

La práctica correcta de la *postura de la rueda* requiere fuerza y coordinación, motivo por el cual no es recomendable para niños menores de cinco años. De cualquier modo, independientemente de la edad del niño, debes asegurarte de que tiene la fuerza suficiente para sostenerse en la postura antes de realizarla. Obsérvalo atentamente en todo momento. Motívalo. No permitas que levante el cuerpo y se apoye luego sobre la cabeza. Es mejor que realice primero la *postura de la*

* La rueda

lagartija sobre la roca (ver la sección «Más posturas en pareja») como una flexión hacia atrás, o que el niño practique primero la postura sobre una pelota grande con tu ayuda.

¿Qué hay que decir?

Comienza tumbado sobre la espalda. Coloca las plantas de los pies en el suelo a la misma distancia que las caderas. Eleva los brazos por encima de la cabeza y coloca las manos cerca de las orejas, con las palmas hacia abajo. Presiona los codos para acercarlos entre sí. Empuja con los pies y las manos sobre el suelo para levantar el cuerpo. Mantén las piernas paralelas. Intenta estirar los brazos y las piernas y a continuación redondea tu cuerpo para formar una «U» invertida. Inhala y exhala en esta posición. Cuando quieras abandonar la postura, flexiona los codos y levanta la cabeza para bajar lentamente el cuerpo al suelo.

MÁS POSTURAS EN PAREJA

En este capítulo presentamos muchas sugerencias para realizar posturas en pareja. No te limites a ellas, ¡puedes probar muchas más! Las posturas en pareja y en grupo ofrecen una oportunidad para que toda la familia, y también los amigos, participen en la sesión de yoga y todos los miembros se interrelacionen, de manera que todos dependan del apoyo físico que les ofrecen los demás. Pueden pasarlo bien eligiendo las posturas conjuntamente y, en algunos casos, ¡incluso desafiarse a complicarlas un poco!

Postura del ascensor

Beneficios

- Fomenta la confianza y el trabajo en equipo
- Potencia la autoestima
- Fortalece las piernas y favorece el equilibrio

¿Qué hay que hacer?

La *postura del ascensor* requiere que los dos participantes tengan un tamaño parecido. Por lo tanto si tu hijo es mucho más pequeño que tú, invita a algunos amigos o familiares a unirse a la diversión. Esta postura es más fácil de hacer cuando los dos participantes confían en su compañero, porque requiere que cada uno de ellos se incline hacia atrás con los brazos estirados, adoptando la *postura de la silla* con apoyo y teniendo la plena seguridad de que su compañero no lo dejará caer. Sabréis que habéis hecho bien la postura cuando el ascensor comience a moverse suave y fluidamente, sin demasiado esfuerzo. Debéis poneros frente a frente con las manos unidas. Luego daréis un paso atrás hasta que los brazos estén estirados, los torsos separados y el pecho abierto. Cuando los dos estéis preparados, flexionaréis las rodillas para bajar al mismo tiempo, y luego las estiraréis para subir simultáneamente.

¿Qué hay que decir?

Ponte frente a mí y agarra mis manos. Da un paso hacia atrás hasta que nuestros brazos queden prácticamente rectos. Inclínate ligeramente hacia atrás aprovechando la fuerza de tus manos y el peso de mi cuerpo para mantenerte recto. Mantén los pies planos sobre el suelo. Ahora vamos a flexionar las rodillas para bajar el ascensor al mismo tiempo. ¡Bien! Vamos a subir juntos. Somos un ascensor que sube y baja suavemente.

* El ascensor

Postura de acurrucarse juntos

Beneficios

- **Conecta y calma**
- **Estira los hombros y la parte superior de la espalda**
- **Abre el pecho y los pulmones**
- **Alivia la tensión del cuello**
- **Educa**

¿Qué hay que hacer?

La *postura de acurrucarse juntos* es más efectiva cuando los padres y los hijos tienen una envergadura similar. Arrodíllate para situarte frente a tu hijo y adoptar luego la *postura del niño* con los brazos extendidos al mismo tiempo. Mientras estáis acurrucados, podéis daros mutuamente un breve masaje, respirando y relajándoos en la postura.

* Acurrucarse juntos

¿Qué hay que decir?

Vamos a arrodillarnos para quedar frente a frente. Coloca tus manos sobre mis hombros y yo apoyaré las mías sobre los tuyos. Muy bien. Vamos a echarnos un poco hacia atrás para que nuestros brazos estén cómodos. Ahora vamos a respirar profundamente al mismo tiempo... y a inclinarnos hacia delante para exhalar y hacer la *postura del niño con los brazos extendidos*. Ahhhh. En esta posición podemos darnos un masaje en los hombros y en la parte superior de la espalda. ¡Me encanta, muchas gracias!

Postura de la cremallera humana

Beneficios

- Estimula la conectividad y el trabajo en equipo
- Potencia la conciencia de la respiración

¿Qué hay que hacer?

Para formar la «cremallera», pídele a tu hijo que se tumbe sobre la espalda y apoye la parte posterior de la cabeza sobre tu abdomen. Ahora indícale que coordine su respiración con la tuya y que respire lenta y profundamente. Después de varios minutos, debéis cambiar de lado para que tu cabeza descanse sobre su abdomen. Como alternativa, esta postura puede practicarse en grupo (ver la foto). Una persona se tumba sobre el suelo, la siguiente hace lo mismo y apoya su cabeza en la barriga del anterior. La tercera persona apoya su cabeza sobre el abdomen de la segunda, y así sucesivamente hasta que todos los niños estén tumbados formando un patrón descendente semejante a una cremallera. Es una buena idea tomar una foto digital para mostrarla luego al grupo.

¿Qué hay que decir?

Túmbate y apoya la cabeza sobre mi barriga. Cierra los ojos y relájate, pues vamos a respirar juntos. ¿Sientes cómo sube y baja mi barriga? Intenta coordinar tu respiración con la mía, inhalando cuando mi barriga sube y exhalando cuando baja. ¡Bien! (Deja pasar un minuto...). ¿Te parece que cambiemos de posición para que mi cabeza se apoye ahora sobre tu barriga?

* La cremallera humana, en grupo

Postura de la lagartija sobre la roca

Beneficios

- **Abre el pecho y los pulmones**
- **Desarrolla la confianza para realizar la *postura de la rueda***
- **Fomenta el trabajo en equipo y la comunicación**

¿Qué hay que hacer?

Esta postura es una introducción segura para adoptar la *postura de la rueda* con apoyo. La persona que encarna la «roca» está en la *postura del niño* y la que hace de «lagartija» efectúa una flexión hacia atrás (*Postura de la rueda*) sobre la roca. Se debe dejar muy claro que la persona que representa a la lagartija tiene que sentarse muy suavemente en la parte baja de la espalda de la persona que es la roca. La lagartija se mueve lentamente hacia atrás y eleva los brazos para llegar hasta el suelo con el fin de hacer la *postura de la rueda* con apoyo. Para deshacer la postura, la «roca» y la «lagartija» necesitan comunicarse claramente. La «roca» debería decir: «Vale, ya estoy preparado... Uno, dos, tres». A la cuenta de tres la «roca» arquea la espalda como si fuera un gato y se sienta muy suavemente para que la «lagartija» pueda levantarse de forma segura. La «lagartija» debe ser capaz de incorporarse. Importante: tú estás haciendo la postura junto con tu hijo y, por lo tanto, no puedes ayudarlo directamente; por este motivo es fundamental que haya una tercera persona (lo ideal es que sea un adulto) que

* La lagartija sobre la roca

actúe como líder y observador para garantizar que la postura se lleva a cabo sin riesgo alguno y que las instrucciones se han comprendido correctamente.

¿Qué hay que decir?

El líder y observador debe decir: Muy bien, roca, adopta la *postura del niño* con las manos a ambos lados de la cabeza. Vale. Lagartija, siéntate suavemente sobre la parte baja de la espalda de la roca, de espaldas a ella. Voy a observarte atentamente para que puedas desplazarte hacia atrás hasta adoptar la *postura de la rueda*. Roca, sujeta las muñecas de la lagartija y estíralas muy suavemente para ayudarla a hacer un buen estiramiento. ¡Uau! ¡Veo una hermosa y relajada lagartija tomando el sol sobre una roca! Para deshacer la postura, la roca debe soltar las muñecas de la lagartija y contar hasta tres. Entonces comenzará a arquear la espalda como un gato para sentarse lentamente y ayudar a la lagartija a incorporarse. ¡Muy bien!

Postura del banco del parque

Beneficios

- Estira las caderas y los muslos (para el «banco»)
- Alivia la tensión en la parte inferior de la espalda (para el «banco»)
- Fomenta la postura corporal correcta (para la persona que se sienta sobre el «banco»)

¿Qué hay que hacer?

En esta postura, uno de los participantes es el «banco» y el otro es el que se sienta sobre él. Por lo general, la persona que se sienta debe ser la de menor tamaño (especialmente si es un niño pequeño). Es preciso tener mucho cuidado y sentarse muy suavemente sobre la parte baja de la espalda del compañero que hace de «banco».

¿Qué hay que decir?

Voy a hacer la *postura del niño* para transformarme en un banco del parque. Tú vas a sentarte sobre el banco y relajarte. Tienes que sentarte sobre la parte inferior de mi espalda mirando hacia el lado contrario. ¡Muy bien! Ahora vamos a respirar al mismo tiempo durante unos instantes. ¡Ahhh! (Si el niño y el adulto tienen aproximadamente el mismo tamaño, luego se puede decir: Ahora vamos a cambiar de posición).

* El banco del parque

Postura del velero en pareja

Beneficios

- Estira los músculos de la espalda y las caderas
- Masajea los órganos internos y favorece la digestión
- Mejora la flexibilidad de la columna vertebral
- Tranquiliza
- Mejora la conectividad

¿Qué hay que hacer?

Si tu hijo (o tú) tiene los tendones de las corvas rígidos o poca fuerza en los músculos centrales del cuerpo, debe sentarse en una manta doblada para elevar las caderas antes de adoptar

* El velero en pareja

la postura, lo que facilita poder sentarse con la espalda recta. Durante la «navegación» es recomendable que cada uno tire hacia fuera para profundizar el estiramiento.

¿Qué hay que decir?

Vamos a sentarnos en la *postura del bastón*, uno frente a otro. Ahora vamos a colocar el pie derecho junto a la parte interior del muslo izquierdo. Bien, ahora tú apoyas tu pie izquierdo en mi rodilla derecha y yo hago lo mismo contigo. Estiramos el brazo izquierdo y nos agarramos por el antebrazo. Ahora vamos a inhalar juntos mientras nos sentamos con la espalda recta. Exhalamos y giramos el tronco a la derecha, para estirar nuestras «velas» (los brazos derechos) por detrás del cuerpo. ¡Genial! ¡A partir de ahora navegamos suavemente! Vamos a respirar juntos cinco veces. Inhalamos, exhalamos; inhalamos, exhalamos... Muy bien. Ahora cambiamos de pierna y de brazo para navegar en dirección contraria.

Postura de los cachorros amigos

Beneficios

- Estira los brazos y los hombros
- Mejora la conectividad
- Estira las caderas y los tendones de las corvas

¿Qué hay que hacer?

Se trata de una variación de la *postura del perro con el hocico hacia abajo*. De pie frente al compañero, ambos debéis colocar las manos sobre sus hombros y después dar un paso atrás

* Los cachorros amigos

y flexionar el torso hacia delante hasta la altura de las caderas. Debes decirle a tu hijo que relaje la cabeza y el cuello y que empuje las caderas hacia atrás para estirar la espalda. Si cualquiera de los dos siente tensión o malestar en la parte inferior de la espalda, puede flexionar ligeramente las rodillas.

¿Qué hay que decir?

Ponte de pie frente a mí y coloca tu mano sobre mis hombros. Da un paso atrás e inclina el torso hacia delante al mismo tiempo que yo, hasta que nuestras cabezas se encuentren relajadas entre nuestros brazos. Tenemos que mantener las piernas y los brazos estirados y la espalda recta. ¿Dónde sientes el estiramiento? (Hombros, brazos, tendones de las corvas y pantorrillas). Vamos a respirar juntos tres veces. Con cada exhalación prolongamos un poquito más el estiramiento. Inhalamos, exhalamos...

Postura del balancín

Beneficios

- **Estira los tendones de las corvas, los glúteos y las caderas**
- **Fomenta la conectividad**

¿Qué hay que hacer?

Si tu hijo (o tú) tiene los tendones de las corvas rígidos o poca fuerza en los músculos centrales del cuerpo, debe sentarse en una manta doblada para elevar las caderas de modo que le resulte más fácil sentarse con la espalda recta. Así conseguirá mantenerse erguido y realizar

* El balancín

la postura de la forma adecuada. Dependiendo de la flexibilidad y el tamaño del cuerpo del niño, sus pies pueden estar en contacto o puede colocarlos entre las piernas. De cualquier modo, los dos debéis estar sentados erguidos y sujetándoos las manos con los brazos estirados frente al cuerpo. Debéis mantener una postura correcta, es decir, el pecho abierto y la espalda recta, mientras os desplazáis suavemente hacia atrás y hacia adelante para hacer el movimiento del balancín. En el caso de que los tendones de las corvas estén muy rígidos, es recomendable flexionar un poco las rodillas para proteger la parte baja de la espalda.

¿Qué hay que decir?

Siéntate frente a mí colocando las piernas en forma de V. Ahora estiramos bien la espalda y nos agarramos de las manos. Intenta mantener los hombros bajos y el pecho abierto. ¡Muy bien! Ahora tú te inclinas hacia atrás para tirar de mí. Ahhh. (Para niños mayores: Inhala y estira tu cuerpo, exhala y lleva el torso hacia delante. Vamos a movernos hacia atrás y adelante siguiendo el ritmo de nuestra respiración...). Tira suavemente hacia atrás y luego vuelve hacia delante.

Postura del submarino

Beneficios

- Empodera
- Fomenta el trabajo en equipo

¿Qué hay que hacer?

El submarino es otro nombre para una postura clásica que representa todo un desafío: la postura de ponerse de pie espalda contra espalda. Para acometerla es necesario que los dos

* El submarino

compañeros tengan un tamaño similar, de manera que es perfecta para un niño de gran tamaño y un padre que no sea demasiado alto o para dos hermanos o amigos de envergadura similar. El truco es empujar contra la cabeza y los hombros del compañero, en lugar de inclinarse hacia delante para intentar ponerse de pie.

¿Qué hay que decir?

Vamos a sentarnos en el suelo espalda contra espalda y nos sujetaremos los brazos con los codos flexionados. Con las plantas de los pies firmemente apoyadas sobre el suelo vamos a empezar a hacer presión sobre nuestras cabezas y hombros, para ponernos de pie al mismo tiempo.

Postura del girasol

Beneficios

- Fortalece los músculos de la parte central del cuerpo
- Fomenta la cooperación

¿Qué hay que hacer?

La *postura del girasol* requiere un grupo en el que cada persona representa un pétalo de la flor. En cuanto todos los participantes adquieran un poco de práctica en esta secuencia básica de movimientos, podrán usar su imaginación para crear nuevos y diferentes tipos de flores. Por ejemplo, todos pueden juntar las manos por encima de la cabeza para formar una flor de loto simple. Luego pueden moverse y unirse de diversas maneras para crear otras hermosas formas simétricas. ¡Utiliza una cámara digital para que las creaciones queden registradas!

* El girasol cerrado

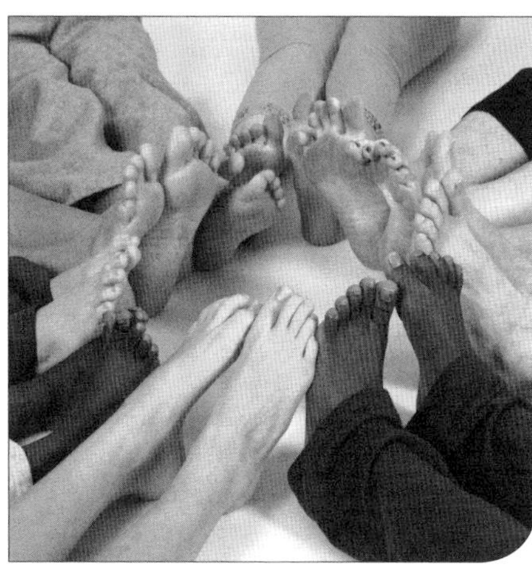

* El girasol abierto

¿Qué hay que decir?

Vamos a sentarnos en círculo y adoptar la *postura del bastón* de modo que nuestros pies estén en el centro. El pequeño círculo que forman nuestros pies es el centro de nuestro girasol. Ahora vamos a inhalar y elevar los brazos, y al exhalar nos inclinaremos hacia delante para cerrar nuestros «pétalos», iniciando el movimiento desde las caderas y no desde la cintura. Estiramos las manos hasta las espinillas o los pies y llevamos las caderas hacia atrás. Podemos flexionar un poco las rodillas si eso nos permite estar más cómodos en la postura. ¡Muy bien! Ahora sale el sol y el girasol se abre. Inhalamos y levantamos los brazos hacia el cielo. Exhalamos y nos tumbamos sobre la espalda, con los brazos estirados por encima de la cabeza. ¡Somos un hermoso girasol con los pétalos abiertos! El sol se está ocultando... los pétalos vuelven a cerrarse. Utilizamos los músculos abdominales para incorporarnos con los brazos estirados hacia el cielo mientras inhalamos. A continuación exhalamos y cerramos los pétalos inclinándonos una vez más hacia delante. Vamos a continuar con este movimiento fluido unas cuantas veces más. ¿Podemos hacerlo más rápido? Ahora hagamos una ola: todos vamos a abrir y cerrar nuestros pétalos uno detrás de otro.

Postura del tres en raya

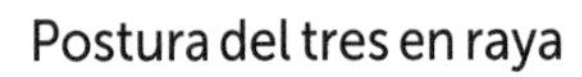

Beneficios

- Estira la parte interior del muslo
- Fomenta el equilibrio
- Desarrolla confianza

¿Qué hay que hacer?

La *postura del tres en raya* requiere dos compañeros de tamaño similar, ya sea un niño alto y un padre de baja estatura o dos hermanos o amigos de la misma altura.

* El tres en raya

¿Qué hay que decir?

Ponte de pie a mi izquierda y apoya tu mano derecha en mi hombro derecho, mientras yo apoyo mi mano izquierda sobre tu hombro izquierdo. Levanta la rodilla derecha por detrás de mí de manera que yo pueda sujetarla con mi mano derecha. Perfecto. Ahora voy a levantar mi pierna izquierda frente a ti para que puedas sujetarla con tu mano izquierda. ¿Podemos mantener el equilibrio? ¡Genial! Vamos a ver si podemos soltarnos los hombros y estirar los brazos hacia fuera para crear nuestro tablero de tres en raya. ¡Lo conseguimos! Vamos a girarnos para cambiar de lado.

Torsión espalda contra espalda

Beneficios

- Masajea los órganos internos y colabora con la digestión
- Mejora la flexibilidad de la columna
- Tranquiliza
- Fomenta la conectividad

¿Qué hay que hacer?

Es posible realizar la *Torsión espalda contra espalda* independientemente del tamaño de los padres y los niños. No obstante, para poder llegar a la rodilla del compañero es necesario que ambos tengan aproximadamente la misma altura y longitud de brazos.

¿Qué hay que decir?

Vamos a sentarnos espalda contra espalda en la *postura fácil* y a practicar la *respiración espalda contra espalda* (capítulo cinco). Muy bien. Inhalamos y nos sentamos rectos. Mientras exhalamos vamos a estirar la mano izquierda hasta tocar nuestra rodilla derecha y el brazo derecho hasta llegar a la rodilla izquierda del compañero. Después cambiaremos de lado.

* Torsión espalda contra espalda

Capítulo 7

JUEGOS DE YOGA EN FAMILIA

CONVOCAR A TODA LA FAMILIA

¿Con qué frecuencia tienen los miembros de la familia oportunidad de pasar un rato juntos y compartir un tiempo valioso hablando, escuchándose, riendo y jugando? Hubo un tiempo en el que la hora de la cena era sagrada, en el que la familia se reunía para acabar el día y compartir buenos momentos. En la actualidad las agendas laborales son cada vez más largas y las actividades extraescolares más numerosas, y por este motivo poder compartir la cena es prácticamente un milagro. Sin embargo, es muy importante que los miembros de la familia pasen tiempo juntos, y si esos ratos son divertidos es mucho más fácil que sean una prioridad en tu vida.

Los juegos de yoga en familia son una forma excelente de ampliar la práctica yóguica que compartes con tu hijo y fomentar una sensación de cohesión y pertenencia al grupo, además de reforzar los vínculos familiares. Estos juegos sirven para potenciar la autoconfianza y también la confianza en las sesiones de yoga mientras se trabaja en equipo. Este no es un juego competitivo y ofrece una excelente oportunidad para conectarse, ayudarse y compartir las habilidades especiales, y el resultado es que todos se sienten más fuertes como individuos y también dentro del marco familiar.

Puedes incorporar estos juegos en las sesiones de yoga o practicarlos en familia en otro momento una vez a la semana, o incluso una vez al día. Si dedicas un poco de tiempo a conectarte con tu familia, los vínculos se fortalecerán. ¡Y si además invitas a algunos amigos, o vecinos, tu «familia» será mucho mayor! Observa que estas actividades no son competitivas y la mayoría son adecuadas para niños de edades comprendidas entre los cuatro y los doce años. Aunque seguramente tú eres la persona más adecuada para determinar si son apropiadas para tus hijos.

La sopa del alfabeto

Beneficios

- Fomenta la práctica
- Mejora la memoria
- Potencia el lenguaje y la práctica del sonido
- Desarrolla confianza

¿Qué hay que hacer?

Puedes jugar únicamente con tu hijo o invitar a más personas. Los participantes deben ser capaces de leer o, al menos, deben estar aprendiendo los sonidos de las letras. Para jugar necesitas imanes de los que se pegan en la nevera con forma de letras, o letras recortadas en cartón, y una bolsa o cualquier otro recipiente opaco para guardarlas. Elige un número de posturas que tu hijo ya conozca, y coloca las letras iniciales de dichas posturas en la bolsa. Pídele que saque una letra. Luego debe pensar en una postura que comience con esa letra y realizarla.

¿Qué hay que decir?

Mete la mano en la bolsa y toma una letra. ¿Qué letra has sacado? (Para los niños que todavía no saben leer: ¿Cuál es el sonido de esa letra?). ¿Recuerdas alguna postura que empiece por esa letra (sonido)? ¿Sí? ¡Muy bien! Ahora vamos a practicarla juntos.

Crear una postura

Beneficios

- Estimula la creatividad
- Fomenta el trabajo en equipo y la cooperación

¿Qué hay que hacer?

Para este juego debes pedirle a tu hijo que cree una nueva postura de yoga y la realice frente a ti (puedes invitar a otros miembros de la familia para que sea el público). Asegúrate de que el niño le pone un nombre a la nueva postura; luego podéis decidir juntos si tendría sentido añadirla a la lista de posturas que normalmente practicáis (¡las posturas inventadas suelen ser las mejores!). Cuando se juega en grupo, todos los participantes trabajan juntos para crear una postura (ver la foto). Luego todo el grupo la realiza. También puedes añadir algunos accesorios. ¡A pasarlo bien! Toma una foto digital para celebrar el éxito e inicia un diario de «nuevas posturas», añadiendo más fotos y más posturas a medida que el juego se repita.

* Crear una postura

¿Qué hay que decir?
Si tuvieras que crear una postura de yoga, ¿cómo sería? ¿Cuál es tu postura de yoga favorita? ¿Puedes hacerla de forma diferente? Crea tu propia postura de yoga y muéstrame cómo se hace.

Quedarse «congelado» en la postura

Beneficios

- Fomenta la práctica de posturas individuales
- Estimula el trabajo en equipo
- Aporta energía

¿Qué hay que hacer?
Hay que reunir a un grupo de tres jugadores como mínimo, y si es posible más. Un jugador elige una postura que deben adoptar los jugadores «marcados» y en la que se quedarán «congelados». El que ha elegido la postura también decide qué es lo que deben hacer los demás jugadores para liberar a los que están inmovilizados. Por ejemplo, el jugador elige la *postura del triángulo* y el que queda «congelado» en esa postura queda liberado cuando otro jugador se desliza debajo de sus piernas. Si se elige la *postura del árbol*, la manera de liberar al jugador que la realiza puede ser hacerle cosquillas. Para la *postura del cangrejo*, puede ser deslizarse

por debajo de su espalda. En cuanto un jugador ha sido liberado vuelve a incorporarse al juego. Es aconsejable que empieces por ser tú quien elige la postura para asegurarte de que durante el juego todos los participantes ocupen los dos roles equitativamente. El objetivo es que el juego no se detenga, de manera que cuantos más jugadores sean liberados por sus compañeros, más durará el juego. ¡Toda una hazaña grupal! Cuando el tiempo se agote, hay que contar cuántos jugadores están aún inmovilizados en la postura. Haz un recuento durante el transcurso del juego para poder hacer comparaciones al final.

¿Qué hay que decir?

Cuando yo diga «ahora» vais a empezar a correr por la habitación tratando de evitar que yo os «marque». Si lo hago, debéis quedaros inmóviles en la *postura del triángulo*. La única forma de salir de ella es que alguien pase entre tus piernas. Si ves a alguien «congelado» en la postura, debes ayudarlo, pero ¡no te dejes atrapar!

La pelota de agradecimiento

Beneficios

- Fomenta la conectividad
- Levanta el ánimo
- Estimula la reflexión consciente
- Potencia la apreciación de las «pequeñas cosas»

¿Qué hay que hacer?

Necesitarás una pelota de playa, o una de las que se usan en yoga, para hacer este ejercicio. Es preciso reunir como mínimo a cuatro personas. Todas deben estar de pie (o sentadas) formando un círculo. Se empieza a hacer botar (o rodar) la pelota alrededor del círculo. Cuando alguien la toma, debe decir algo por lo que está agradecido. Luego hace botar la pelota en dirección a un participante que todavía no ha dicho nada. Hay que motivar a los jugadores para que no repitan los agradecimientos que han oído a sus compañeros y digan algo personal. Algunas ideas podrían ser algo bonito que alguien te ha dado o ha hecho para ti, algo por lo que te sientes agradecido cuando estás en la naturaleza, etc. Después de que se agoten las ideas, motiva a los participantes (o al niño, si es un ejercicio individual) a reflexionar sobre cómo se han sentido durante el ejercicio.

¿Qué hay que decir?

Vamos a formar un círculo. Voy a hacer botar la pelota y quien la agarre debe decir algo por lo cual está agradecido. Por ejemplo, yo podría decir: «Estoy muy agradecida por la familia que tengo». Cuando hayáis terminado, debéis pasar la pelota alguien que todavía no haya dicho nada. No se debe repetir lo que ha dicho otro participante aunque estéis de acuerdo con él. Todos debéis pensar en vuestra propia vida y en algo a lo que estéis agradecidos. Por ejemplo, podríais pensar en una ocasión en la que alguien os dijo algo bonito o se mostró amable con vosotros. También podéis nombrar a una determinada persona o lugar. ¡Vamos a empezar!

El juego del *Hula Hoop* en círculo

Beneficios

- Fomenta el trabajo en equipo
- Desarrolla la coordinación
- Ayuda a resolver problemas

¿Qué hay que hacer?

Es preciso reunir a un grupo de cuatro personas como mínimo y contar con un aro *Hula hoop*. Los participantes están de pie y forman un círculo. Todos deben simular untarse las manos con pegamento antes de darle la mano a los compañeros que están a su lado. Tú tienes el aro alrededor de uno de tus brazos cuando empieza el juego y le indicas al grupo que el juego consiste en pasar el aro alrededor del círculo sin soltarse las manos. Como es evidente, el truco es pasar una pierna y después la otra por el aro, para poder subirlo luego por encima de la cabeza y pasárselo al compañero. Pero no debes revelar el secreto, sino esperar a que los jugadores lo descubran. En cuanto lo hayan hecho puedes añadir más aros para que la diversión sea mayor.

* El Hula Hoop en círculo

¿Qué hay que decir?

Vamos a formar un círculo. Ahora vais a simular que tenéis pegamento en las manos. ¡Muy bien! Tenéis que agarraros de las manos que, por supuesto, ya no pueden separarse. Debemos pasarnos este *Hula hoop*... ¡Sí, claro que podemos hacerlo! Tenéis que descubrir cómo es posible. ¿Alguna idea?

Carreras de posturas

Beneficios

- Ayuda a evitar el estrés
- Fomenta la competencia divertida
- Mejora la práctica de las posturas

¿Qué hay que hacer?

En muchas posturas se puede «correr» de un extremo al otro del salón; por ejemplo, las posturas del cangrejo, el árbol, el águila, el bastón, la mesa, el bailarín o la montaña, por nombrar solamente algunas de ellas. Muéstrale a tu hijo cómo puede «correr» en la postura. Por ejemplo, en la del árbol se puede saltar en una pierna a lo largo de la habitación sin deshacer la postura. Sugiérele a tu hijo que haga carreras de posturas, marcando una línea de salida y una meta. Invita a otras personas para hacer carreras de relevos. Si quieres que la actividad resulte más divertida, puedes añadir accesorios. Por ejemplo, en el caso de la *postura de la mesa* puedes usar platos de papel para colocar en las espaldas de las «mesas». Es recomendable hacer varias rondas de carreras, con la posibilidad de cambiar de postura en cada una de ellas.

¿Qué hay que decir?

¿Recuerdas [el nombre de la postura], verdad? Vamos a hacer una carrera mientras estamos en [el nombre de la postura]. Empezaremos cuando yo diga ¡ya! «En sus marcas, preparados, listos, ¡ya!». (Si se trata de carreras de relevo: «Empezaréis cuando yo diga: ¡Ya! Cuando lleguéis a la meta, tenéis que tocar al siguiente corredor, que volverá hasta la línea de salida. Gana el equipo que llega primero»).

La danza de seguir al líder

Beneficios

- Fomenta la creatividad
- Aporta energía
- Levanta el ánimo
- Favorece el apoyo y la conectividad

¿Qué hay que hacer?

Elige una música rítmica y divertida que sea adecuada para bailar y un espacio amplio para este juego. Reúne un grupo de cuatro personas y pídeles que formen una fila. Quien está delante comienza bailar y se detiene de vez en cuando para hacer una postura de yoga mientras se desplaza por la habitación. Todos los demás lo siguen, copiando todos sus movimientos. Cuando el líder decide hacer un descanso (es probable que en algunos casos tengas que

sugerirlo), se coloca en el último puesto de la fila. A continuación el siguiente jugador se convierte en líder y realiza una nueva danza o movimiento de yoga. Toda la fila se mueve por la habitación, como si fuera el baile de la conga pero sin tocarse. El juego termina cuando todos los participantes ya han sido líderes.

¿Qué hay que decir?

¿A quién le gusta bailar? ¡Vamos a descubrirlo! Por favor, colocaos en fila. Voy a poner música. El participante que está en el primer puesto de la fila nos mostrará cómo baila, y todos los demás copiaréis sus movimientos. El líder se colocará en el último puesto de la fila cuando considere que su danza ha concluido. Entonces el siguiente jugador será el nuevo líder. ¡Vamos a repetirlo hasta que todos hayáis sido líderes una vez!

El juego de mantenerse unidos

Beneficios

- **Fomenta la atención y la concentración**
- **Desarrolla el trabajo en equipo y la conectividad**
- **Potencia la atención consciente y el estado meditativo**

¿Qué hay que hacer?

El juego de mantenerse unidos puede realizarse entre dos personas, o en grupo trabajando en parejas. Se necesita un palo de madera pequeño para cada pareja, de aproximadamente medio centímetro de diámetro y cuarenta y cinco de largo. Se puede poner una música suave y relajante para crear un ambiente que favorezca la atención consciente. Los integrantes de cada pareja deben sostener el palo con las palmas de las manos y comenzar a moverse. Cuando se trabaja con niños mayores, el palo incluso se puede sujetar con las puntas de los dedos índices. El objetivo es que las parejas trabajen juntas para moverse de forma consciente sin dejar caer el palo. Debes destacar que es importante mantenerse en silencio durante el ejercicio para favorecer la comunicación no verbal y la «escucha». Si quieres aumentar el

* Mantenerse unidos

nivel de dificultad, puedes añadir otro palo que se sujetará con las otras dos palmas o con los dedos índices. Después de la actividad, pregúntale a tu hijo, o al grupo, qué ha sentido durante la experiencia.

¿Qué hay que decir?

Colocaos delante de vuestros compañeros y levantad las manos opuestas. Si uno de vosotros levanta la mano izquierda, el otro debe tener la mano derecha levantada. Tenéis que sostener el palo con las dos manos que están levantadas. Cuando yo diga «ya», comenzaréis a moveros lenta y conscientemente al ritmo de la música. Cuanto más lentos y conscientes sean los movimientos, más fácil será sostener el palo entre las manos. Si se cae, solo tenéis que recogerlo y volver a empezar. ¿Estáis preparados?

El círculo de confianza

Beneficios

Desarrolla la confianza
Mejora la conectividad

¿Qué hay que hacer?

Este juego requiere como mínimo un grupo de seis integrantes. Es un juego de confianza, de apoyo, de dar y recibir. A algunos participantes puede generarles un poco de ansiedad. Sin embargo, todos comenzarán a sonreír en cuanto se sientan a gusto. Los jugadores deben estar de pie formando un círculo, hombro con hombro, con una pierna por delante y la otra por detrás con el fin de tener una base sólida. Un niño se coloca en el centro del círculo y se «cae» hacia atrás, hacia delante o hacia los lados manteniendo el cuerpo y las piernas firmes y los brazos cruzados sobre el pecho. El resto de los jugadores lo sostienen y luego lo empujan suavemente hacia la dirección opuesta. El juego fomenta el hábito de compartir. ¿Qué se siente al dejarse caer? ¿Qué se siente al sostener al compañero?

*El círculo de confianza

¿Qué hay que decir?

Formad un círculo y colocaos en la *postura de la montaña*. Ahora acercaos hasta que todos los hombros estén en contacto y afirmaos bien sobre el suelo colocando una pierna por delante y la otra por detrás. Uno de vosotros se sitúa en el centro del círculo. Muy bien. Ahora tú debes dejarte caer hacia atrás, hacia delante y hacia los lados mientras tus compañeros te sostienen. ¡Perfecto! ¿Ahora podrías intentarlo con los ojos cerrados?

La red de conexión

Beneficios

- **Crea un sentimiento de pertenencia al grupo**
- **Fomenta los vínculos familiares**
- **Estimula el aprecio por la familia**

¿Qué hay que hacer?

Para este ejercicio necesitarás un carrete de hilo o cuerda gruesa. En el juego deben intervenir al menos cuatro participantes (preferiblemente más) de cuatro años en adelante. En primer lugar todos deben sentarse en un círculo. El objetivo es pasar el carrete de persona en persona, pero lo que lo convierte en un juego maravilloso para desarrollar el sentimiento de pertenencia al grupo es que los niños deben decir algo sobre ellos mismos, algo por lo que están agradecidos o algo que les guste del compañero a quien le pasan el carrete. Cada jugador debe enrollar el hilo en uno de sus dedos antes de pasarlo al compañero. Debes asegurarte de que el hilo circula dentro del círculo y no a su alrededor. Finalmente el carrete llega a las manos del participante que inició el juego. Ahora todos están unidos por una "red de conexión». Si trabajas con grupos de niños mayores de seis años, pídeles que se pongan de pie y que trabajen juntos lentamente para descubrir cómo desenredarse. (Sí, claro que es posible, pero debes dejar que ellos lo descubran. Si quieres darles una pista, indícales que sigan la dirección del hilo que los está uniendo). Una vez que se hayan soltado, todos deben formar un círculo muy abierto. Lo más probable es que el jugador que tuvo el carrete por primera vez haya quedado mirando hacia fuera del círculo, pero esto no representa ningún problema.

¿Qué hay que decir?

Vamos a sentarnos en círculo y a pasarnos un carrete de hilo hasta que finalmente todos estemos conectados. Al recibir el hilo debemos enrollarlo en uno de nuestros dedos para fijarlo en su sitio. A continuación lo pasaremos al siguiente participante. Cuando le entregamos el hilo al compañero, debemos decir qué es lo que más apreciamos de él. Una vez que todos hayamos sostenido el hilo, tendremos una red de conexión. ¡Luego veremos si somos capaces de desenredarnos!

¿Qué soy?

Beneficios

Estimula la creatividad
Desarrolla habilidades de comunicación
Potencia la memoria funcional y la capacidad de razonar

¿Qué hay que hacer?

Para este juego se necesitan jugadores que tengan al menos cinco años, y con algún conocimiento de las posturas de yoga. Escribe el nombre de una postura de yoga conocida en un *post-it* y pégala en la frente del niño. Debes asegurarte de que no haya visto el nombre de la postura, ya que el objetivo del juego es que la adivine. Si tienes cartas de posturas (ver la sección «Los accesorios complementarios» en el capítulo tres) puedes pegarlas en la frente del niño con una cinta adhesiva. Después debes indicarle que te haga preguntas que puedan responderse con «sí» o «no» para descubrir la postura. Si trabajas con niños mayores, tienes la opción de permitir únicamente un número limitado de preguntas. Este juego es especialmente divertido cuando se practica con dos o incluso tres jugadores que hacen las preguntas al mismo tiempo para determinar quién es qué. Gana el jugador que adivina primero la postura.

Algunos ejemplos de preguntas que se responden con «sí» o «no»:

- ¿Soy un animal?
- ¿Mi postura se hace de pie (se hace sentado, es una postura de equilibrio, etc.)?
- ¿Mientras hago esta postura tengo los dos pies en contacto con el suelo?
- ¿Hoy hemos practicado esta postura?

¿Qué hay que decir?

Voy a pegarte en la frente una ficha con una postura de manera que no puedas verla. ¡No vale espiar! Tú tienes que adivinar de qué postura se trata haciendo preguntas que yo pueda responder con un «sí» o un «no». En cuanto la descubras tienes que hacer la postura.

Carrera de obstáculos sobre las esterillas de yoga

Beneficios

Desarrolla la coordinación
Enfoca la atención

¿Qué hay que hacer?

A todo el mundo le gustan las carreras de obstáculos y este juego se puede realizar de forma individual o en grupo. Establece una línea de salida y empieza a distribuir las esterillas de yoga por la habitación. Coloca una ficha de postura de yoga frente a cada esterilla. Llena los espacios entre las esterillas con algunos obstáculos divertidos. Por ejemplo, los bloques de yoga se pueden amontonar para usar como rocas para escalar. También puedes crear una estación de *Hula Hoops* o hacer el juego de la rayuela con los aros. Organiza una zona para encestar las almohadillas de los ojos, colocando un cubo o una papelera a aproximadamente unos dos metros de la línea desde donde se arrojan las almohadillas. Utiliza las cintas de las esterillas desenrolladas para construir caminos entre las esterillas, que los jugadores deben recorrer manteniendo el equilibrio como si estuvieran en la cuerda floja. ¡Da rienda suelta a tu creatividad! Una vez que la pista de obstáculos esté organizada, cada jugador comenzará a jugar en la esterilla que elija, adoptando la postura de yoga correspondiente y respirando en ella al menos de tres a cinco veces. Pon música rítmica y divertida. ¡Empieza el juego!

¿Qué hay que decir?

¡He creado una pista de obstáculos de yoga para vosotros! ¿Podéis recorrerla completamente? (Explica el trayecto que has diseñado y cuál es la forma de completarlo). Cuando empiece a sonar la música, podéis comenzar.

Línea de montaje

Beneficios

Potencia el trabajo en equipo
Fomenta la práctica de las posturas
Desarrolla la capacidad de planificación

¿Qué hay que hacer?

Para este juego se necesitan al menos cuatro participantes. Es más adecuado para niños mayores que ya hayan practicado yoga y tengan algunas posturas favoritas. Los jugadores deben formar una fila y adoptar su postura de yoga preferida. Coloca una cesta alejada del último de la fila. A continuación debes darle al primer jugador un objeto que debe circular entre todos los participantes y que finalmente será arrojado a la cesta por el último de la fila. Sin abandonar la postura, cada jugador toma y pasa el objeto al siguiente hasta llegar al final, desde donde se arroja a la cesta. El objeto se puede pasar también con otras partes del cuerpo que no sean las manos. Los objetos se siguen pasando hasta que el juego acabe o los jugadores cambien de postura. Es un juego muy adecuado para guardar y ordenar.

¿Qué hay que decir?

Vamos a ponernos en fila. Todos vais a adoptar vuestra postura favorita. Voy a daros un/una [nombre del objeto] para que lo paséis, comenzando por el jugador que está al principio de la fila. Debéis seguir manteniendo la postura de yoga mientras pasáis el objeto. ¡Mucho cuidado! El último de la fila lo arrojará a la canasta.

El juego de la intuición

Beneficios

- Desarrolla la capacidad de observación
- Fomenta una visión perceptiva

¿Qué hay que hacer?

Para este juego se necesita un grupo de tres o más participantes. Uno de ellos debe abandonar la habitación. Mientras está fuera, uno de sus compañeros oculta un objeto plano, como por ejemplo una tarjeta, una pluma, etc. (para que no pueda descubrirlo a simple vista) detrás de su cuerpo o debajo de su esterilla. El participante que ha salido vuelve a la habitación e intenta descubrir quién tiene el objeto. Estimula a los niños para que se dejen guiar por su intuición, mirando atentamente las caras de sus compañeros y las señales no verbales para recabar pistas y adivinar quién tiene el objeto. ¡Asegúrate de que el jugador que lo ha escondido no se lo pasa a otro!

¿Qué hay que decir?

Alguien va a esconder este objeto. [Nombre del jugador], por favor, vete a la otra habitación. (En ese momento le das a alguien el objeto para que lo esconda y después llamas al participante que se ha marchado). [Nombre del jugador], intenta adivinar quién tiene el objeto debajo de su esterilla. ¿Quién te parece sospechoso? ¿Alguien está sonriendo? Utiliza tu intuición para descubrir quién está ocultando algo.

Hoy he practicado yoga...

Beneficios

- Potencia la memoria
- Fomenta la práctica y la revisión de posturas

¿Qué hay que hacer?

Este es un simple juego de evaluación que ayudará a tu hijo a recordar y practicar las posturas que le has enseñado. Comienza diciendo: «Hoy he practicado yoga y he aprendido/hecho [nombre de la postura]». Luego, muéstrale al niño cómo se realiza la postura y motívalo para que siga el juego diciendo: «Hoy he practicado yoga y he hecho [nombre de la postura que tú has mencionado]». Después nombra otra postura que el niño haya aprendido en una sesión anterior. Motívalo para que nombre y adopte las posturas. Al concluir el ejercicio se puede dedicar un rato a reflexionar sobre la práctica.

¿Qué hay que decir?

¿Puedes decirme lo que has aprendido hoy? Repite conmigo: «Hoy he practicado yoga y he aprendido...». ¿Qué has aprendido? ¿Qué posturas has hecho? ¡Muy bien! Ahora dime qué postura aprendiste la última vez que hicimos yoga juntos. Yo también he practicado yoga e hice...

Esterillas musicales

Beneficios

- Aporta energía
- Enfoca la atención
- Estimula la coordinación

¿Qué hay que hacer?

Este divertido ejercicio se basa en el clásico juego de las sillas musicales. Reúne un grupo de seis o más participantes. Comienza colocando todas las esterillas en círculo. Sitúa una ficha de posturas de yoga frente a cada una de ellas. Pon música e indícales a los participantes que caminen alrededor del círculo de esterillas. Cuando la música se detenga, los jugadores deben encontrar una esterilla lo más rápido posible y adoptar la postura que le corresponda. Repite el juego hasta que todo el mundo esté cansado (lo digo en serio, si lo dejas en manos de los niños, este juego podría continuar eternamente). Cuando hacemos este ejercicio no dejo que ningún niño se quede «fuera» (como sucede en el juego de las sillas). Si tú decides hacerlo de la otra forma, el jugador excluido sería el último que adopte la postura. Si eliges esa versión, pídele al niño que se queda fuera del juego que dirija la siguiente ronda, haciéndose cargo de poner y quitar la música. Para que el juego sea más divertido, el participante que está a cargo de la música también puede decidir de qué forma hay que moverse sobre las esterillas: saltar, caminar hacia atrás, dar pasos laterales, pasar por alto algunas esterillas, andar de puntillas, bailar, etc.

¿Qué hay que decir?

Poneos de pie alrededor del círculo de esterillas. Como veis, frente a cada una de ellas hay una ficha con una postura de yoga. Cuando empiece a sonar la música, comenzaréis a caminar alrededor de las esterillas. Cuando la música se detenga, debéis saltar sobre una esterilla y hacer la postura de yoga que indica la ficha. (Para la versión en la que un niño queda excluido, puedes decir: El que tarde más en hacer la postura se queda fuera del juego, ¡de manera que daos prisa! El último en mantenerla es el ganador).

Pásalo

Beneficios

Estimula la comunicación
Potencia el desarrollo del grupo
Fomenta una escucha atenta

¿Qué hay que hacer?

Todos los participantes se sientan en círculo con las manos agarradas y los ojos cerrados. El primer jugador aprieta la mano de la persona que está a su izquierda, sin comunicar en qué dirección va el apretón. Todos los participantes siguen apretando la mano del compañero que está a la izquierda hasta completar la ronda. ¡Esto puede ser más difícil de lo que parece! El apretón se puede «perder» fácilmente porque para que llegue a completar el círculo es necesario que todo el grupo esté muy atento y concentrado. Para complicar un poco más el juego se puede intentar pasar un «patrón» de apretones (por ejemplo, apretón largo/corto/corto). Otra variación es transmitir un sentimiento no verbalizado, como pueden ser paz, amor, respeto, felicidad, etc., al mismo tiempo que se aprieta la mano del compañero.

¿Qué hay que decir?

Sentaos en círculo con las manos agarradas. Cerrad los ojos. Voy a apretar la mano de la persona que está a mi lado, pero no voy a decir a cuál de las dos. El jugador que siente el apretón debe pasarlo al siguiente participante con la otra mano. Todos tenemos que mantener el desplazamiento en una sola dirección. ¿Somos capaces de hacerlo?

El juego de elegir una postura

Beneficios

Inspira la creatividad
Fomenta la revisión de las posturas

¿Qué hay que hacer?

Para este juego necesitas cartas de posturas (ver «Los accesorios complementarios», en el capítulo tres) o juguetes con forma de animales, que pueden ser animales de peluche, figuritas de animales o incluso un mazo de cartas con dibujos de animales. Puedes jugar únicamente con tu hijo o invitar a un grupo. Es un juego ideal para niños de cualquier edad. Para empezar, todo el mundo tiene que formar un círculo. Coloca los objetos que has escogido en el centro del círculo con las cartas o tarjetas mirando hacia abajo, aunque también puedes guardarlas en una bolsa opaca. Pídeles a los participantes que giren una carta o elijan un animal de juguete y luego muestren la postura asociada con ese animal. Si no existe una postura para un determinado animal, el jugador tiene que inventarla.

¿Qué hay que decir?

Voy a poner estas cartas bocabajo sobre el suelo en medio del círculo. Cuando diga tu nombre, debes elegir una tarjeta o un juguete. Luego debes mostrarme la postura que está asociada con ese animal. ¿Puedes hacerlo? Si no hay una postura para el animal que has escogido, tienes que inventarla.

Luz roja y luz verde para las posturas de yoga

Beneficios

- **Estimula la concentración y la capacidad de escuchar**
- **Potencia la memoria**
- **Fomenta la práctica de las posturas**

¿Qué hay que hacer?

Esta es una variación del tradicional juego de *Luz roja, luz verde* y se juega mejor cuando hay tres o más jugadores. El líder se sitúa el fondo de la habitación dándole la espalda al resto de los jugadores. Pronuncia en voz alta el nombre de una postura de yoga. Los jugadores deben quedarse inmóviles en esa postura cuando el líder dice «¡luz roja!». Cuando dice «¡luz verde!», todos se acercan a él lenta y silenciosamente. Cuando vuelve a decir «¡luz roja!», dejan de moverse. El líder se gira para intentar encontrar a alguien que todavía se está moviendo. Si lo consigue, esa persona debe dar tres pasos hacia atrás. El ganador es el jugador que llega primero a tocar el hombro del líder y se convierte en el nuevo líder. Para este juego es mejor elegir a los jugadores que se mueven más, pues de lo contrario se puede alargar mucho hasta que alguien gane.

¿Qué hay que decir?

Poneos en fila. Cuando yo diga «¡luz verde!», podéis acercaros silenciosamente hacia mí. Cuando diga «¡luz roja!», me giraré y vosotros debéis estar inmóviles en la postura que yo he elegido. Si todavía os estáis moviendo, os pediré que deis tres pasos hacia atrás. La primera persona que llegue a tocar mi hombro se convierte en el nuevo líder.

Contar y mostrar

Beneficios

- Desarrolla el sentimiento de pertenencia al grupo familiar y de amigos
- Celebra la individualidad

¿Qué hay que hacer?

Invita a todas las personas que puedas a reunirse en una habitación y pídeles que «cuenten y muestren» alguno de sus talentos. Puede ser cantar el himno nacional, hacer malabarismos o producir un sonido singular. ¡Se acepta prácticamente cualquier cosa!

¿Qué hay que decir?

Hoy nos hemos reunido para jugar a *Contar y mostrar*. ¿Cuáles son vuestros talentos? ¿Hay algo especial que podáis hacer? ¿Qué os gustaría mostrarnos por el mero hecho de divertirnos? Vamos a enseñar nuestros talentos por turnos. ¿A quién le gustaría empezar?

El juego de crear una historia sobre yoga

Beneficios

- Desarrolla el sentimiento de pertenencia al grupo
- Fomenta la práctica de posturas
- Potencia la capacidad de contar historias
- Sirve de apoyo para la planificación secuencial
- Estimula la creatividad y la imaginación

¿Qué hay que hacer?

Este juego requiere varios jugadores, o varios pares de parejas. Separa a los participantes en pequeños grupos o parejas. Cada grupo o pareja crea una historia verbal o escrita sobre yoga (en el capítulo diez puedes encontrar ejemplos, como el cuento del ratón, el gato y el perro). Otra alternativa es organizar una historia con las fichas de las posturas de yoga. La persona que se designa como narradora comienza a contar la historia empezando por la primera postura. Por ejemplo: «Había una vez un árbol...», y en ese momento adopta la *postura del árbol*. El segundo jugador añade un nuevo elemento a la historia, realizando la siguiente postura de yoga, y así sucesivamente. Cada participante debe continuar la historia y hacer una demostración de la postura correspondiente. Ten en cuenta que la historia se puede planificar por adelantado como ya se ha descrito, o se puede desarrollar espontáneamente al pasar de uno a otro jugador. Si todos los que juegan están familiarizados con las posturas de yoga, puede ser increíblemente divertido ver cómo la historia se desarrolla de forma natural. ¡A pasarlo bien!

¿Qué hay que decir?

Vamos a jugar a contar historias sobre yoga. Os voy a dividir en pequeños grupos (o en parejas) para que construyáis juntos una historia utilizando las posturas de yoga. Podéis apuntarla, dibujarla o usar las fichas de las posturas para hacer una secuencia visual de la historia. Tenéis que elegir a alguien para que empiece a contar la historia y muestre la primera postura. El siguiente jugador continuará en el punto donde la ha dejado el anterior y mostrará su propia postura al concluir la narración. Y así sucesivamente. La historia se acaba cuando todos hayáis participado. En ese momento haréis una reverencia todos juntos a modo de saludo.

El teléfono

Beneficios

- Desarrolla la atención
- Fomenta el trabajo en equipo
- Mejora la capacidad de escuchar
- Potencia la paciencia

¿Qué hay que hacer?

El teléfono es un juego grupal en el que se susurra una palabra, frase u oración al oído de un compañero para que dé la vuelta al círculo y vuelva a la persona que la pronunció por primera vez. Puede resultar muy gracioso escuchar en qué se ha convertido la palabra inicial al concluir la ronda. Este es un juego de atención y trabajo en equipo. El objetivo es que la frase o palabra final sea la misma que la inicial. El juego es más difícil si el mensaje es largo. Reúne a un grupo numeroso y pídeles a los integrantes que se sienten en círculo. La primera persona debe pasar un mensaje simple, como puede ser: «Hoy es un día divertido dedicado al yoga». Si trabajas con niños pequeños comienza por un mensaje que tenga una sola palabra. Los más mayores pueden crear mensajes más largos. Cuanto más largo es el mensaje, más gracioso es el resultado. Basándome en mi experiencia, te aconsejo que pidas a los participantes que intenten pasar el mensaje de la forma más clara posible.

¿Qué hay que decir?

Sentaos en la *postura fácil* formando un círculo. ¿Quién va a ser el líder? Bien, quiero que pienses en una palabra o frase para hacerla circular. Comenzarás por el compañero que está a tu izquierda, asegurándote de que nadie más oiga lo que le dices. Cada uno de vosotros debe pasar el mensaje mientras los demás se quedan en silencio sentados en la *postura fácil*. Cuando el mensaje llegue a la última persona, deberá decir en voz alta lo que le han susurrado al oído. Finalmente el líder comunica al grupo cuál era el mensaje original. ¿Concuerdan los dos mensajes? Vamos a intentarlo otra vez. ¿Quién quiere ser el líder?

Bailar y quedarse «congelados» en una postura de yoga

Beneficios

- Aporta energía
- Fomenta la capacidad de escuchar y la atención
- Potencia la diversión en familia

¿Qué hay que hacer?

¡Este es un juego divertido para que todo el mundo se ponga en movimiento! Es más entretenido cuando participan muchos jugadores. Encuentra una música dinámica y divertida. Si eres el líder, comunícale al resto de los participantes que cuando detengas la música deben quedarse inmóviles en una postura de yoga que elijan. (Como alternativa puedes elegir tú la postura de yoga y cambiarla cada vez que vuelve a sonar la música para que el juego sea un poco más difícil). El último niño que queda «congelado» en la postura se convierte en el nuevo líder (en lugar de quedar excluido). El último jugador que permanezca de pie es el ganador.

¿Qué hay que decir?

¡Venid todos aquí! Primero vamos a bailar y luego nos quedaremos «congelados» en una postura de yoga. Cuando suene la música, todo el mundo baila. ¡Quiero veros en movimiento! Cuando la música pare, tenéis que quedaros quietos en una postura de yoga. La última persona en quedarse inmóvil se convertirá en el próximo líder.

El yogui dice

Beneficios

- Desarrolla la capacidad de escuchar
- Fomenta la atención y la concentración
- Potencia la memoria

¿Qué hay que hacer?

Este juego es exactamente igual a «Simón dice»,* solo que se ha cambiado el nombre Simón por «el yogui». Las instrucciones siempre estarán asociadas a las posturas de yoga o actividades relacionadas. Debes explicar a los niños que «yogui» designa a una persona que practica yoga y agregar: ¡¡¡Todos nosotros somos yoguis!». Reúne un grupo de tres o cuatro jugadores. El objetivo del juego es hacer todo lo que dice el yogui, pero únicamente cuando sus instrucciones están precedidas por las palabras «el yogui dice...». Si un jugador falla, queda excluido del juego. Es preciso alternar las instrucciones para que algunas comiencen con «el

---

* N. de la T.: "Simón dice" es un *juego* para tres o más personas (a menudo, niños). Uno de los participantes llamado *Simón* es el que se encarga de dirigir la acción. Los otros deben hacer lo que Simón dice.

yogui dice...» y otras no, pues de este modo es posible sorprender a los participantes. Los niños deben ocupar el rol del yogui por turno.

¿Qué hay que decir?

Yo soy un «yogui» y te voy a dar una orden. Tienes que hacer la postura que yo te indique. Por ejemplo, cuando digo «el yogui dice que hagas la postura del árbol», tú debes realizarla; sin embargo, no la harás si no he dicho «el yogui dice...» al principio de la frase. Si haces la postura cuando yo no he pronunciado esas palabras, quedarás fuera del juego y me ayudarás a atrapar a los jugadores que no adviertan que no he dicho «el yogui dice...» antes de darles una indicación.

* Nota sobre las canciones: a lo largo de todo el libro la autora menciona varias canciones populares infantiles como referencia para acompañar los ejercicios y las relajaciones. Aunque pertenecen a la tradición en habla inglesa hemos mantenido las opciones originales. Consideramos que a partir de su descripción, el lector puede recurrir a canciones semejantes, con temáticas equivalentes, de su propia cultura o incluso de su propio entorno familiar. En cuanto a la música que aconseja utilizar a la hora de entonar las canciones finales, se trata de temas que el lector puede encontrar en YouTube o plataformas similares.

Capítulo 8

CANCIONES Y CÁNTICOS*

EL YOGA Y EL PODER DE LA MÚSICA

Si alguna vez has bailado al ritmo de una música que alegra el corazón, o has escuchado tu música favorita mientras estabas limpiando la casa, ya conoces de sobra el poder de la música. Desde tiempos inmemoriales en todo el mundo los seres humanos han utilizado la música, las canciones y los cánticos para animarse, conectar con los demás y curarse a sí mismos desde dentro hacia fuera. Los estudios han demostrado que la música influye sobre ciertas frecuencias de ondas cerebrales que mejoran la función del cerebro. Escuchar música tiene la capacidad de despertar sentimientos de bienestar, potenciar la creatividad, reducir el dolor y mejorar la memoria y la coordinación.

Las canciones y los cánticos ofrecen una oportunidad natural para activar la respiración, ya que el acto de cantar nos obliga a inhalar y exhalar más profundamente que cuando hablamos. Cantar nos ayuda a regular la respiración, y esto tiene un efecto relajante para nuestro sistema nervioso. A través de las canciones podemos inspirarnos y motivarnos (y también a los demás) y conectar con otras personas desarrollando un fuerte sentimiento de pertenencia al grupo. ¡Cantar con tu hijo puede ser una forma muy poderosa de potenciar la conectividad!

La naturaleza repetitiva de los cánticos es relajante y fomenta la conexión a tierra. Los cánticos producen un efecto sanador en el sistema endocrino, pues normalizan la producción de hormonas que equilibran nuestros estados de ánimo, lo que contribuye a potenciar la sensación de bienestar.

Incorporar canciones, cánticos y música en las sesiones de yoga con niños es muy importante no solamente porque la práctica resulta más divertida, sino también porque pone de relieve la experiencia holística cuerpo-mente y fomenta una conexión más profunda entre el adulto y el niño. Utiliza las canciones y los cánticos que presento en este capítulo para crear temas alegres para las sesiones. Las descripciones de las canciones contienen una nota sobre los tonos tradicionales en los que deben cantarse. Si te apetece escuchar las músicas originales que acompañan a las canciones, están incluidas en el CD que he creado en colaboración con Sammie Haynes (*I Grow with Yoga: Yoga Songs for Children;* se puede adquirir *online* en www.childlightyoga.com). Las canciones y los cánticos están agrupados en las secciones «Cánticos», «Canciones iniciales/finales», «Canciones asociadas a las posturas», «Canciones divertidas para tonificarse» y «Canciones para relajarse». En cuanto te familiarices con las canciones, podrás recurrir a ellas espontáneamente en cualquier momento que lo necesites. Si observas que tu hijo se encuentra un poco ansioso, de malhumor, o «se sube por las paredes», elige la canción o el cántico más apropiados y verás con qué rapidez se transforman su ánimo y su energía, ¡y también los tuyos!

La música y el cuerpo

La música tiene un efecto muy intenso sobre el estado emocional de tus hijos. Para comprobarlo, pon tres estilos diferentes de música de treinta a sesenta segundos, como por ejemplo, tambores africanos, música clásica o *heavy metal*. Después de que suene cada una de las piezas musicales, dale al niño un poco de tiempo para que tome conciencia de los efectos que la música le ha producido. Puedes preguntarle: «Mientras escuchabas la música ¿qué sucedía en tu cuerpo? ¿Se modificó tu respiración? ¿En qué sentido? ¿En qué estabas pensando? ¿Qué pasaba por tu mente?». Luego podéis conversar sobre sus observaciones. ¡La música realmente tiene el poder de cambiar tu cuerpo!

CÁNTICOS

La sílaba *Om* suele ser conocida como «el sonido del universo». Cantar el *Om* ayuda a centrarse porque produce una energía que literalmente nos modifica a nivel fisiológico. Canta varias rondas del *Om* con tu hijo al comenzar la clase de yoga para ayudarlo a enfocar su atención, por la mañana para empezar bien el día o antes de que se vaya a la cama para que pase suavemente de la vigilia a un sueño reparador.

Cantar el *Om*

Beneficios

- Ayuda a calmarse y centrarse
- Fomenta la conectividad

¿Qué hay que hacer?

El niño debe adoptar la *postura fácil*, respirar profundamente y exhalar produciendo el sonido *Om* (Aaaaaaaauuuuoooommmmm) alargándolo todo lo que pueda antes de volver a empezar. Si trabajas con un niño un poco mayor, puedes probar un inicio escalonado: él comienza cantando el *Om* y tú empiezas a cantarlo unos segundos más tarde. Los dos lo repetís una y otra vez para que en la habitación haya un sonido *Om* constante durante un periodo lo más prolongado posible. Te aconsejo que al final converses con tu hijo para saber qué ha sentido durante la experiencia.

¿Qué hay que decir?

Puedes estar de pie o sentado con la espalda recta. Inhala profundamente para llenar tu barriga de aire y exhala produciendo el sonido *Om*, alargándolo lo máximo posible del siguiente modo: «Aaaaaaaauuuuoooommmmm». Ahora es tu turno... ¡Genial! Prueba a cerrar los ojos y a pronunciar el sonido *Om* otra vez, repitiéndolo tres veces. Inhala... Exhala: «Aaaaaaaauuuuoooommmmm»...

Cantar nombres

Beneficios

- Calma y ayuda a centrarse
- Vuelve a enfocar la atención

¿Qué hay que hacer?

Cantar nombres es mágico, una forma inmediata de transformar la energía. Cuando el niño escucha cantar su nombre de una forma dulce y sosegada, rápidamente se sienta más erguido y concentra toda su atención. Este es un cántico maravilloso que se puede utilizar cuando haya una carga energética excesiva o la energía sea negativa. Podéis cantar juntos el nombre de tu hijo y el tuyo, estirando cada sílaba. Por ejemplo, el nombre Jennifer se podría cantar de la siguiente forma: «Jeee-niiii-feeerrrrr», y repetirlo tres veces. Ten en cuenta que también puedes cantar el nombre de tus hijos sin que ellos participen, con el propósito de atraer su atención o modificar su estado de ánimo. Mientras cantas puedes balancearte rítmicamente de lado a lado para marcar la pauta.

¿Qué hay que decir?
Puedes estar de pie o sentado con la espalda recta. Vamos a cantar nuestros respectivos nombres tres veces... Yo empezaré cantando el tuyo: «Cris... ti... na...., Cris... ti... na...». Ahora, vamos a cantar juntos. Primero vamos a cantar tu nombre tres veces, y luego cantaremos el mío. ¿Preparado?

Canciones iniciales/finales

Utilizar estas canciones para iniciar y concluir las sesiones de yoga con tu hijo pequeño es una forma excelente de crear una sensación de ritual durante la práctica. Si cantas *Hola* (*Hello There*), tu hijo sabrá que ha llegado el momento del yoga y tú tendrás más posibilidades de ayudarlo a que esté dispuesto a empezar. Si cantas *Adiós, por ahora* (*Goodbye for Now*), el niño sabrá que la clase de yoga ha terminado y se sentirá satisfecho de haber tenido una sesión exitosa.

Hola

¿Qué hay que hacer?
El ejercicio comienza en la *postura fácil* con las manos unidas junto al corazón en la posición *namaste* (capítulo seis). Haz una reverencia en *Namaste*. Repítela tres veces. Cuando le enseñes la canción al niño por primera vez, debes explicarle el significado de *namaste*, que es «yo te honro». Puedes agregar que en la India el término también se utiliza para decir «adiós» y «gracias».

> Hola,
> esta es la forma del yoga
> para saludar a otra persona.
> *NA-MAS-TE*

Adiós, por ahora

¿Qué hay que hacer?
Esta canción se canta con el mismo tono que la canción *Hola*. Siéntate en la *postura fácil* con las manos unidas junto al corazón en la posición *namaste*. Haz una reverencia en *namaste*. Repítela tres veces. Te recuerdo que debes enseñarle a tu hijo el significado de la palabra, que es «yo te honro», y también «adiós» y «gracias».

Adiós, por ahora,
El momento ha llegado
De dar el yoga por finalizado.
NA-MAS-TE

Marcha por la paz

¿Qué hay que hacer?

Empieza el ejercicio de pie junto a tu hijo en la *postura de la montaña*. Levanta y baja alternadamente un brazo y la pierna contraria (el movimiento que se realiza para gatear, pero de pie) mientras cantáis juntos:

* Marchar por la paz

- Marcha por la paz (*eleva el brazo derecho y la rodilla izquierda, y baja*)
- Arriba y abajo (*eleva el brazo izquierdo y la rodilla derecha, y baja*)
- Moviéndote despacio (*eleva el brazo derecho y la rodilla izquierda, y baja*)
- Sin emitir sonidos (*eleva el brazo izquierdo y la rodilla derecha, y baja*)
- Aquieto mis pensamientos (*eleva el brazo derecho y la rodilla izquierda, y baja*)
- Enfoco mi mente (*eleva el brazo izquierdo y la rodilla derecha, y baja*)
- Marchemos por la paz (*eleva el brazo derecho y la rodilla izquierda, y baja*)
- Una segunda vez (*eleva el brazo izquierdo y la rodilla derecha, y baja*)

Repetid y terminar con:

- Puedes marchar por la paz (*eleva el brazo derecho y la rodilla izquierda, y baja*)
- ¡En cualquier momento! (*eleva el brazo izquierdo y la rodilla derecha, y baja*)

Canciones asociadas a las posturas

Asociar las posturas y las canciones es una forma de conseguir que se comprenda cabalmente la experiencia holística cuerpo/mente. Estas canciones conectan los movimientos con la letra, creando una sesión de yoga divertida que facilita el aprendizaje y el uso de la respiración. Puedes utilizar esta canción cuando quieras añadir una dosis extra de entretenimiento a la práctica, especialmente si observas que tu hijo necesita que lo estimulen.

Canción de la tetera y el triángulo

¿Qué hay que hacer?
Esta canción se canta con el tono de *Soy una pequeña tetera*. Empieza de pie con las piernas separadas, y luego adopta y abandona la *postura del triángulo* mientras cantas el texto. Entre uno y otro verso pídele al niño que coloque las manos sobre su barriga y respire profundamente para volver a llenar su «tetera». Repite la canción tantas veces como quieras y cambia de lado reemplazando la palabra *izquierda* por *derecha y la* palabra *derecha* por *izquierda*.

Soy una pequeña tetera, baja y fuerte.
A la izquierda mi asa, a la derecha mi pico.
Cuando el agua hierve, me oirás gritar.
¡Inclíname un poco y vaciame!
Me quedo así un rato para mirar
quiero saber quién bebe mi té.
Cuando me canso, me pongo de pie
y respiro hondo para llenarme otra vez.

SEGUNDA PARTE

Canción de la mariposa

¿Qué hay que hacer?
Esta canción se canta con el tono de *Soy una pequeña tetera*. Levanta y baja suavemente las rodillas («las alas») mientras cantas sentado en la *postura de la mariposa*.

Soy una pequeña mariposa, libre y ligera.
Tengo alas... igual que un hada.
¿Puedes contar las flores que veo (o sentir su aroma)?
¡Cierra los ojos y vuela conmigo!

Rema en tu bote

¿Qué hay que hacer?
Esta canción se canta con el tono de *Rema, rema, rema en tu bote* entre dos y cuatro veces mientras adoptas la *postura del barco* simulando remar con tus brazos.

Rema, rema, rema en tu bote.
Canta por favor
manteniendo los pies en el aire,
¡y no te olvides de respirar!

CANCIONES DIVERTIDAS PARA TONIFICARSE

Estas canciones aumentarán la energía de tu hijo y lo animarán. Son canciones tontas pero divertidas que provocan ganas de bailar. También son ideales para utilizarlas como ejercicios de calentamiento.

Canción rap *Ve a hacer yoga*

¿Qué hay que hacer?

Utiliza esta canción cuando notes que tu hijo necesita que lo estimules. Bailad juntos para relajaros durante los dos primeros versos, y después simplemente seguid las consignas de movimiento que ofrece la letra. ¡Es una canción ideal para cualquier edad!

(Estribillo)
Ve a hacer yoga, ve; ve a hacer yoga
Ve a hacer yoga, ve; ve a hacer yoga

Cuando has tenido un mal día y te sientes abatido
Sonríe con la canción rap de yoga ¡Vamos a cantarla!
(Repetir el estribillo)

Ahora aplaude y mueve tus pies
Solo tienes que escuchar el ritmo y moverte al compás. ¡Bien!
(Repetir el estribillo)

Levanta los brazos al cielo (hacer la ***postura del árbol****)*
mientras apoyas el pie sobre el muslo contrario. ¡Mantén la postura!
(Repetir el estribillo)

Ahora siéntate en la ***postura fácil****,*
estira las piernas y «aplaude» con los dedos de los pies.
(*En la* ***postura del bastón*** *«aplaude» con los dedos gordos siguiendo el ritmo*)
(Repetir el estribillo)

Ahora vamos a tumbarnos para hacer ***El puente.***
Mantén los hombros sobre el suelo y eleva esas caderas. ¡Mantén la postura!
(Repetir el estribillo)

Ahora levanta un pie en el aire.
Cambia de pie y luego sacúdelos, como si no te importara. ¡Muy bien!
(Repetir el estribillo)

Ahora ponte de pie, como más te guste.
Escoge tu postura de yoga favorita ¡y adóptala!
(Repetir el estribillo)

Observa tu respiración y tu dis-po-si-ción.
¿Te sientes mejor después de haber hecho estas posturas? ¡Sííí!
(Repetir el estribillo)

Yo crezco con el yoga (de Sammie Haynes)

¿Qué hay que hacer?

Cuando llegues a la tercera estrofa, canta con un ritmo claramente más lento para que el niño tenga la oportunidad de «ser» la mariposa, la tortuga, la rana y el conejo. Además puedes cantar esta canción con otros miembros de la familia, o con amigos. Cuando se canta en grupo, cada participante tiene su propio rol en la segunda estrofa. Después de hacer la segunda versión, todo el mundo termina de cantar la canción en grupo. El ejercicio comienza con todos los integrantes de pie, uno al lado del otro, y siguiendo la letra de la canción para saber qué movimientos deben realizar. Las posturas que están en negrita (incluidas en el capítulo seis) les servirán de guía. Es una excelente transición para la relajación. Al concluir el ejercicio todos los participantes hacen una reverencia agarrados de las manos como una «familia feliz».

(Estribillo)
Yo crezco con el yoga,
el yoga crece conmigo
y luego crecemos juntos.
¡Somos un **bosque de árboles**!

Crezco fuerte como una ***montaña,***
alto y recto como un **árbol**,
me abro como una planta en **flor**,

¡hago el zumbido de la **abeja**!
(Repetir el estribillo)

*Soy una **mariposa** y bato mis alas.*
Soy una **tortuga** en mi caparazón.
Salto y salto como una **rana.**
Igual que un **conejo**, ¡oigo muy bien!
(Repetir el estribillo)

Veo en ti el universo (mueve los brazos para representar el universo).
Cuando los dos estamos en ese lugar *(pon una mano sobre la otra y luego cambia de mano),*
la belleza brilla en el corazón *(coloca las manos sobre el corazón y luego levántalas con las palmas hacia el cielo).*
Yo digo ¡NAMASTE! *(haz una reverencia con las manos unidas junto al corazón).*
(Repetir el estribillo, terminando con: «¡Somos una familia feliz!». *Todos los participantes se cogen de las manos y hacen una reverencia*).

SEGUNDA PARTE

Canción de andar y andar

¿Qué hay que hacer?

Esta canción se canta con el tono de *Fray Santiago* (*Frère Jacques**). Es ideal para cantar en las transiciones; por ejemplo, cuando se cuentan historias de aventuras de yoga o se tratan temas que requieren pasar de un sitio a otro. Comienza de pie y luego sigue las indicaciones de los movimientos de la letra de la canción.

Andar, andar, andar, andar.
Andar, andar, andar, andar.
Hop, hop, hop, hop, hop, hop,
Andar, andar, andar, andar,
Correr, correr, correr, correr,
Correr, correr, correr, correr,
¡Ahora vamos a parar, ahora vamos a parar!

Marchar, marchar, marchar, marchar.
Hop, hop, hop, hop, hop, hop.

* N. de la T.: *Frère Jacques* (conocida comúnmente en español como Martinillo, Fray Santiago o «campanero», es de origen francés y una de las canciones populares infantiles más conocidas.

Sobre las puntas de los pies, sobre las puntas de los pies.
¡Ahora vamos a parar, ahora vamos a parar!

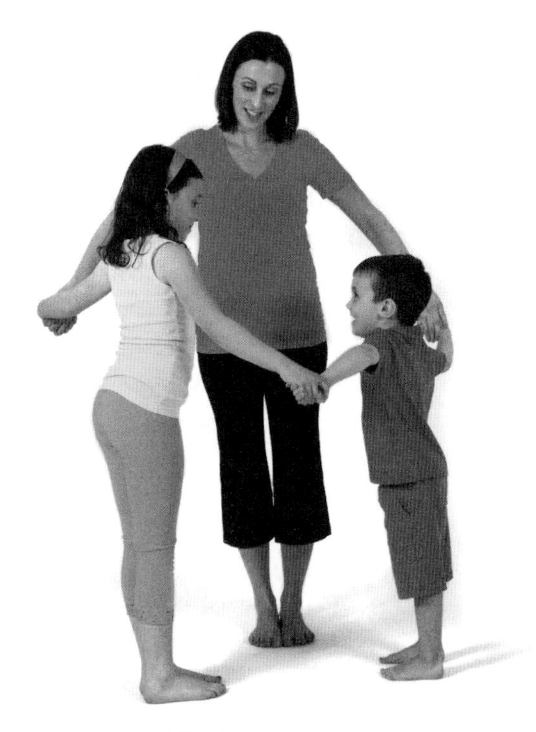

* Canción de calentamiento

Canción de calentamiento

¿Qué hay que hacer?

Esta canción se canta con el tono de *Entra y sal por la ventana*.* Situado frente a tu hijo, agárrale las manos y a continuación flexionad las rodillas para subir y bajar mientras cantáis la canción.

Vamos a ponernos de pie formando un círculo (mínimo tres participantes),
y a respirar una o dos veces (os soltáis las manos y respiráis lenta y profundamente tres veces con las manos sobre la barriga para hacer la **respiración del globo**).
Vamos a pisar fuerte contra el suelo todos juntos (mínimo tres participantes),
y ahora vamos a saltar muy alto *(saltáis unas cuantas veces. Pregúntale al niño: «¿Cómo de alto puedes saltar? ¡Muéstramelo!»).*
Vamos a tratar de llegar hasta el cielo (mínimo tres participantes),
y luego bajaremos a la **postura de la muñeca de trapo** *(flexionad el cuerpo en la postura de la muñeca de trapo durante varias respiraciones. Motiva el niño para que afloje su cuerpo mientras respira profundamente).*
(Adoptad la **postura de la estrella** y luego titilad [capítulo seis]).
Vamos a titilar como una estrella (mínimo tres participantes).
Ahora volvemos a la **postura de la montaña** *(respirad varias veces en la postura de la montaña).*
Vamos a sentarnos juntos (mínimo tres participantes),
y a tocarnos los dedos de los pies con la nariz *(flexionad el cuerpo hacia delante en la* ***postura de la mariposa*** *o levantad un pie cada vez para tocaros la nariz con los dedos. También podéis haceros cosquillas en la nariz para reiros un rato).*

* N. de la T.: Canción infantil inglesa «*Go In and Out the Window*».

Canciones para relajarse

Cuando llega la hora de relajarse, normalmente al final de una sesión, o en cualquier momento en que observes que tu hijo está demasiado activo, tenso o disgustado, utiliza estas canciones para generar un ambiente de calma y paz. Baja las luces para fomentar la tranquilidad.

La gran estrella blanca

¿Qué hay que hacer?

Esta canción se canta con el tono de *Estrellita, dónde estás*. Comienza en la *postura de la estrella*, simulando que titilas (capítulo seis) y sigue las indicaciones de la letra para moverte, tomando nota de las posturas o movimientos que se describen en negrita para que te sirvan de guía. Esta es una postura ideal para usar como transición hacia la relajación:

> ***Estrellita** a titilar,*
> ¿puedes vernos desde allá?
> Quiero ser un **árbol** grande,
> así me verás y seguirás.
> **Estrellita** a titilar,
> hacemos yoga un poco más.
> **Estrellita** a titilar,
> ¿puedes vernos desde allá?
> El pie derecho por detrás,
> el **guerrero** amable es.
> **Estrellita** a titilar,
> hacemos yoga un poco más.
> **Estrellita** a titilar,
> ¿puedes vernos desde allá?
> La **muñeca de trapo** es divertida,
> respira antes de acabar *(inhalar y exhalar profunda y lentamente).*
> **Estrellita** a titilar,
> hacemos yoga un poco más.
> **Estrellita** a titilar,
> ¿puedes vernos desde allá?
> El pie izquierdo por detrás,
> el **guerrero** volverá.
> **Estrellita** a titilar,
> hacemos yoga un poco más.
> **Estrellita** a titilar,

¿puedes vernos desde allá?
Nos tumbamos a descansar *(transición a la postura Savasana)*
para sentirnos mucho mejor.
Estrellita a titilar,
¡hacemos yoga siempre y más!

Si yo fuera...

¿Qué hay que hacer?

Partiendo de una posición de pie, utiliza las indicaciones que están en cursiva para moverte. Tienes toda la libertad para añadir tus propios versos en todas las canciones. Por ejemplo, para la *postura del delfín* puedes decir: «Si yo fuera un delfín, me sumergiría para ti». En otro caso, podrías decir: «Si yo fuera un abejorro, zumbaría para ti», etc.

Si yo fuera el **sol**, brillaría sobre ti *(estírate hacia el sol y luego flexiona el cuerpo para hacer descender el sol).*
Si yo fuera un capullo de **rosa**, me abriría para ti *(adopta la postura de la flor de pie).*
Si yo fuera un **cachorro**, movería la cola al verte *(haz la postura del perro con el hocico hacia abajo y levanta la pierna para «mover la cola»).*
Pero como soy un niño, voy a cantarte una canción *(señálate a ti mismo y luego gira las palmas hacia el suelo para representar al «niño»).*
Si yo fuera una **estrella**, titilaría para ti *(adopta la postura de la estrella y luego titila).*
Si yo fuera un **pingüino**, caminaría balanceándome hacia ti *(siéntate con la espalda recta y los brazos rígidos a los lados, con las palmas orientadas hacia el suelo. Balancéate de lado a lado).*
Si yo fuera un **águila**, te elevaría hacia el cielo *(realiza la postura del águila y «elévate» moviendo los brazos y las piernas como si fueran alas).*
Pero como soy un niño, voy a cantarte una canción *(señálate a ti mismo y luego gira las palmas hacia el suelo para representar al «niño»).*
¡Y como soy tu hijo, también voy a abrazarte! *(señálate a ti mismo y luego gira las palmas hacia el suelo para representar al «niño». ¡Luego dale a tu padre, o a tu madre, un gran abrazo!).*

Respiración a respiración

¿Qué hay que hacer?

Esta canción se canta con el tono de *La canción del jardín* (*The Garden Song*), de David Mallet. Es muy tranquila y solo incluye unas pocas posturas combinadas, de manera que es perfecta

* Abrazo

* Mostrar los músculos

SEGUNDA PARTE

para utilizar como transición hacia la relajación, la siesta o la hora de irse a la cama por la noche. Adopta las posturas a medida que cantas la canción.

(Estribillo)
Respiración a respiración, postura a postura
voy a hacer que este cuerpo crezca.
Me gusta el yoga porque sé
que por dentro te sientes muy bien *(abrázate)*.

Cuando me despierto, estoy trastornado,
no es bueno tener ese pensamiento.
La postura del **géiser** me da alegría,
porque elimina mi malhumor *(explota como un géiser: «¡Pshhh!»)*
(Repetir estribillo)

Cuando necesito un poco de energía,
me estiro un poco y respiro hondo.
Flexiono mi tronco para tocar mis pies *(adopta la postura de la muñeca de trapo)*.
Y luego lo intento otra vez *(adopta la postura de la muñeca de trapo una vez más)*.
(Repetir estribillo)

A veces obtengo respuestas equivocadas.
Puedo estar triste, pero no por mucho tiempo,
El **guerrero** me hace sentir fuerte
y me llena de confianza *(¡muestra tus músculos!).*
(Repetir estribillo)

Escucha tu corazón

¿Qué hay que hacer?

El primer verso se canta muy suavemente, casi como un susurro. El segundo es más intenso y se canta más alto. Puedes dar palmadas en tu regazo mientras cantas el segundo verso en la parte que dice «sí», y luego seguir al compás para terminar el segundo verso.

Escucha, escucha tu corazón (coloca las manos sobre el corazón y date unos suaves golpecitos en el pecho).
Dice cosas muy importantes.
Lo que te dice desde el principio
es la canción que querrás cantar.
Dice...
Sí, soy especial; sí, soy listo *(pon tus manos sobre las piernas y sigue el compás mientras cantas).*
Sí, soy fuerte, eso dice mi corazón.
Me empeño, pongo lo mejor de mí.
¡Vamos a escuchar esa canción una vez más!
¡SÍ!
(Repite los dos versos).

Capítulo 9

RELAJACIÓN Y VISUALIZACIÓN

LA IMPORTANCIA DE LA RELAJACIÓN Y LA VISUALIZACIÓN PARA LOS NIÑOS

En nuestra sociedad los niños no tienen momentos de tranquilidad. Concederles una oportunidad para relajarse puede representar un respiro muy necesario en un mundo lleno de estímulos, que a menudo llega a ser caótico. En yoga es una tradición concluir la práctica de las posturas con *Savasana* (la *postura del cadáver*), como un medio para que el cuerpo y la mente puedan alcanzar la relajación total. No obstante, la relajación puede practicarse en cualquier momento. Cuando el cuerpo se relaja, tiene la posibilidad de integrar los beneficios de la práctica. El objetivo de la relajación es dirigir la atención hacia el interior, lo que ralentiza las ondas cerebrales y permite que el sistema nervioso encuentre la forma de equilibrarse. La mente necesita tiempo para descansar y recargarse. Estos momentos de relajación sitúan al cuerpo y la mente en el momento presente para experimentar paz, serenidad y autoconciencia.

A algunos niños les resulta difícil concentrarse y permanecer quietos. Si el movimiento no cesa, el cerebro y el resto del cuerpo son cada vez menos capaces de relajarse, concentrarse y aprender. Esos momentos de quietud que se producen durante la relajación ayudan a los niños a desarrollar una sensación de bienestar y tranquilidad que fomenta su capacidad de concentrarse, aprender y tomar conciencia de sí mismos y de las personas de su entorno.

Cuando se dedica una parte de la sesión de yoga a realizar ejercicios de visualización, el niño tiene la oportunidad de desarrollar las habilidades necesarias para resolver problemas, la creatividad, el pensamiento crítico, el vocabulario, la atención y el aprendizaje. A través de una visualización guiada, los niños pueden utilizar su imaginación para permanecer lo suficientemente quietos para conectarse con su propia sabiduría interior. La tensión se libera y los niños aprenden estrategias para gestionar los desafíos emocionales que se presentan en la vida. Puedes ayudar a tu hijo a enfocar su atención usando imágenes creativas, facilitando así el camino hacia la relajación. También puedes guiarlo para que dirija su propia conciencia, o energía, a diversas partes de su cuerpo. ¡Lo mejor de la práctica de yoga es que unifica el cuerpo y la mente!

Prepararse para la relajación

Sigue las siguientes sugerencias para preparar al niño para los ejercicios de relajación y visualización:

- Si estás pensando en hacer un ejercicio de visualización, pon música relajante de fondo, preferiblemente sin letra.
- Emplea una iluminación tenue.
- Antes de realizar cualquier ejercicio, pídele al niño que se tumbe en la *postura Savasana* con los pies separados a la misma distancia que los hombros y los brazos relajados a ambos lados del cuerpo con las palmas de las manos hacia arriba. Indícale que cierre los ojos y relaje su cuerpo. Debes guiarlo para que practique la *respiración del globo* o la *respiración del océano* (capítulo cinco).
- Algunos niños no se encuentran cómodos cuando están tumbados sobre la espalda porque se sienten vulnerables en esa posición. Si observas que tu hijo se muestra ansioso, puedes sugerirle que se tumbe sobre el estómago o de lado, o también puedes cubrirlo con una manta pesada. Con el paso del tiempo puede llegar a sentirse a gusto y lo suficientemente seguro para poder tumbarse sobre la espalda.
- Algunos niños lo pasan verdaderamente mal cuando tienen que quedarse quietos. Si los cubres con una o dos mantas pesadas, tal vez consigan estar inmóviles sin pasarlo mal. Ver también la *postura del niño envuelto*, en este mismo capítulo.
- En general, siempre que una actividad o transición implique el contacto corporal con el niño, debes comunicárselo con anticipación y pedirle su permiso.
- Después de la relajación conversa con tu hijo sobre lo que ha sentido durante las actividades que habéis realizado. ¿Fueron útiles? ¿Qué es lo que más le gustó? ¿Por qué? ¿Hubo algo que no le gustó? A través de estas conversaciones y de tus propias observaciones podrás saber qué es lo más efectivo y beneficioso para el niño (¡y para ti!). Descubriréis juntos cuáles son las transiciones, las posturas, las actividades y las visualizaciones preferidas, y tal vez el niño llegue a convertirlas en su propio ritual para los momentos en los que necesite relajarse.

Transición hacia la relajación

Uno de los objetivos de la relajación es llevar la atención del niño hacia el interior, y esto se puede lograr a través de una relajación progresiva dirigiendo su atención a cada una de las partes de su cuerpo. Dependiendo del tema que elijas, puedes ayudarlo a hacer la transición hacia la relajación utilizando un ejercicio de visualización específico. Por ejemplo, si estás trabajando con un tema relacionado con el océano, podrías decir: «Ahora siente cómo tu cuerpo flota en el agua. Siente el agua cálida sobre tu espalda...». Habla tranquila y lentamente, y comienza a nombrar las partes del cuerpo desde la cabeza hasta los pies: «Siente el agua en la parte superior de la cabeza; ahora en la parte posterior; ahora en los hombros, en la caja torácica...». Deja pasar varios segundos entre cada una de las partes del cuerpo para que el niño pueda fijar su atención en ellas.

Si no estás trabajando con un tema específico, quizás podrías decir algo parecido a: «Siente como tu cuerpo se relaja como si estuviera hundiéndose en el suelo. Siente la parte superior de tu cabeza»..., etc. (ver el ejercicio «Contraerse y relajarse»).

Cuando termines la relajación guiada, deja que el niño descanse durante un rato. Si tiene los ojos abiertos o no consigue quedarse quieto, puedes utilizar alguno de los siguientes recursos. A veces puedes ayudarlo a relajarse colocándole la mano sobre el abdomen o la cabeza o apoyándole firmemente las dos manos sobre los pies, para darle calor. Si observas que las piernas y los brazos del niño están tensos, puedes sacudirlos con suavidad mientras le dices que piense que sus brazos y piernas son como espaguetis (ver el ejercicio «La prueba del espagueti»). También puede ser efectivo acariciarle la frente con los dedos.

TRANSICIÓN HACIA LAS ACTIVIDADES DE RELAJACIÓN

A continuación presento algunas actividades de transición hacia el reposo. Cada una de ellas debe preceder a los momentos dedicados al descanso y la relajación.

Ha llegado el momento de descansar

Beneficios

Calma
Potencia la conciencia direccional
Integra y organiza

¿Qué hay que hacer?

Lee el siguiente texto:

Polo norte *(estírate hacia el cielo).*
Polo sur *(flexiona el cuerpo para tocarte los dedos de los pies).*
Costa este *(abre uno de los brazos a un lado del cuerpo).*
Costa oeste *(abre el otro brazo).*
Abrázate *(¡abrázate!),*
porque ha llegado el momento de descansar *(baja al suelo para tumbarte).*

Ahora, es el final

Beneficios

Calma
Potencia la conectividad

¿Qué hay que hacer?

Este es un cántico simple que incluye una serie de movimientos también muy simples para una canción familiar. Ofrece la posibilidad de pasarlo bien durante la transición hacia la relajación. Es muy efectivo para pasar de la posición de pie a la posición sentada o tumbada. Los participantes se toman de la mano y caminan en círculo mientras cantan suave y lentamente esta canción para crear el ambiente propicio para la transición hacia la relajación. Al terminar, todos se tumban sobre su esterilla de yoga para descansar y tú dices: «¡Ahora, es el final!».

¿Qué hay que decir?

Un anillo de rosas.
El yoga es mi amigo (o Amor es lo que envío).
Inhalar, exhalar.
¡Ahora, es el final!

Derretirse

Beneficios

Fomenta la conexión a tierra
Calma
Potencia el movimiento consciente

¿Qué hay que hacer?

Pídele a tu hijo que piense en algo que se derrite (el chocolate, un helado, un cubito de hielo, la mantequilla sobre el pan, una vela, un carámbano, etc.). Pon una música que provoque la sensación de «derretirse» (por ejemplo, alguna pieza musical de Steve Halpern) y luego pídele que simule ser un objeto o un material que se derrite..., meciéndose y disolviéndose suavemente hasta convertirse en un charco. Es una forma excelente de prepararlo para la relajación. Desafíalo para ver lo lentamente que es capaz de derretirse. ¡Después de todo, derretirse lleva tiempo!

¿Qué hay que decir?

Vamos a pensar en cosas que se derriten para que nos resulte más fácil alcanzar el estado de relajación. Sí, un helado se derrite, esa es una gran idea. Ponte de pie sobre tu esterilla para hacer un cucurucho de helado. ¿Qué clase de cucurucho eres? ¿Uno normal o uno que lleva azúcar? Muy bien. Sujeta firmemente el cucurucho sobre el suelo para poder apilar las bolas de helado. Vamos a ver... ¿Cuántas bolas te gustaría tener? ¡Tres, vale! Abrázate y estruja tu cuerpo para empujar las bolas hacia el interior del cucurucho. ¡Muy bien! También podrías echarte por encima pepitas de chocolate o frutos secos molidos... Échatelos por encima de la cabeza, sobre la cara, los hombros y los brazos. Ahora cierra los ojos, respira lenta y profundamente e imagina que sale el sol y comienza a derretir tu helado. Empieza a derretirte, moviéndote muy despacio, balanceándote hacia atrás y hacia delante, y luego encogiéndote y goteando mientras respiras para hacer la *postura Savasana*. ¿Con qué lentitud puedes derretirte? Utiliza la música a modo de guía para que tu cuerpo se mueva lenta y conscientemente. Estás derritiéndote...

Contraerse y relajarse

Beneficios

- Fomenta la conciencia corporal
- Disuelve la tensión
- Calma

¿Qué hay que hacer?

Esta actividad es una forma de relajarse progresivamente, y facilita el trabajo que es preciso realizar para tomar conciencia de cada parte del cuerpo. El hecho de contraer y relajar los músculos de forma consciente ayuda a liberar la tensión acumulada. Te aconsejo que ayudes a los niños más pequeños a tomar conciencia de cada parte de su cuerpo tocando suavemente cada una de ellas (con su permiso) mientras las nombras.

¿Qué hay que decir?

Túmbate sobre la espalda. Vamos a respirar juntos tres veces mientras relajas tu cuerpo sobre la esterilla. ¡Muy bien! Ahora inhala y contrae todos los músculos del rostro para poner cara de enfadado. ¡Muy bien! Ahora exhala para liberar la tensión y relajar todos los músculos. Deja que los músculos de tu cara se «derritan» y relajen. Ahora pasamos al cuello y los hombros. Inhala y eleva los hombros acercándonos a las orejas, contrayéndolos con mucha fuerza. Exhala y relájalos. Ahhhh. Ahora tienes que contraer los músculos de los brazos y cerrar las manos firmemente para formar puños. Contrae, contrae, contrae y... relaja. Ahora nos ocupamos de la barriga..., las piernas..., los pies... y todo el cuerpo... ¡Muy bien! Ahora vas a relajarte completamente. Deja que tu cuerpo se derrita sobre el suelo. Relájate y respira de manera natural...

La prueba del espagueti

Beneficios

- Fomenta la conciencia corporal
- Aporta calma
- Mejora la relajación corporal completa

¿Qué hay que hacer?

Este es el ejercicio favorito en mis clases. A los niños les encanta la prueba del espagueti. Se trata de una actividad para aprender a quedarse quieto, sin ponerse tenso ni rígido, que funciona igualmente bien con niños pequeños y mayores. Cuando tu hijo adopte la postura para relajarse, levanta y baja sus «espaguetis» (los brazos o las piernas) para probar si ya están «cocidos». Quizás descubras que está bastante rígido. En ese caso sacúdele ligeramente los brazos y las piernas mientras le dices que intente relajarlos para que estén tan «blandos y suaves como un espagueti cocido». Una vez que el niño comprenda lo que quieres decir, debes recordarle que todo su cuerpo también debe estar flojo y relajado.

¿Qué hay que decir?

¿Cómo es un espagueti al salir del paquete? Efectivamente, es duro, rígido, frágil y quebradizo... ¿Y cómo está el espagueti después de cocinarlo? Blando y tembloroso... ¿Están tus espaguetis «casi cocidos»? Déjame probarlos. (Agárrale el brazo o la pierna). Este espagueti está un poco duro todavía, no está cocido. (Sacúdele suavemente el brazo o la pierna). Ahora relájate para conseguir que este espagueti parezca cocido. Muy bien. ¿Puedes conseguir que todo tu cuerpo esté igual que el espagueti?...

El polvo mágico de la varita de yoga

Beneficios

- Fomenta una sensación de magia y prodigio
- Facilita la relajación

¿Qué hay que hacer?

Ve al capítulo tres para recordar cómo se hace una varita mágica de yoga. A todos los niños les encanta la idea de trabajar con una varita mágica de yoga y escuchar su sonido. La varita de yoga contiene polvo mágico que al caer sobre los niños los ayuda a relajarse y descansar. Pídele que se tumbe sobre la espalda y échale «polvo mágico» por encima con tu varita de yoga. Cuando hayas espolvoreado polvo mágico sobre él y veas que está descansando mágica y tranquilamente, puedes empezar a contarle una historia o hacer un ejercicio de visualización.

¿Qué hay que decir?

Adopta la *postura Savasana* y respira profundamente unas cuantas veces. Muy bien. Cuando vea que tu cuerpo está quieto y relajado, voy a echarte por encima «polvos mágicos»... Te ayudarán a relajarte y descansar. Y cuando lo hayas conseguido, sabré que estás preparado para empezar el ejercicio de visualización...

Descansar con un «compañero de respiración»

Beneficios

- Mejora la conciencia de la respiración
- Calma
- Favorece la participación

¿Qué hay que hacer?

Dile a tu hijo que elija un «compañero de respiración» (un muñeco de felpa) y se tumbe para descansar con él colocado sobre su barriga. El peso del compañero subiendo y bajando sobre su abdomen despierta su conciencia de la respiración.

¿Qué hay que decir?

Túmbate sobre la espalda. Coloca el muñeco sobre tu barriga para que pueda pasear con comodidad, subiendo y bajando mientras tú inhalas y exhalas lenta y profundamente. Muy bien. Ahora cierra los ojos y empieza a practicar la *respiración del globo*. Inhala y llena completamente el abdomen; luego exhala hasta dejar salir todo el aire. ¿Has sentido a tu compañero moviéndose hacia arriba y hacia abajo? Vamos a probar una vez más...

* Descansar con un «compañero de respiración»

POSICIONES Y ACTIVIDADES DE RELAJACIÓN

Las siguientes posiciones y actividades son especialmente beneficiosas para utilizar con los niños durante la relajación:

Postura del niño envuelto

Beneficios

Brinda apoyo
Ayuda a calmarse y centrarse
Integra y organiza

¿Qué hay que hacer?

La *postura del niño envuelto*, que es esencialmente una variación para niños de «ponerse una faja», aporta información sensorial indispensable para aprender a calmar el sistema nervioso, particularmente para niños a los que se les ha diagnosticado trastorno de interacción sensorial (TIS), autismo, trastorno de déficit de atención (TDA) o Trastorno de déficit de atención e hiperactividad (TDAH). Por lo general, es una posición muy útil para un niño a quien le resulta difícil mantener el cuerpo quieto durante la relajación. Envuelve a tu hijo en una esterilla de yoga o una manta pesada doblada en sentido longitudinal. Asegúrate de que su cabeza y su boca estén muy por encima de la esterilla para que no obstruya su respiración. Una vez que esté envuelto, pídele que descanse sobre la espalda o sobre el abdomen, lo que le resulte más cómodo.

¿Qué hay que decir?

Túmbate de espaldas sobre la esterilla. Agarra el borde de la esterilla y comienza a rodar sobre ella de un extremo al otro. Ahora eres un niño envuelto. Túmbate sobre la espalda (o sobre el abdomen), cierra los ojos y descansa para experimentar la cálida sensación de estar arropado y abrazado.

* El niño envuelto

Presionar el cuerpo con una pelota

Beneficios

- Ayuda a calmarse y centrarse
- Relaja el sistema nervioso
- Integra y organiza
- Mejora la conciencia corporal

¿Qué hay que hacer?

El niño debe tumbarse en la *postura Savasana* o en la *postura del cocodrilo* (capítulo seis), y tú debes situarte frente a sus pies. Utiliza una pelota grande de pilates o de yoga que no esté completamente inflada para hacerla rodar sobre él ejerciendo un poco de presión. Empieza por los pies y luego desplázala hacia arriba y hacia abajo para presionar todo su cuerpo y las extremidades. Empújala hacia arriba para presionar la parte superior de la cabeza. Es importante preguntarle si se siente a gusto con lo que estás haciendo, o si preferiría que empujaras un poco más suavemente o, por el contrario, un poco más fuerte. Esta actividad puede ser particularmente favorable para que los niños con TIS, TDA o TDAH puedan centrarse. ¡Si quieres que la actividad sea más divertida, puedes pedirle que utilice la pelota para repetir el ejercicio contigo!

* Presionar el cuerpo con una pelota

¿Qué hay que decir?

Túmbate en la *postura Savasana* o en la *postura del cocodrilo*. Ahora voy a pasarte la pelota por todo el cuerpo. Voy a empezar por los pies... ¿Te gusta? ¿Preferirías que empujara con más fuerza, o más suavemente? Presta atención a todas las partes de tu cuerpo por las que pasa la pelota... Los pies, la pierna derecha, la cadera, la barriga, el pecho, el brazo derecho, la mano derecha... Ahora descansa en la *postura Savasana* mientras sigues sintiendo todas las partes del cuerpo que ha tocado la pelota.

Masaje de piernas y pies

Beneficios

- Ayuda a calmarse y centrarse
- Mejora la conexión a través del contacto positivo
- Brinda apoyo

¿Qué hay que hacer?

Pídele a tu hijo que se tumbe en la *postura Savasana* (capítulo seis) y pon una música relajante. Para empezar, desliza las manos firmemente desde las rodillas del niño hasta los dedos de los pies unas cuantas veces. A continuación, agárrale los pies y presiónale intensamente las plantas. Desliza las manos poco a poco, desde la zona del tobillo hasta los dedos. Termina el masaje realizando movimientos firmes pero lentos desde la parte inferior de las rodillas hasta los dedos de los pies. El masaje tiene un efecto relajante y ayuda a centrarse, especialmente cuando se realiza con las manos calientes y con una loción para pies con aroma a lavanda. Si el día es caluroso, puedes usar una loción aromatizada con menta, o simplemente un poco de aceite esencial de menta, que tiene un maravilloso efecto refrescante. Después de la relajación, anima a tu hijo a devolverte el favor en ese mismo momento o en el futuro.

¿Qué hay que decir?

Túmbate en la *postura Savasana*. Te daré un masaje en las piernas y los pies para ayudarte a relajar tu cuerpo. Voy a usar un aceite esencial de lavanda que tiene un aroma delicioso. ¿Vale? Tú solo tienes que respirar y relajarte en la *postura Savasana*.

* Masaje de piernas y pies

Piernas arriba

Beneficios

Restablece
Calma
Relaja las piernas cansadas y la parte baja de la espalda

¿Qué hay que hacer?

Tener las piernas más elevadas que el cuerpo durante la relajación es muy reconstituyente. Una buena idea es colocar cojines o mantas debajo de las rodillas. Si es posible, también puedes pedirle al niño que se tumbe junto a una pared con las nalgas lo más cerca posible de ella y las piernas en alto.

¿Qué hay que decir?

Acerca tu esterilla de yoga (o manta) a la pared. Túmbate acercando el trasero a la pared y levanta las piernas. Muy bien. Los brazos deben estar relajados a ambos lados del cuerpo. Siente el peso de las caderas, la espalda, los hombros, los brazos y la cabeza sobre el suelo. Respira profundamente diciendo «haaaa» al exhalar. Fenomenal. Vamos a repetirlo dos veces más.

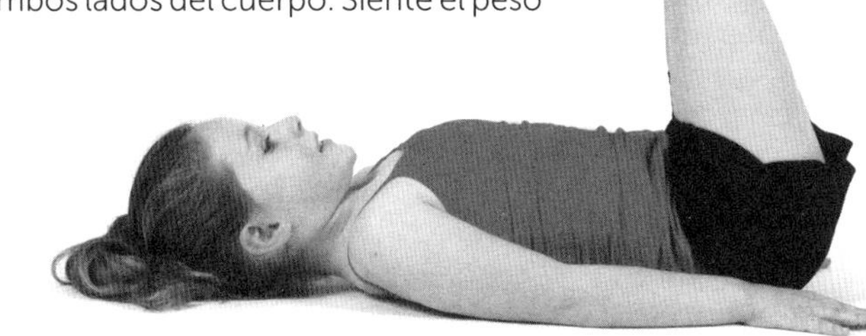

* Piernas arriba

SEGUNDA PARTE

Los brazos de mamá

Beneficios

Calma
Integra
Fomenta el hábito de cuidarse a sí mismo
Crea sensación de seguridad

¿Qué hay que hacer?

El niño debe tumbarse con los brazos cruzados sobre el pecho, como si estuviera abrazándose. Cruzar la línea media del cuerpo con los brazos ayuda a sentirse integrado y centrado. La presión que produce el peso de los brazos sobre el cuerpo favorece la conexión a tierra.

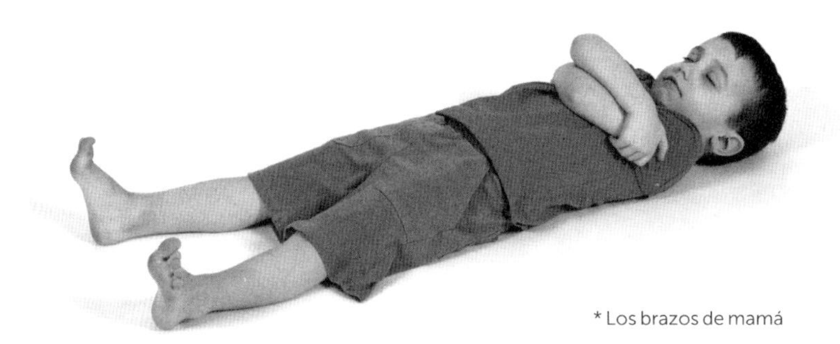

* Los brazos de mamá

¿Qué hay que decir?

Túmbate sobre la espalda y cruza los brazos por encima del pecho. Siente el peso de tus brazos. Imagina que te estás dando un gran abrazo. Inhala profundamente y exhala diciendo: «Haaaa». Vamos a hacerlo dos veces más y luego vas a descansar y respirar normalmente.

La mariposa tumbada

Beneficios

- Estira las caderas y las ingles
- Alivia la tensión en la parte baja de la espalda

¿Qué hay que hacer?

El niño debe adoptar la *postura de la mariposa* (capítulo seis) y luego reclinarse hacia atrás. Este es un ejercicio cómodo para abrir las caderas y muy favorable para la parte inferior de la espalda. Puede ser especialmente relajante cuando se combina con el ejercicio de *Los brazos de mamá*. También puedes decirle a tu hijo que practique esta postura con las piernas apoyadas sobre una pared. Si se siente vulnerable en la posición, puedes omitirla o arroparlo con una manta pesada.

¿Qué hay que decir?

Adopta la *postura de la mariposa*. Muy bien. Ahora échate hacia atrás y coloca primero sobre el suelo la parte baja de la espalda, apoyándote sobre las manos y luego

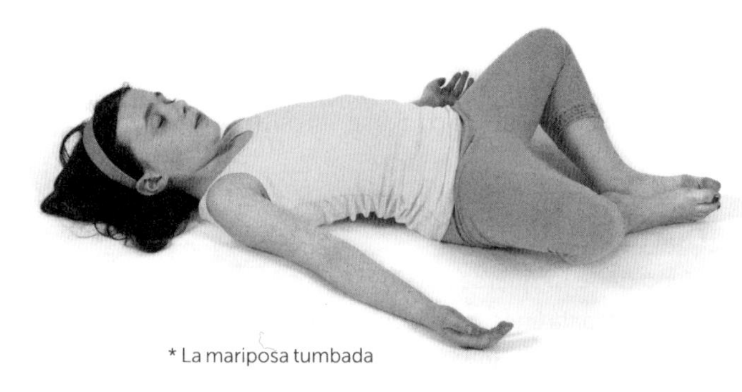

* La mariposa tumbada

sobre los antebrazos hasta que toda la espalda esté en contacto con el suelo. Por último, apoya la cabeza muy suavemente. Muy bien. Respira unas cuantas veces, inhalando y exhalando muy despacio.

Postura del cocodrilo

Si tu hijo no se siente cómodo o es incapaz de mantenerse quieto mientras está tumbado sobre la espalda, como alternativa puedes sugerirle que se tumbe sobre el abdomen en la *postura del cocodrilo* (capítulo seis).

Postura del niño

Esta es una postura de relajación alternativa para un niño que tiene dificultades para tumbarse sobre la espalda o para mantener los ojos cerrados. En el capítulo seis se describe la *postura del niño*.

El pañuelo del mar

Beneficios

- Fomenta la imaginación
- Calma

¿Qué hay que hacer?

Esta actividad requiere un pañuelo de gasa azul, verde o de otro color que sugiera el mar y una música suave o sonidos del océano. Mientras el niño descansa en la *postura Savasana*, utiliza imágenes visuales (ver la sección «Visualizaciones», un poco más adelante) para ayudarlo a imaginar lo que puede ver al mirar hacia arriba desde el fondo del océano. Comunícale que vas a tocarle el hombro con los dedos del pie cuando lo veas que está quieto y preparado para hacer el ejercicio, y que entonces deberá abrir los ojos y mirar hacia arriba. Sitúate de pie detrás de su cabeza y tócale el hombro con los dedos del pie cuando lo veas relajado. Haz flotar el pañuelo a unos centímetros por encima de su cabeza y su cara (sin tocarlo)

* El pañuelo del mar

mientras suena la música del océano. Después de aproximadamente veinte segundos, aparta el pañuelo y pídele que cierre los ojos para finalizar la relajación. Otra alternativa es guiarlo para que nade hacia la superficie con el fin de secarse al sol antes de regresar a la habitación.

¿Qué hay que decir?

Descansa en la *postura Savasana*. Imagina que eres una criatura de mar que está en el fondo del océano. ¿Qué ves a través del agua azul del mar cuando miras hacia arriba? ¿Es una ballena eso que pasa por encima de tu cabeza? ¿Qué más ves? Imagina lo que podrías ver porque tal vez luego podrías dibujarlo. Muy bien. Cuando te vea quieto y relajado, voy a tocarte el hombro, y cuando lo haga debes abrir los ojos y mirar hacia arriba. ¡Encontrarás una hermosa sorpresa!

Postura *Savasana*

Esta es la postura tradicional que se utiliza en yoga para la relajación. Ofrece una excelente oportunidad para reposar y ayudar al cuerpo y la mente a integrar los beneficios de la práctica. Vuelve al capítulo seis, donde encontrarás una descripción completa de la postura.

VISUALIZACIONES

Antes de cada actividad de visualización debes practicar con tu hijo la respiración profunda, pidiéndole que pronuncie «haaaa» mientras exhala prolongadamente por la boca. Repite la respiración unas cuantas veces, recordándole que deje que su cuerpo se abandone un poco más cada vez que dice «haaaa». Luego comienza a decir (o leer) muy despacio el texto que has preparado para la visualización, con una voz suave, clara y relajante. Es aconsejable que hagas una pausa después de cada imagen o idea, para que el niño pueda procesar y visualizar todo lo que estás diciendo.

En la playa

Beneficios

- Dirige la atención hacia el interior
- Relaja
- Estimula la creatividad y la imaginación

¿Qué hay que hacer?

Pídele al niño que utilice su toalla de la playa para hacer esta relajación, ya sea con una toalla real o simulando que su esterilla de yoga es la toalla. Pon una música de fondo con sonidos del océano; puedes encontrarla en muchas aplicaciones de música, CD o en Internet. Quizás quieras tener a mano papel y crayones o lápices de colores, e incluso el diario del niño, por si se te ocurre pedirle que apunte la experiencia que ha tenido «en la playa».

¿Qué hay que decir?

Imagina que estás tumbado en la playa. Es un día hermoso y soleado. La arena está calentita y sientes que tu cuerpo se hunde en ella mientras estás tumbado al sol. Sientes cómo la arena relaja tu cabeza, tu cuello... tus hombros... y tus brazos. Siente las manos pesadas y relajadas sobre la arena. La arena es suave y está seca, y también relaja la parte posterior de las piernas, los pies y los dedos. El sol acaricia tu rostro y sientes que todos los músculos de la cara y la mandíbula se relajan. Oyes el sonido de las olas que se acercan y se alejan... una y otra vez. Las gaviotas se llaman unas a otras a la distancia. Puedes sentir el olor salado del aire. Te sientes feliz... en calma... relajado. Vamos a quedarnos en la playa durante uno o dos minutos. Toma nota de los sonidos, los olores y las sensaciones, porque tal vez más tarde podrías hacer un dibujo o escribir algo sobre lo que has visto y sentido. (Deja pasar unos dos minutos). Cuando estés preparado, inhala profundamente por la nariz y luego exhala por la boca diciendo: «Haaaaa». Siéntate muy, muy despacio. Respira profundamente una vez más antes de abrir los ojos muy lentamente. Observa cómo te sientes.

Recursos para la visualización

Hay muchos CDs y MP3s maravillosos para niños que se pueden adquirir o descargar. A continuación voy a citar algunos de mis favoritos: *Still Quiet Place: Mindfulness for Young Children* o *Mindfulness para adolescentes,* de Amy Saltzman; *Indigo Dreams* (3 CD), de Lori Lite; *Discovering Your Special Place,* de Charlotte Reznick.

El árbol que te pide que uses tu imaginación

Beneficios

- Fomenta el pensamiento positivo
- Desarrolla la confianza
- Empodera
- Enseña el poder de la afirmación

¿Qué hay que hacer?

Lo que pensamos e imaginamos nos ayuda a crear nuestra realidad. Esta visualización utiliza el poder del pensamiento positivo para fomentar la confianza, y al mismo tiempo respalda la concentración, la atención y, en última instancia, los medios para conseguir el éxito. Suelo utilizar este tipo de visualización cuando mis alumnos parecen frustrados después de hacer varios intentos para adoptar una postura determinada, como puede ser una de las posturas sobre la cabeza (capítulo seis). Este ejercicio sirve también para empoderar al niño y puede practicarse antes de un examen o de una actividad competitiva o de cualquier otro tipo.

¿Qué hay que decir?

Imagina un árbol majestuoso frente a ti. Está solo en medio de un campo abierto. Te acercas a él y observas su inmensa copa, sus ramas que se abren y parecen querer abrazarte. El tronco parece sonreírte. Cerca de este antiguo y sabio árbol te sientes protegido y en paz.

De pronto oyes que el árbol te está susurrando algo. Escuchas atentamente lo que te dice: «Imagínalo y se hará realidad». Te preguntas qué querrá decir y decides escuchar con mayor atención para ver si te da una pista. Entonces el árbol dice: «Visualiza algo que te gustaría hacer mejor. Piensa en ello y se hará realidad».

Para realizar este ejercicio hay que sentarse apoyando la espalda contra el árbol y cerrar los ojos. Piensa en algo que puedas hacer, pero que te gustaría hacer mucho mejor. Puede ser montar en bicicleta, patear un balón de futbol, hacer exámenes de matemáticas... Pero también puede ser que quieras manejar mejor tus sentimientos o ser más considerado con los demás. Cualquiera que sea la acción elegida, piensa en ella e imagina que la haces fácil y perfectamente. Piensa en todas las cosas que te gustaría hacer mejor. Visualiza que las llevas a cabo de un modo perfecto en innumerables ocasiones. Observa cómo te sientes mientras te imaginas tu éxito. ¡Estás tan orgulloso y feliz! ¡Lo estás consiguiendo! ¡Y ahora sabes que puedes hacerlo!

Escucha el mensaje que te susurra el árbol: «Ahora solo tienes que imaginarlo para que se haga realidad». Y de repente, comprendes. Ahora sabes que si hay algo que te gustaría hacer bien, solo necesitas unos instantes para cerrar los ojos y visualizarlo. Imagina cómo te sentirías al hacerlo perfectamente. Y luego puedes intentarlo de verdad, confiando en que lo conseguirás porque lo has practicado y en tu imaginación lo has conseguido. ¡Estás deseando ponerte a prueba!

Entonces dices: «Gracias árbol, eres muy sabio». Prestas mucha atención y escuchas que el árbol te responde en un susurro, "De nada, pero no debes olvidar que la sabiduría está dentro de ti».

(Deja pasar un minuto). Ahora ha llegado el momento de volver a la habitación. Respira profundamente una vez y comienza a mover los dedos de las manos y los pies. Estira tu cuerpo de la forma que te resulte más cómoda para despertarlo suave y lentamente. Cuando estés preparado, gira hacia la derecha; luego siéntate muy despacio y abre los ojos.

Imaginar un sitio a donde ir

Beneficios

- Inspira la creatividad y la imaginación
- Fomenta la atención y la concentración
- Mejora la conciencia sensorial

¿Qué hay que hacer?

Esta visualización favorece que el niño utilice su imaginación. Para comenzar, sugiérele que imagine un sitio a donde le gustaría ir. Puede ser otro planeta, el Polo Norte, la madriguera de un oso, etc. Después debes decirle que imagine cómo es ese lugar y escuchar atentamente todos los detalles de su descripción para que pueda dibujarlo más tarde. Debes tener en cuenta que en nuestra imaginación no existe el concepto de correcto o incorrecto, ¡por eso podemos crear todo lo que se nos ocurra! Para terminar pídele al niño que dibuje lo que ha visto; sería interesante que lo hiciera en su propio diario. Este ejercicio tiene un final abierto y es más adecuado para niños mayores de siete años. Para los más pequeños las instrucciones deben ser más específicas y hay que presentar el ejercicio como si se tratara de un juego de aventuras.

¿Qué hay que decir?

¿A dónde nos llevará hoy nuestra imaginación? Tú eliges. ¿Vamos a viajar a la luna, al reino de las sirenas bajo del mar, a la casa del conejo de Pascua? Vale, nos vamos a la luna. Cierra los ojos. Ahora vamos a respirar profundamente varias veces. Ahhhh. Empezaremos el ejercicio cuando vea que tu cuerpo está quieto y relajado. Empieza a pensar en la luna. ¿Cómo podrías llegar hasta allí? Piensa en ese viaje durante un minuto para que luego puedas describirlo... Bueno, ¡ahora ya estás en la luna! Mira a tu alrededor. ¿Qué ves? Imagina todo lo que puede haber allí, deteniéndote en cada objeto para poder hacer una lista o dibujarlos más tarde. ¿Puedes tocar algunos de los objetos que ves? ¿Cómo son? ¿Qué se siente al estar en la luna?... ¿A qué huele el aire? ¿Cómo se mueve tu cuerpo en la luna? ¿Estás flotando? ¿Cómo te trasladas de un lugar a otro? ¿Hay alguien en la luna que te da la bienvenida? ¿Qué es lo que te dice? ¿Qué es lo que hacéis juntos?... Vale, ahora vamos a quedarnos así durante un minuto para que sigas relajándote. Ya te diré cuándo...

Cambiar de canal

Beneficios

- Fomenta una nueva perspectiva
- Elimina la negatividad
- Empodera

¿Qué hay que hacer?

Cambiar de canal empodera a tu hijo para que asuma el control de sus respuestas emocionales y aprenda a hacer pausas y respirar para responder una vez que haya conseguido centrarse. Después de practicar esta visualización, comparte con él un ejemplo personal de alguna ocasión en la que hayas reaccionado impulsivamente y cuéntale cómo te sentiste después. A continuación pon otro ejemplo de una situación en la que fuiste capaz de respirar y tomarte tu tiempo antes de reaccionar. Anímalo a compartir contigo sus experiencias. Puedes sugerirle que escriba en su diario de yoga (¡y tú también puedes hacerlo!) algunas situaciones que le hayan causado frustración o malestar (en el capítulo cuatro, ver la sección «Apuntar reflexiones en un diario»). Pídele que anote cuál podría haber sido su primera reacción y que a continuación escriba distintas formas en las que podría haber "cambiado de canal» utilizando las herramientas de yoga o recurriendo a otros métodos.

¿Qué hay que decir?

¿Puedes recordar algún momento en el que pensaste o actuaste negativamente? Quizás ese día estabas de malhumor o te sentías frustrado. Tal vez alguien dijo algo que hirió tus sentimientos. Intenta recordar ahora cómo actuaste. ¿Te enfadaste, repartiste golpes a diestro y siniestro, atacaste verbalmente a los que estaban a tu alrededor? Si actuaste negativamente, ¿cómo te sentiste después? ¿Fue útil o perjudicial? Por lo general, enfadarse y actuar en consecuencia no nos sienta bien, e incluso puede llegar a empeorar la situación.

¿Sabías que tenemos la *opción* de decidir cómo *reaccionar* frente a una situación complicada o negativa? Tenemos el poder de «cambiar nuestro canal» cuando no nos gusta nuestra conducta o actitud, del mismo modo que cambiamos de canal en la televisión cuando no nos gusta el programa. Vamos a probar...

Imagina que estás en la puerta del colegio esperando en una cola, cuando alguien te empuja y tu mochila va a parar a un charco. ¡Grrrr! Naturalmente te enfadas, pero de pronto recuerdas que puedes elegir cómo reaccionar simplemente *cambiando de canal*. En vez de emprenderla a golpes o empezar a vociferar e insultar, puedes utilizar las herramientas que te ofrece el yoga y hacer una pausa para respirar profundamente. Como es evidente, te disgusta que tu mochila se haya mojado; sin embargo, decides cambiar de canal y perdonar, y no dejarte llevar por la cólera. Observa cómo te sientes...

Cuando estés preparado, inhala profundamente por la nariz, y luego exhala por la boca diciendo "haaaa». Siéntate muy, muy despacio y abre suavemente los ojos.

Más visualizaciones

Si quieres más ideas para los ejercicios de visualización, te recomiendo que leas los libros de Maureen Garth *Luz de estrellas, Luz de la tierra* o *Rayo de luna*. Otras recomendaciones son *Imaginaciones* , de Carolyn Clarke, y *Ready... Set... R.E.L.A.X.*, del doctor Jeffrey S. Allen y el psicólogo Roger J. Klein. ¡Finalmente serás capaz de crear tus propios ejercicios sobre la marcha!

SEGUNDA PARTE

La gran estrella blanca

Beneficios

- Fomenta la conciencia corporal
- Potencia la sensación de estar conectado
- Inspira una sensación de pertenencia al grupo

¿Qué hay que hacer?

Esta visualización es una variación de la relajación progresiva que enfoca la conciencia en las diversas partes del cuerpo a medida que se relajan gracias a la luz y al calor que emanan de la estrella. Al igual que cuando se realizan las demás visualizaciones, te aconsejo poner una iluminación tenue y música instrumental suave y utilizar un tono de voz suave y relajado que ayude a crear el ambiente propicio para dirigir la atención hacia el interior.

¿Qué hay que decir?

Imagina una estrella muy grande y hermosa encima de tu cabeza. Es muy brillante y envía su luz en todas direcciones. La luz de la estrella brilla con tu color favorito... Puede ser púrpura, azul o incluso plateada. Imagina el aspecto que tiene tu estrella en este momento.

Observa que uno de los mayores rayos de luz ilumina directamente la parte superior de tu cabeza. Sientes la cálida y grata luz sobre tu coronilla, es una sensación muy agradable. La luz baja por tu cabeza hasta llegar a la cara, relajando todos los músculos faciales. Ahora sigue descendiendo hacia el cuello... los hombros... y los brazos. Siente la luz desplazándose hacia las manos y los dedos. Esa hermosa luz cálida baja ahora por tu pecho... en dirección al abdomen... para bajar luego por las piernas... y llegar finalmente a los pies y a los dedos, relajándolos y llenándolos de luz.

Ahora siente la luz en tu corazón. Tu corazón se agranda cada vez más con cada inhalación... y está cada vez más brillante... Está lleno de amor y ternura por toda la gente que quieres... por todas las personas y animales que hay en este mundo, por todas las personas que conoces y muy especialmente por ti mismo. Mira los rayos de luz saliendo de tu corazón y propagándose por el mundo que te rodea. Vamos a quedarnos en este sitio durante unos instantes, percibiendo qué es lo que se siente al estar lleno de amor y de luz.

Relajación de gratitud

Beneficios

- Fomenta el optimismo
- Inculca el agradecimiento
- Estimula la sensación de estar conectado
- Potencia la reflexión consciente
- Levanta el ánimo

¿Qué hay que hacer?

Una forma excelente de fomentar el pensamiento positivo, la sensación de estar conectado y un estado general de bienestar es estimular la conciencia del niño para que aprecie todo lo que tiene. Esta visualización puede practicarse en cualquier momento, aunque es ideal para transformar un estado de ánimo negativo. El texto que expongo a continuación se puede simplificar cuando se trabaja con niños pequeños, especificando cuáles son las cosas por las que podemos estar agradecidos. Ver también el ejercicio «Pensamientos de gratitud» en el capítulo cuatro.

¿Qué hay que decir?

Piensa en alguien o en algo por lo que estás enormemente agradecido. Tal vez sea un miembro de tu familia o un amigo; aunque también puedes pensar en tu cómoda y cálida cama, en tu bicicleta o incluso en una galleta de chocolate. Independientemente de qué se trate, visualiza la apariencia, el olor, etc., de la persona u objeto elegido. Piensa en por qué razón le estás agradecido a esa persona u objeto. ¿Cómo te sientes en su presencia? ¿Tienes recuerdos agradables de esa persona u objeto?

Dedica un momento a recordar cuándo fue la última vez que estuviste con esa persona u objeto, y cómo te sentías. Siente el amor, la ternura y la felicidad que alberga tu corazón, y percibe cómo se expande, lleno de gratitud por esa persona u objeto. Disfruta de esa maravillosa sensación durante unos instantes. Yo te diré cuándo...

Piedras de agradecimiento

Expande y extiende el poder de la gratitud incorporando una piedra de agradecimiento a tu visualización. (Para saber dónde pueden adquirirse, vuelve al capítulo tres). Coloca una piedra de agradecimiento sobre el corazón de tu hijo.

Deja pasar uno o dos minutos antes de decir: he puesto una piedra de agradecimiento sobre tu pecho. Tómala y mantenla junto a tu corazón. Siente el amor y la gratitud que fluyen desde tu corazón hacia la piedra. Quizás percibas que se calienta en tus manos... Eso se debe a que la has llenado con la energía positiva de la gratitud.

Respira muy profundamente y comienza a mover los dedos de las manos y los pies. Estira tu cuerpo del modo que te resulte más cómodo para despertarlo lenta y suavemente. Cuando estés listo, gira a la derecha y siéntate muy despacio. Abre suavemente los ojos cuando te apetezca.

Mira tu piedra de agradecimiento especial. Imagina que puedes verla brillar bajo la luz y el amor que has depositado en ella. Hoy lleva la piedra contigo a todos lados; puedes guardarla en el bolsillo o en un compartimento especial de tu mochila. Cuando tengas un momento difícil, tómala y acércala a tu corazón. Luego recuerda la relajación que hemos hecho hoy, y los sentimientos de amor y gratitud que hay en tu corazón. La próxima vez quizás te apetezca compartir conmigo lo que has sentido durante el ejercicio.

La bombilla del cerebro

Beneficios

- Permite que el cerebro descanse y se restablezca
- Estimula la autoconciencia
- Fomenta el cuidado de sí mismo

¿Qué hay que hacer?

Esta visualización fomenta la autoconciencia y el cuidado de sí mismo, y enseña a tu hijo a percatarse de que está cansado y necesita darle un pequeño descanso a su cerebro. No te olvides de conversar con él sobre lo que ha sentido durante esta visualización, y ayúdalo a comprender cómo y por qué es importante cuidarse a sí mismo de este modo.

¿Qué hay que decir?

Imagina que tu cerebro tiene una bombilla en su interior. Esa bombilla trabaja mucho durante todo el día, y cada día. Su luz es muy brillante y está llena de energía, pensamientos, ideas y creatividad. En ocasiones puede llegar a sentirse muy cansada. Piensa en cuáles son los momentos en los que esa bombilla que hay en tu cerebro puede estar agotada... Tal vez sea ahora mismo o después de un largo día en el colegio. Quizás se cansa cuando lees o escribes mucho, o pasas demasiado tiempo concentrado en alguna actividad. ¿Qué es lo que sientes entonces? ¿Cambia tu actitud o comportamiento? Voy a decirte qué puedes hacer cuando necesites descansar y recargar la bombilla que hay en tu cerebro.

Observa que tu bombilla tiene un regulador de intensidad. Gira el regulador para que la luz de la bombilla comience a atenuarse. Ahora presta atención para sentir cómo se relaja y se recarga la bombilla de tu cerebro. ¡Ah, qué sensación tan agradable! Inhala profundamente, y al exhalar visualiza que giras un poco más el regulador de intensidad hasta que la bombilla apenas arroje luz. Acaso sientas que todos los músculos de tu cabeza se desconectan... que tus pensamientos son más lentos y que tus ideas están en reposo. Inhala profundamente y luego apaga por completo la bombilla durante la exhalación. Permanece relajado durante un rato para que la bombilla que hay en tu cerebro se recargue.

Cuando hayas acabado, vuelve a encender la bombilla utilizando el regulador de intensidad. Gíralo muy despacio para que la luz comience paulatinamente a brillar con más intensidad. Comienza a moverte y a estirarte del modo que más te apetezca, recuperando la luz y la energía en todo tu cuerpo. Recuerda que puedes utilizar el regulador de intensidad de la bombilla siempre que tu cerebro necesite un descanso.

Amigos especiales

Beneficios

- Fomenta el autoconocimiento
- Promueve la confianza en la sabiduría interior innata
- Potencia la imaginación
- Inculca una sensación de seguridad y de apoyo

¿Qué hay que hacer?

Esta visualización está inspirada por una de las «nueve herramientas» presentadas en uno de mis libros favoritos, *The Power of Your Child's Imagination,* (2009), de la psicóloga infantil Charlotte Reznick.

¿Qué hay que decir?

Imagina que tienes un amigo muy especial. Es una persona muy sabia, con la que puedes hablar de cualquier tema. Es alguien que te conoce y te quiere, y en quien puedes confiar de verdad. Tu amigo especial se preocupa por ti y por tus sentimientos, y te ayuda siempre que lo necesitas. Quizás haya alguien con estas características en tu vida. Tu amigo especial puede ser tu padre o tu madre, tu abuelo o tu abuela, una tía o un tío o cualquier otra persona que conozcas y ames. Tal vez pienses que tu amigo especial es un ángel guardián, un hada madrina o incluso un animal. Más allá de cuál sea tu elección, visualiza ahora mismo a tu amigo especial y percibe todo el amor que siente por ti.

Tú sabes que tu amigo especial siempre estará disponible para ayudarte cuando tengas algún problema. Dedica unos minutos a hacerle saber cómo te encuentras. Quizás ahora mismo tengas un problema o alguna preocupación. Comunícaselo mentalmente. Siente sus brazos cariñosos rodeando tu cuerpo, protegiéndote y calmándote mientras hablas con él. Tu amigo te escucha atentamente y te responde con palabras sabias. ¿Qué palabras son esas? ¿Qué es lo que dice tu amigo? Escucha con atención para desentrañar su mensaje. ¿Te da una nueva perspectiva de la situación?

Cuando te sientas un poco mejor, abraza largamente a tu amigo especial, agradécele su ayuda y despídete de él. Mientras te alejas escuchas que te recuerda que puedes recurrir a él en cualquier momento, simplemente imaginando que está junto a ti. Respira larga y profundamente y comienza a mover los dedos de las manos y los pies. Estira tu cuerpo de la manera que te resulte más agradable para despertarlo lenta y suavemente. Por último, gira hacia la derecha y siéntate muy despacio. Cuando te apetezca, puedes abrir los ojos.

Aventuras de los amigos especiales

Beneficios

- Estimula la imaginación y la creatividad
- Aporta calma

¿Qué hay que hacer?

Una vez que se ha presentado la idea del amigo especial, este ejercicio es una ayuda maravillosa para realizar una serie de visualizaciones de seguimiento. El amigo especial conduce a tu hijo a diversos lugares donde inevitablemente debe tumbarse para descansar. En la próxima sesión puedes retomar el tema, continuando con una nueva aventura y terminando una vez más el ejercicio con la instrucción de encontrar un sitio para reposar. ¡Estas aventuras pueden ser muy creativas! Por ejemplo, en una ocasión en la que estaba trabajando con niños de seis a ocho años, nos encontramos subiendo una larga escalera circular alrededor de un árbol que llegaba hasta las nubes. Las nubes estaban hechas de algodón de azúcar suave y esponjoso. En el ejercicio de relajación de la siguiente clase comenzamos la aventura entre las nubes y luego nos montamos en una alfombra mágica para volar sobre las montañas hasta aterrizar en un prado de margaritas. En la siguiente aventura comenzamos en el prado, hallamos un sendero de ladrillos original y lo recorrimos hasta llegar al bosque, donde nos encontramos en un baile donde había un hada y un gnomo. Las aventuras continúan durante la relajación de cada una de las clases, y yo nunca sé a dónde vamos a llegar hasta que alcanzamos nuestro destino. Sin embargo, siempre me las arreglo para encontrar un sitio agradable para descansar al final de la sesión. A continuación doy un ejemplo de una aventura para ayudarte a empezar. Recuerda hacer una pausa después de cada visualización para que el niño tenga la oportunidad de procesar e imaginar todo lo que estás diciendo. Cuanto más pequeño sea el niño, más lentamente debes presentar las imágenes.

¿Qué hay que decir?

Vamos al jardín. Tu amigo especial está por aquí. Puedes escucharlo acercarse a ti y de pronto sientes que su mano agarra afectuosamente la tuya. Te dice que ha venido para hacerte vivir una nueva aventura. Recorréis juntos un largo sendero de ladrillos hasta llegar a un portón negro. Tu amigo especial está muy ilusionado por mostrarte lo que hay detrás del portón, y te pide que lo abras cuando estés preparado. Tú respiras profundamente y abres el portón muy despacio. ¡No puedes creer lo que ven tus ojos! ¡Es el jardín más hermoso, colorido y fragante que has visto jamás! Hay flores por todas partes, de todo tipo y color... Rosa rojas, lilas moradas, margaritas amarillas, petunias rosadas y muchas flores más. Inhalas profundamente y percibes el delicioso aroma que emana el jardín. La hierba es exuberante y de un intenso color verde. Parece de terciopelo. El cielo tiene un bellísimo color azul cristalino. En el sendero ves pequeños animalitos corriendo de aquí para allá, conejillos de cola blanca, ardillas marrones y ardillas listadas. En todos los árboles hay pájaros de todos los colores gorjeando alegremente. Uno de ellos baja hasta el banco que hay frente a ti para saludarte.

Después de pasear por el jardín disfrutando de las vistas, adviertes que estás muy cansado. Tu amigo especial te sugiere que te tumbes sobre la hierba de terciopelo verde para descansar. Sientes su suavidad, y la caricia del sol calentito sobre tu cara y tu cuerpo. ¡Qué sensación tan agradable! Tu amigo especial te acaricia el cabello y te sientes relajado y en paz... Ahora simplemente dedícate a descansar unos instantes, disfrutando de la paz y la belleza de ese jardín tan especial.

Respira larga y profundamente y comienza a mover los dedos de las manos y los pies. Estira el cuerpo como más te apetezca para despertarlo lenta y suavemente. Cuando estés preparado, gira a la derecha y siéntate muy despacio. Luego abre suavemente los ojos.

Tercera parte

Combinar todos los elementos

Es maravilloso que quieras compartir el yoga con tu hijo. Probablemente ya tengas una rutina propia y quieras hacerle el regalo de ofrecerle sesiones personalizadas en la comodidad de tu propia casa. Ahora que ya conoces la filosofía fundamental, los beneficios y los principios del yoga y has aprendido las posturas, actividades y ejercicios básicos, en este último capítulo aprenderás una secuencia de elementos. También incluyo unas palabras finales que pueden servirte de ayuda para empoderarte y empoderar a tus hijos por medio de las sesiones de yoga. ¿Cómo puedes «crear» una práctica? En el capítulo diez encontrarás algunas secuencias básicas que puedes utilizar en determinadas situaciones y momentos del día, así como también información muy útil para crear tus propias rutinas. No hay ninguna regla obligatoria ni infalible, simplemente debes prestar atención para detectar qué es lo más adecuado tanto para ti como para tus hijos (sin perder de vista la seguridad). Este es el beneficio especial de crear una práctica personalizada. Juntos aprenderéis a crear una sesión única y especial, adaptada a las propias necesidades y que proporcione placer. ¡Cuando termines de leer este libro, te sentirás empoderado e inspirado para comenzar a practicar yoga con tus hijos!

SECUENCIAS

SECUENCIAS DE MUESTRA

Las siguientes secuencias te ayudarán a organizar la práctica de yoga. A medida que te familiarices con las actividades incluidas en este libro, posiblemente te sientas inspirado para crear tus propias series de movimientos diseñadas específicamente para las necesidades e intereses de tus hijos. La sección «Crear tus propias secuencias», que presento un poco más adelante en este capítulo, está llena de sugerencias, información y motivaciones que te resultarán muy útiles. Las secuencias de muestra han sido concebidas para que las practiques con tu hijo, aunque en algunos casos tal vez te apetezca invitar a otros miembros de la familia o a amigos. Cada secuencia sirve como un ejemplo de cómo se puede adaptar un plan específico a momentos determinados del día, pero también son una ayuda para abordar problemas y situaciones comunes que forman parte de la vida cotidiana de tus hijos, como puede ser la ansiedad antes de un examen, la hora de irse a dormir, etc. Tienes toda la libertad para cambiar las actividades de acuerdo con las necesidades del niño; por ejemplo, si no le gusta cantar, reemplaza la actividad de cantar la canción *Escucha tu corazón* por la secuencia de movimientos para reducir el estrés y la ansiedad o cualquier otra que sabes que le entusiasma. Es muy importante que prestes atención a sus necesidades e intereses en todo momento y, sobre todo, ¡no te olvides de proponer actividades divertidas para pasarlo bien juntos!

Secuencia de calentamiento

(Saludo al sol, 5-10 minutos, a partir de los tres años)

Beneficios

Reconstituye
Fomenta la respiración profunda
Mejora la circulación
Desarrolla la flexibilidad de la columna

¿Qué hay que hacer?

El *saludo al sol* es una secuencia de movimientos muy popular en yoga, y a menudo se realiza al principio de la sesión. Hay varias versiones del *saludo al sol*, y todas incluyen movimientos coordinados con la respiración y diseñados para despertar la columna y el resto del cuerpo, lo que las convierte en una opción natural para utilizar como calentamiento. La versión que presento a continuación es especialmente divertida cuando se practica con música (ver sugerencias en el recuadro). Es importante que le indiques al niño que debe inhalar mientras abre el pecho o eleva los brazos y exhalar mientras flexiona el cuerpo hacia delante. Si tu hijo tiene cuatro años o menos, no te preocupes demasiado por la respiración, el objetivo debe ser que se divierta con la música y el movimiento. ¿Solo cuentas con un par de minutos? No hay ningún problema. Realiza la secuencia hasta el paso 4, que es la mitad del *saludo al sol*, porque aun así tu hijo y tú podréis beneficiaros de un buen comienzo para el nuevo día, un ejercicio de calentamiento antes de pasar a las siguientes posturas de yoga o una forma maravillosa de concluir el día antes de irse a dormir.

¿Qué hay que decir?

1. Adopta la **postura de la montaña** (capítulo seis). Inhala y exhala profundamente varias veces con los pies bien plantados sobre la tierra.
2. Ahora pasa a la **postura de la luna creciente** de pie (capítulo seis). Levanta las manos por encima de la cabeza, con los dedos índices orientados hacia arriba. Inhala y estírate todo lo que puedas. Ahora exhala y flexiona el cuerpo a la derecha, iniciando el movimiento desde las caderas. Inhala para incorporarte, exhala e inclínate a la izquierda. Vamos a repetir estos movimientos dos veces más.
3. Baja los brazos a los lados del cuerpo y da un pequeño paso hacia delante. Relaja las rodillas y comienza a mover el torso de lado a lado para que tus brazos comiencen a balancearse en torno a tu cuerpo para hacer la **postura de la lavadora** (capítulo cuatro). Cuando el ciclo de lavado se haya acabado, regresa a la *postura de la montaña* y respira profundamente.

*La montaña

*La lavadora

4. Ahora vamos a volver a la *postura de la montaña* y hacer una ronda del **medio saludo al sol**. Inhala y sube los brazos hacia el cielo para saludar al sol. ¡Hola, sol! Exhala y lleva los brazos hacia delante mientras flexionas el cuerpo desde las caderas, manteniendo las piernas y la columna rectas. Lleva los dedos de las manos hacia el suelo para acercarlos a los bordes externos de los pies. A continuación lleva las manos hacia las espinillas, inhala y estira la columna hasta que forme una línea recta desde la coronilla hasta el coxis. Exhala y haz una nueva flexión más profunda que la anterior. Inhala y levanta el cuerpo mientras subes los brazos otra vez hacia el sol. ¡Hola, sol, te saludamos! Exhala y lleva los brazos a ambos lados del cuerpo.

Vamos a repetir la secuencia dos veces más. ¡Subimos y saludamos al sol! Bajamos y hacemos una reverencia dirigida al sol.

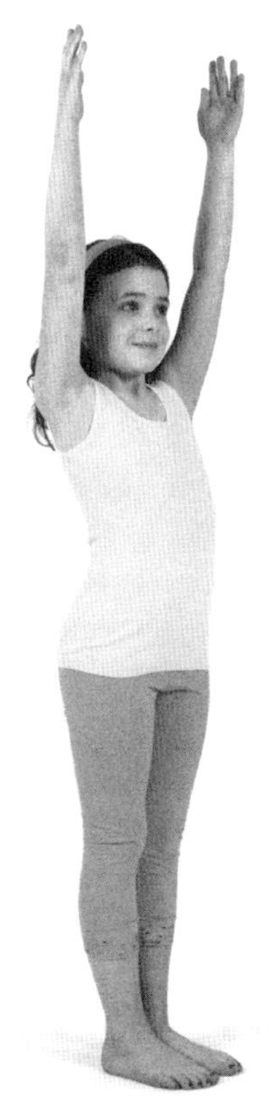

* Medio saludo al sol, levantar los brazos al cielo

* Flexión hacia delante

* Estira la columna

5. En cuanto vuelvas a la *postura de la montaña*, inhala y sube los brazos hacia el sol; luego exhala mientras flexionas el cuerpo hacia delante una vez más para adoptar la **postura de la muñeca de trapo** (capítulo seis).

* La muñeca de trapo

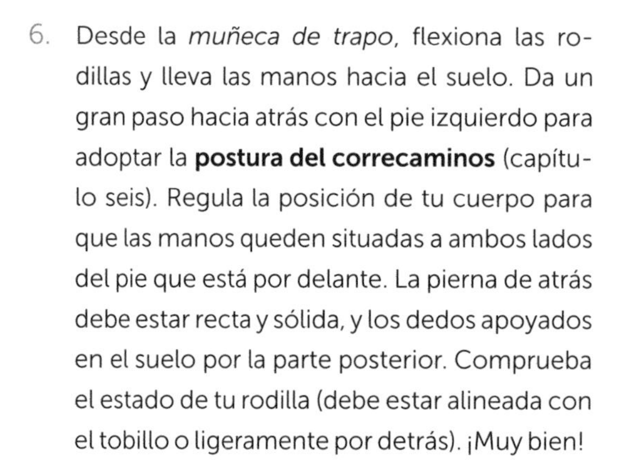

6. Desde la *muñeca de trapo*, flexiona las rodillas y lleva las manos hacia el suelo. Da un gran paso hacia atrás con el pie izquierdo para adoptar la **postura del correcaminos** (capítulo seis). Regula la posición de tu cuerpo para que las manos queden situadas a ambos lados del pie que está por delante. La pierna de atrás debe estar recta y sólida, y los dedos apoyados en el suelo por la parte posterior. Comprueba el estado de tu rodilla (debe estar alineada con el tobillo o ligeramente por detrás). ¡Muy bien!

* El correcaminos

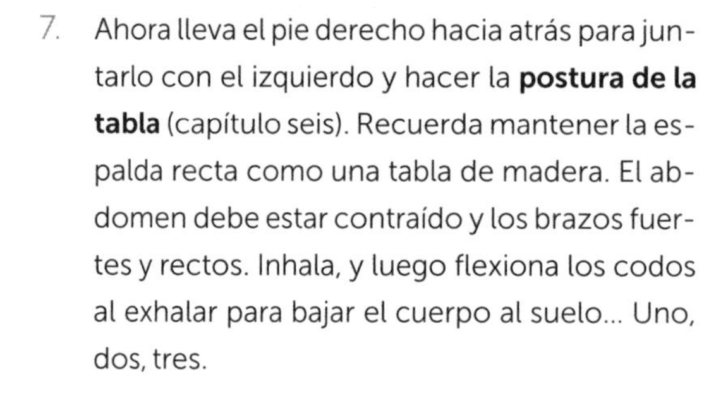

7. Ahora lleva el pie derecho hacia atrás para juntarlo con el izquierdo y hacer la **postura de la tabla** (capítulo seis). Recuerda mantener la espalda recta como una tabla de madera. El abdomen debe estar contraído y los brazos fuertes y rectos. Inhala, y luego flexiona los codos al exhalar para bajar el cuerpo al suelo... Uno, dos, tres.

* La tabla

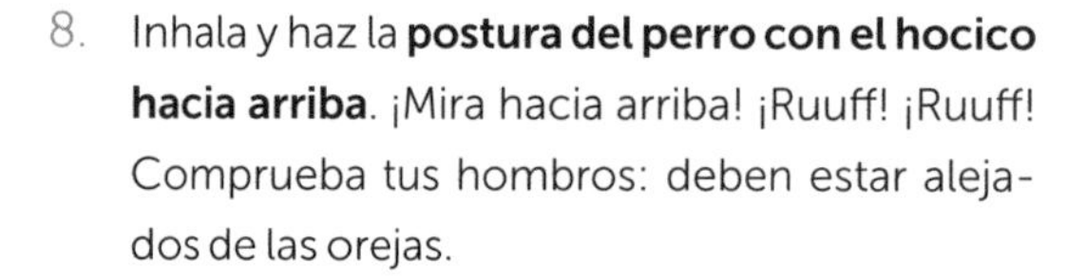

8. Inhala y haz la **postura del perro con el hocico hacia arriba**. ¡Mira hacia arriba! ¡Ruuff! ¡Ruuff! Comprueba tus hombros: deben estar alejados de las orejas.

* El perro con el hocico hacia arriba

9. Ahora presiona con los dedos de los pies sobre el suelo para volver a la **postura del perro con el hocico hacia abajo** (capítulo seis). (Opcional: ¡Sigue ladrando y no te olvides de mover la cola!).
10. Lleva la pierna izquierda hacia delante para adoptar la **postura del correcaminos** (capítulo seis) con el otro lado. ¡Recuerda comprobar la posición de tus rodillas!

*El perro con el hocico hacia abajo

11. Ahora lleva la pierna derecha hacia delante para hacer la **postura de la muñeca de trapo** (capítulo seis) una vez más.
12. Flexiona ligeramente las rodillas e inhala para elevar tu cuerpo y estirarlo otra vez hacia el cielo. ¡Hola, sol! Exhala y baja los brazos a los lados del cuerpo para volver a la **postura de la montaña** (capítulo seis). Permanece de pie con la espalda recta, mirando al frente y sintiendo tu fuerza.
13. Ahora que ya conocemos el *saludo al sol*, vamos a hacer la secuencia completa dos o tres veces.

TERCERA PARTE

Canciones del *saludo al sol*

Una excelente manera de presentar el *saludo al sol* a los niños es incorporar música. A continuación incluyo un par de canciones cuya letra se ha concebido para enseñar la secuencia de movimientos:

- *«Sun Dance»* (Danza del sol) del CD *Musical Yoga Adventures* de Linda Lara. Tiene un ritmo lento y es perfecta para niños de edades comprendidas entre los tres y los seis años. Sigue la letra y estimula al niño para que se mueva al compás de los sonidos de *jazz* entre cada verso.
- *«Dance for the Sun»* (Danza para el sol) del CD *Dance for the Sun* de Kira Willey. Es una dulce y fantasiosa canción de *saludo al sol* adecuada para niños de edades comprendidas entre los tres y los doce años. La canción tiene música instrumental al principio y al final para añadir las posturas de **La lavadora** y de la **Luna creciente,** con el fin de incorporar otros movimientos importantes de la columna vertebral.

TERCERA PARTE

Secuencia buenos días

(Secuencia estirarse hacia el sol, 10 minutos, edades comprendidas entre los dos y los ocho años)

Beneficios

- Despierta el cuerpo
- Favorece la conexión entre padres e hijos
- Permite realizar una transición tranquila y positiva hacia el nuevo día
- Fomenta el optimismo
- Potencia la imaginación

¿Qué hay que hacer?

Una rutina matutina positiva = un día positivo. Comenzar el día practicando movimientos yóguicos y respiraciones y aprovechar la oportunidad de potenciar la conectividad y los vínculos afectivos es beneficioso para el cuerpo, la mente y el espíritu de los padres y de los niños. Se dice que has realizado una práctica de yoga completa si has movido tu columna vertebral en las cinco direcciones. Al igual que la secuencia de calentamiento del *saludo al sol*, la serie *Estirarse hacia el sol* incluye todos esos movimientos: arriba, adelante, atrás, a los lados y torsión. Las palabras que acompañan la secuencia fomentan la idea de establecer una intención para el día y «salir en busca de nuestros sueños», lo que fomenta el optimismo y la actitud de «soy capaz de hacerlo». Al realizar este ejercicio puedes considerar la posibilidad de añadir una conversación sobre uno de los principios yóguicos, o varios. Por ejemplo, «Sentirse satisfecho» o «Trabajar duro» (capítulo tres). Observa que esta secuencia se puede hacer de forma relajada o tonificante, dependiendo de lo que sea más conveniente en cada momento. Deja que tu hijo decida lo que necesita y pon su música favorita para crear el ambiente propicio y marcar el ritmo. Si trabajas con un grupo de niños, en el paso 1 pídeles que se sienten en círculo, y luego continúa con las indicaciones. Si quieres aprender una variación de la secuencia *Buenos días* para niños mayores, la encontrarás un poco más adelante en la secuencia *Estirarse*.

¿Qué hay que decir?

1. Siéntate aquí frente a mí en la **postura fácil** (capítulo seis). Levanta los brazos por encima de la cabeza, estirándote al máximo mientras dices: «¡Hola, sol!».

* Postura fácil

2. Exhala y baja la mano derecha hasta colocarla en el suelo a un lado del cuerpo, mientras estiras el brazo izquierdo hacia la derecha por encima de la cabeza para formar una hermosa **Luna creciente** (capítulo seis). Inhala y lleva los dos

brazos por encima de la cabeza otra vez. Ahora exhala y cambia de lado. Con una nueva inhalación profunda, eleva nuevamente los dos brazos hacia el sol. Exhala y flexiona el cuerpo hacia delante, estirando los brazos frente a ti. Utiliza las manos para alcanzar tus sueños y deseos para hoy. ¿Cuáles son?

* La luna creciente

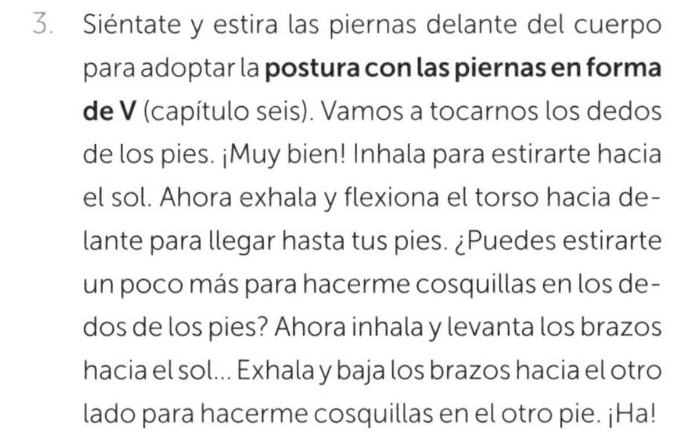

3. Siéntate y estira las piernas delante del cuerpo para adoptar la **postura con las piernas en forma de V** (capítulo seis). Vamos a tocarnos los dedos de los pies. ¡Muy bien! Inhala para estirarte hacia el sol. Ahora exhala y flexiona el torso hacia delante para llegar hasta tus pies. ¿Puedes estirarte un poco más para hacerme cosquillas en los dedos de los pies? Ahora inhala y levanta los brazos hacia el sol... Exhala y baja los brazos hacia el otro lado para hacerme cosquillas en el otro pie. ¡Ha!

* Piernas en forma de V

4. Vuelve a sentarte y junta las plantas de los pies para hacer la **postura de la mariposa** (capítulo seis). Sujeta tus pies y mueve tus «alas» (piernas). Ahora deja las alas desplegadas y balancéate de lado a lado para elevarte en el aire. Vamos a cantar la **Canción de la mariposa** (capítulo ocho). Ahora siéntate con la espalda recta e inhala profundamente (pausa), luego exhala y flexiona el torso hacia delante para acercar la nariz a los dedos de los pies. Inhala y exhala en esa posición un par de veces... ¿A qué huelen tus pies esta mañana?

* La mariposa

5. Vuelve a sentarte erguido y estira las piernas hasta que estén rectas para hacer la **postura del bastón** (capítulo seis). Coloca las manos sobre el suelo a ambos lados del cuerpo y flexiona los pies para que los dedos queden orientados hacia el cielo raso. ¡Muy bien!

* El bastón

6. Ahora vamos a preparar un **sándwich** de mantequilla de cacahuete (si el niño es alérgico a este producto, se puede elegir cualquier otro) y mermelada (capítulo seis). Desde la *postura del bastón*, gira el tronco hacia la izquierda y estira ambas manos para alcanzar un tarro de mantequilla de cacahuete. Ábrelo y saca un poco de mantequilla con ambas manos. ¡Splash! Póntela en el pecho y empieza a extenderla por el pelo, la cara, los hombros e incluso el ombligo. Ahora gira el cuerpo hacia la derecha para tomar un tarro de tu mermelada favorita. ¿De qué es? Extiende la mermelada sobre la rebanada inferior del pan: las caderas, los muslos, las rodillas, los tobillos e incluso entre los dedos de los pies. A continuación estira el tronco para flexionarlo hacia delante y junta las dos rebanadas de pan para terminar de hacer el sándwich...

* El sándwich o bocadillo

7. Crea un cuchillo uniendo las manos. Corta tu sándwich por la mitad arrastrando las manos del cuchillo entre las piernas, desde los pies hasta la cintura, mientras te sientas. Separa las piernas para crear dos mitades del sándwich. Dóblate sobre las piernas, una cada vez, para mordisquear las rodillas y comer las dos mitades de tu sándwich. ¡Mmmm! ¡Frótate la barriga para mostrar que estás lleno!

Secuencia del recreo

(10 minutos, edades comprendidas entre los dos y los ocho años)

Beneficios

Enseña y anima a contar cuentos
Estimula la creatividad y la imaginación
Inspira alegría y jocosidad
Mejora el estado de ánimo

¿Qué hay que hacer?

¡El yoga cobra vida a través de una historia, de la imaginación y de los juegos! El cuento del **ratón**, el **gato** y el **perro** motiva a los niños a **ser** esos animales y representar la historia tal como es contada. Solo debes leer o contar la historia y mostrar las posturas mientras las mencionas para que tu hijo sea capaz de seguirte. Puede ser muy útil enseñarle primero las posturas individuales antes de combinarlas con la narración. Esta secuencia de diez minutos se puede repetir (de hecho, tus hijos te pedirán por favor que vuelvas a contarla), de manera que si tienes tiempo puedes prolongar la sesión de yoga contando la historia más de una vez. Como esta secuencia estimula la circulación de la sangre (y de las risas), puede servir como un divertido calentamiento antes de hacer otras actividades. En cuanto el niño se familiarice con ella puedes proponerle que sea él quien conduzca el ejercicio.

¿Qué hay que decir?

1. Había una vez un diminuto ratoncito blanco (**Postura del niño**, capítulo seis). Era un ratoncito feliz que estaba mordisqueando un trozo de queso: «Chuic, chuic, chuic».

* El niño

2. Pero, entonces, ¡llegó un gato! El gatito se puso muy contento de ver al ratón porque, como sabes, a los gatos les encanta perseguir a los ratones: «¡Miauuu!» (**postura del gato feliz**, capítulo seis).

* El gato feliz

3. Sin embargo, de pronto el gato se asustó: «¡Hissss!» (**postura del gato asustado**, capítulo seis). A ver, muéstramelo de nuevo... El gato feliz: «¡Miauuu!», y el gato asustado: «¡Hissss!». ¡Muy bien!

* El gato asustado

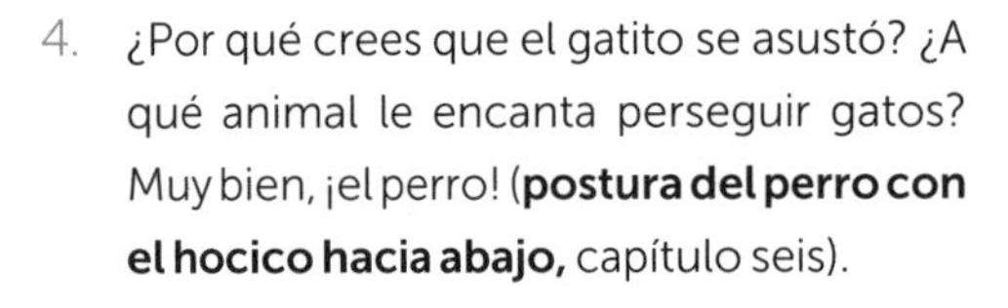

4. ¿Por qué crees que el gatito se asustó? ¿A qué animal le encanta perseguir gatos? Muy bien, ¡el perro! (**postura del perro con el hocico hacia abajo,** capítulo seis).

* El perro con el hocico hacia abajo

5. A los perros les encanta perseguir a los gatos, y este perro estaba tan excitado que no hacía más que ladrar y mover la cola (**postura del perro con el hocico hacia abajo, mueve la cola**, capítulo seis): «¡Guau, guau, guau!».

* El perro con el hocico hacia abajo, mueve la cola

* Postura de la montaña

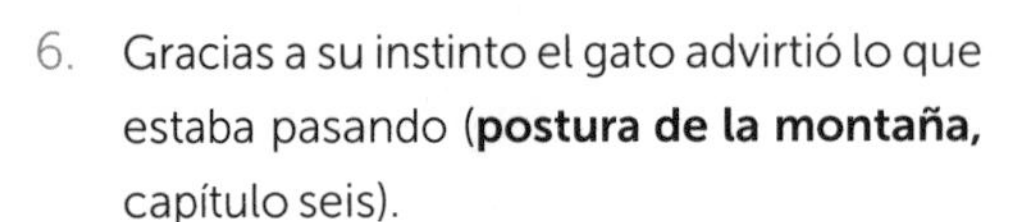

6. Gracias a su instinto el gato advirtió lo que estaba pasando (**postura de la montaña,** capítulo seis).

* El árbol

* La vela

* Abrazo

7. Así que comenzó a correr por el vecindario buscando un lugar donde esconderse (**canción de andar y andar**, capítulo ocho, haciendo una pausa entre cada verso para «buscar» un lugar donde esconderse).
8. Finalmente, el gato encontró el lugar perfecto...: ¡un árbol! (**postura del árbol**, capítulo 6).
9. Comenzó a trepar rápidamente al árbol (movimiento de trepar, estirando una mano mientras la rodilla opuesta se eleva y cambiando luego de lado).
10. Por fin el gato llegó a lo más alto de la copa del árbol, pero cuando miró hacia abajo se dijo: «'¡Oh, oh!... He subido demasiado, y ahora ¿cómo podré bajar? ¡Miauu!». ¿Cómo podríamos ayudar al gatito a bajar del árbol? ¿Qué podríamos usar para subir hasta allí y ayudarlo? ¡Claro! Una escalera; ¡una gran idea! (**postura de la vela, variación con las piernas hacia arriba**, capítulo seis).
11. Apoya tu escalera contra mi árbol. Muy bien. (Sube la escalera separando la cabeza y los hombros del suelo y estirando las manos para mover las piernas y trepar hasta lo más alto). Trepa, trepa y trepa, sigue trepando. ¡Bravo, lo has conseguido!
12. Has llegado a lo más alto y el gato está feliz de verte. Abrázalo (**abrázate a ti mismo,** o **padre e hijo se abrazan**). ¿Qué crees que te está diciendo? Así es: «¡Miauuu!».

TERCERA PARTE

Reducir el estrés y la ansiedad

(15 minutos, edades comprendidas entre los cuatro y los doce años)

Beneficios

Estimula la claridad de pensamiento
Desarrolla la confianza
Centra y equilibra

¿Qué hay que hacer?

Los exámenes, las audiciones o cualquier situación nueva pueden provocar ansiedad incluso en los niños más seguros de sí mismos. Esta secuencia es muy efectiva para reducir la sensación de ansiedad y ofrece la posibilidad de liberarse físicamente del estrés y la tensión. Además mejora la memoria, Estimula la claridad mental y potencia la confianza.

¿Qué hay que decir?

1. Vamos a hacer juntos la **postura de la montaña** (capítulo seis). Inhala y sube los hombros; al exhalar bájalos y llévalos hacia atrás mientras dices «¡haaa!». Siente el peso de tus pies sobre el suelo. ¡Bien! Vamos a repetirlo dos veces más. Quiero escuchar cómo suspiras: «Haaa». ¡Muy bien!
2. Ahora da un paso largo hacia atrás con el pie derecho para adoptar la **postura del guerrero I** (capítulo seis). Vamos a dedicar unos momentos a enfocar nuestra atención en nuestro cuerpo para organizarlo adecuadamente. ¡Comprueba la posición de tus rodillas! ¿La de delante está flexionada? ¡Vamos a comprobarlo! ¿La pierna de atrás está recta y el pie firmemente plantado sobre el suelo? Muy bien. Ahora sube los brazos al cielo mientras inhalas. ¡Comprueba los hombros! Debes mantenerlos alejados de las orejas. Muy bien, ¡ahora eres un guerrero fuerte y orgulloso! Di en voz alta: «¡Soy fuerte!».
3. Abre los brazos para hacer la **postura del guerrero II** (capítulo seis). Mantén la pierna izquierda flexionada y la que está por detrás recta. Coloca los dos brazos estirados a los lados del cuerpo de manera que estén paralelos al suelo. Muy bien! Ahora gira la cabeza para mirar por encima de los dedos de las manos. Di en voz alta: «¡Soy fuerte!». Siente tu fuerza y muéstrame los músculos.
4. Ahora vas a hacer la **postura del guerrero III** (capítulo seis). Gira el cuerpo hacia la parte anterior de la esterilla. Mantén sobre el suelo el dedo gordo del pie que está por detrás y levanta los brazos hacia el cielo. Muy bien. Encuentra un punto para enfocar tu mirada, puede estar en el suelo o frente a ti. Debes mantener las piernas y los brazos rectos y flexionar el tronco lentamente hacia delante desde las caderas, mientras separas del suelo el dedo gordo del pie que está por detrás. Mantén el equilibrio y respira. ¡Muy bien! Ahora di: «¡Soy valiente!». Recuerda que eres un guerrero poderoso y puedes conquistar

* La montaña

* El guerrero I

* El guerrero II

* El guerrero III

lo que te propongas. ¿Puedes mantener el equilibrio mientras hago una cuenta atrás desde cinco? Cinco, cuatro, tres, dos, uno. ¡Tienes muy buen equilibrio!

5. Vuelve a la **postura de la montaña** (capítulo seis). Respira durante unos momentos para descansar antes de cambiar de lado. (Repite los pasos 2 a 4 con el lado opuesto).
6. Siéntate en la **postura fácil** o en la **postura del héroe** (capítulo seis), lo que te resulte más cómodo. Ahora vamos a cantar la canción *Escucha tu corazón* (capítulo ocho)... Escucha, escucha tu corazón. ¿Qué es lo que dice? Dice: «¡Sí, has dado lo mejor de ti!».

* El héroe

7. Ahora adopta la **postura *Savasana*** (capítulo seis). Respira tranquilamente durante unos instantes. Inhala, exhala. Inhala, exhala. Voy a leerte la **visualización del árbol que te pide que uses la imaginación** (capítulo nueve). Mientras yo esté leyendo quédate quieto e imagina el árbol y todas las cosas maravillosas y sabias que te está diciendo. El árbol quiere que uses tu imaginación. Mientras escuchas, imagina que estás aprobando un examen o cualquier otra cosa. Vamos a empezar.

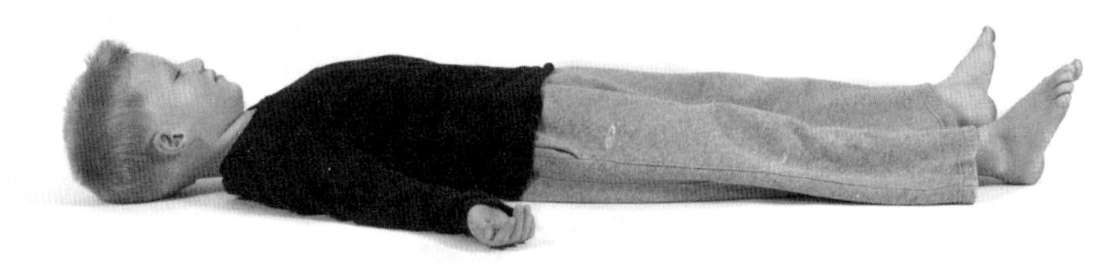

* Savasana

Secuencia para enfocar la atención y calmarse

(10 minutos, edades comprendidas entre los cuatro y los doce años)

Beneficios

Calma el sistema nervioso
Fomenta la atención
Equilibra la energía

¿Qué hay que hacer?

A los niños les encanta moverse, reírse y hacer ruido. Sin embargo, en algunas ocasiones lo único que necesita tu hijo es calmarse y concentrar su atención. Utiliza esta secuencia para enseñarle herramientas rápidas y simples que le permitan centrarse y volver a equilibrarse cuando su energía parece desbordarlo. Este ejercicio es una forma excelente de «empezar de cero» antes de realizar la tarea escolar o para serenarse.

TERCERA PARTE

¿Qué hay que decir?

1. Siéntate a mi lado en la **postura fácil** (capítulo seis). Hmmm, ¿cómo es tu postura hoy, está contenta o malhumorada? (Ver el recuadro de la «Postura fácil», en el capítulo seis). Recuerda que debes sentarte con la espalda bien recta. ¡Eso es!

* Postura fácil

2. ¿Cómo es el ruido que hace un enjambre de abejorros en una colmena? Muy bien, es un zumbido. Ahora vamos a imitar ese sonido mientras hacemos la **respiración del abejorro** (capítulo cinco). Vamos a probar. Inspiramos lenta y profundamente por la nariz antes de exhalar haciendo el sonido «hummmmmmm» lo más largo posible. Muy bien. Vamos a probar otra vez, pero en esta ocasión con los ojos cerrados. ¿Qué te ha parecido? ¿Has sentido algo diferente? Bien, ahora vamos a intentarlo una vez más con los ojos cerrados y las manos sobre las orejas. ¿A qué estabas prestando atención? ¿Cómo te sientes? ¿Quieres que probemos una vez más?

* Respiración del abejorro

3. Ahora vamos a sentarnos y hacer una **luna creciente** (capítulo seis). Coloca la mano derecha sobre el suelo a un lado del cuerpo y levanta el brazo izquierdo por encima de la cabeza mientras inhalas profundamente. A continuación exhala e inclina el tronco hacia la derecha. ¡Eres una hermosa luna creciente! Inhala y vuelve al centro para cambiar de lado. Utiliza tu respiración como guía para realizar los movimientos hacia uno y otro lado. Repite varias veces.

* La luna creciente en posición sedente

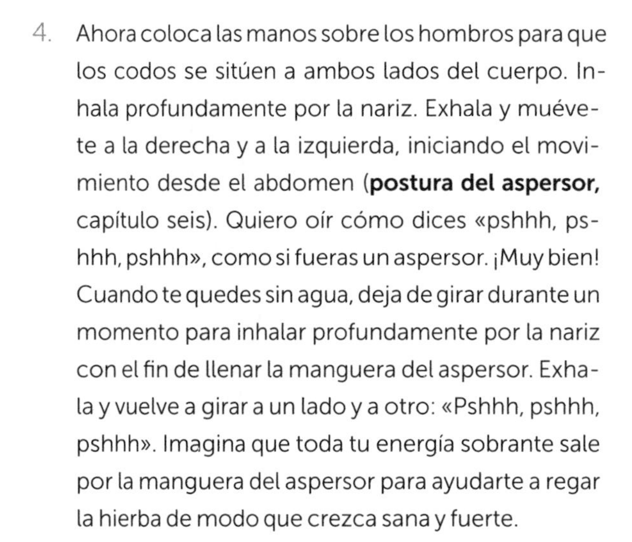

4. Ahora coloca las manos sobre los hombros para que los codos se sitúen a ambos lados del cuerpo. Inhala profundamente por la nariz. Exhala y muévete a la derecha y a la izquierda, iniciando el movimiento desde el abdomen (**postura del aspersor,** capítulo seis). Quiero oír cómo dices «pshhh, pshhh, pshhh», como si fueras un aspersor. ¡Muy bien! Cuando te quedes sin agua, deja de girar durante un momento para inhalar profundamente por la nariz con el fin de llenar la manguera del aspersor. Exhala y vuelve a girar a un lado y a otro: «Pshhh, pshhh, pshhh». Imagina que toda tu energía sobrante sale por la manguera del aspersor para ayudarte a regar la hierba de modo que crezca sana y fuerte.

* El aspersor

5. Adopta la **postura del sándwich o bocadillo** (capítulo seis). Estira las piernas frente al cuerpo para hacer la primera rebanada de pan. Los dedos de los pies deben estar orientados hacia el cielo. Inhala y estira los brazos por encima de la cabeza para crear la segunda rebanada de pan. Exhala mientras llevas el cuerpo hacia delante, iniciando el movimiento desde las caderas. Lleva las manos hacia

* El sándwich

las espinillas. Muy bien. Relaja la cabeza y los hombros y respira varias veces en esta posición.

6. Ahora haz la **postura del niño** (capítulo seis). Vamos a practicar la relajación **descansar y presionar** (capítulo cuatro). ¿Te parece bien que presione con mis manos la parte baja de tu espalda? Vale. Primero te lo haré yo a ti, y luego puedes hacérmelo tú a mí. Respira profundamente mientras te froto la espalda. Inhala y exhala, inhala y exhala. (Sigue con las instrucciones, comprobando cómo se encuentra el niño a lo largo de todo el ejercicio). Ya hemos terminado. Ahora inhala y exhala profundamente una vez más, comienza a sentarte muy despacio y luego abre suavemente los ojos. ¿Cómo te sientes?

* Descansar y presionar

TERCERA PARTE

Secuencia estirarse

(20 minutos, edades comprendidas entre los cuatro y los doce años)

Beneficios

Mejora la flexibilidad
Fomenta el alineamiento espinal
Potencia la conciencia corporal

¿Qué hay que hacer?

La flexibilidad es un derecho de nacimiento para un niño. Pero en la era de la televisión y los ordenadores, en la que los niños se pasan varias horas sentados cada día en el colegio, muchos de ellos tienen los músculos y las articulaciones rígidas y una mala postura corporal. Esta secuencia simple los ayuda a flexionar y estirar los músculos mientras aprenden a conectarse con su cuerpo. Es una forma muy útil de enseñar estiramientos a los niños para que los hagan antes de practicar un deporte o como un descanso después de un largo viaje en coche o de una maratón de películas en familia.

¿Qué hay que decir?

1. Siéntate erguido en la **postura de la montaña** (capítulo seis). Encuentra un punto donde fijar la mirada y respira profundamente unas cuantas veces.

2. Desde la *postura de la montaña* pasa a la **postura del bailarín** (capítulo seis). Lleva todo tu peso corporal sobre el pie izquierdo y levanta el brazo izquierdo para mantener el equilibrio. Estira lentamente la mano derecha para sujetar el borde externo del pie derecho. Encuentra el equilibrio y respira... Inhala, exhala, inhala, exhala. Permanece en la *postura del bailarín* de tres a cinco respiraciones. ¿Puedes hacerlo? Ahora cambia de lado.

* La montaña

* El bailarín

3. Vuelve a la **postura de la montaña**. Separa los pies y estira los brazos hasta que estén rectos a ambos lados del cuerpo. Esta es la **postura de la estrella** (capítulo seis), ¿la recuerdas? ¿Cuántas puntas tiene tu estrella? Vamos a contarlas juntos (señala cada una de las extremidades mientras cuentas las puntas de la estrella con el niño): ¡Una, dos, tres, cuatro puntas! Muy bien. Ahora mantente en pie con la espalda bien recta y los hombros relajados. Inhala para abrir el pecho y luego flexiona el torso hacia delante para hacer la **postura de la estrella plegada** (capítulo seis). Sujétate los tobillos o los bordes externos de los pies. (Para niños mayores: Si quieres profundizar el estiramiento, puedes sujetarte

* La estrella

* La estrella plegada

* La estrella en torsión

los dedos gordos con los dos primeros dedos de la mano). Inhala y exhala. Desde la *postura de la estrella* plegada, coloca la mano derecha sobre el suelo entre los pies. Al inhalar eleva el brazo izquierdo al cielo para hacer la **postura de la estrella en torsión** (capítulo seis). ¡Mira hacia arriba en dirección a los otros amigos de la estrella! Inhala y exhala, inhala y exhala. Cambia de lado.

4. Ahora vuelve otra vez a la **postura de la estrella** para prepararte para la **postura del triángulo** (capítulo seis). Gira el pie derecho hacia la derecha. Inhala y estírate hacia la derecha. Exhala y haz una flexión hacia un lado, llevando la mano hacia la espinilla. Estira la mano izquierda hacia el cielo. Muy bien. ¿Puedes mirar hacia arriba y mantener el equilibrio durante tres respiraciones? Vuelve a la **postura de la estrella** y gira los pies para hacer la **postura del triángulo** hacia el otro lado. Cuando termines, vuelve a incorporarte, sacude los brazos y las manos y regresa al centro para ir a la **postura de la montaña.**

* El triángulo

5. Ahora vamos a hacer dos rondas del **medio saludo al sol** (ver la «Secuencia de calentamiento» en este mismo capítulo). Inhala mientras elevas los brazos hacia el cielo. Exhala bajando los brazos y manteniéndolos rectos frente al cuerpo mientras haces una flexión hacia delante iniciándola desde las caderas. Debes mantener las piernas y la columna rectas. Tus dedos deben tocar el suelo cerca de los bordes externos de los pies. Ahora lleva las manos a las espinillas y estira la columna para que forme una línea recta desde su último hueso hasta la coronilla. Muy bien. Exhala y vuelve a hacer una flexión hacia delante, intensificando un poco más el estiramiento. Inhala y eleva suavemente el cuerpo levantando los brazos hacia el sol. Exhala y baja los brazos a ambos lados del cuerpo para volver a la **postura de la montaña**. Vamos a hacerlo otra vez, pero en esta ocasión debes flexionar el torso hacia delante y permanecer en esa posición...

* Medio saludo al sol, estirarse hacia el sol

* Medio saludo al sol, flexión hacia delante

* Medio saludo al sol, mirar hacia arriba

* El perro con el hocico hacia abajo

* El puente

* La paloma

* Torsión en posición tumbada

6. Flexiona las rodillas para presionar las manos contra el suelo y desplazar los pies hacia atrás para hacer la **postura del perro con el hocico hacia abajo** (capítulo seis). Permanece en la postura durante tres respiraciones.
7. En la *postura del perro* con el hocico hacia abajo, levanta la pierna derecha. Luego flexiona la rodilla y apóyala en el suelo delante del cuerpo para hacer la **postura de la paloma** (capítulo seis). Abre el orgulloso pecho de tu paloma y respira... Cuando estés preparado, presiona las manos contra el suelo y levanta la pierna para llevarla hacia atrás y adoptar nuevamente la **postura del perro con el hocico hacia abajo**. Finalmente repite el movimiento con el otro lado.
8. Ahora túmbate sobre la espalda y prepárate para hacer la **postura del puente** (capítulo seis). Coloca los pies planos sobre el suelo a la misma distancia que las caderas. ¡Aquí llega el barco! Es el momento de levantar el puente. Manteniendo los hombros bajos y los pies planos sobre el suelo, eleva las caderas para mantenerlas en el aire. ¡Muy bien! Ahora levanta el pecho para arquear la columna. (Para niños mayores: Lleva los hombros y los codos hacia atrás para sujetarte las manos detrás de la espalda). Inhala y exhala lentamente tres veces. Ahora vamos a bajar de nuevo el puente. Baja las caderas hasta el suelo, moviendo la espalda muy suavemente, vértebra tras vértebra. Descansa y repite la secuencia varias veces más. Cuando termines, lleva las rodillas al pecho y balancéate de lado a lado para masajear y relajar la parte baja de la espalda.

9. Ahora vamos a hacer la **torsión en posición tumbada** (capítulo seis). Coloca los pies planos sobre el suelo, manteniendo las rodillas flexionadas. Estira los brazos sobre el suelo a los lados del cuerpo. Inhala y levanta los pies. Exhala y lleva las rodillas a la izquierda mientras giras la cabeza para mirar por encima del hombro derecho. ¡Comprueba la posición de tus hombros! ¿Están los dos sobre el suelo? Muy bien. Descansa en esa postura durante dos respiraciones. Cuando estés preparado, inhala y mueve las rodillas hacia el otro lado para repetir la secuencia.

Secuencia de los vínculos familiares

(25 minutos, edades comprendidas entre los cuatro y los doce años)

Beneficios

- Favorece la conectividad
- Fomenta el contacto positivo
- Potencia el trabajo en equipo
- Desarrolla la atención consciente

¿Qué hay que hacer?

Una familia conectada es una familia sana. Esta secuencia potencia el contacto físico, el trabajo en equipo y la atención consciente. Si tienes una familia numerosa, simplemente debes duplicar las actividades en pareja.

¿Qué hay que decir?

1. Vamos a sentarnos juntos en la **postura fácil** (capítulo seis) y a colocar las manos sobre nuestro regazo. Voy a hacer sonar el carillón para hacer el ejercicio de **escuchar el carillón** (capítulo cuatro). Recuerda que debes mantener los ojos cerrados, concentrarte en el sonido y levantar la mano cuando ya no lo oigas.

2. Ahora vamos a jugar a **mover el carillón** (capítulo cuatro) hacia atrás y hacia delante, pasándolo de mano en mano. Debes estar muy atento al pasar el carillón para que el sonido no se detenga.

* Postura fácil

3. Siéntate frente a mí en la **postura sedente con las piernas en V** para pasar luego a la **postura del balancín** (capítulo seis). Vamos a sentarnos con la espalda recta y a agarrarnos de las manos. Yo tiraré primero de ti mientras me inclino hacia atrás. Intenta mantener los hombros bajos y el pecho abierto. ¡Muy bien! Ahora tú vas a inclinarte hacia atrás para tirar de mí. Ahhhh. Inhala y sube, exhala y desplázate hacia delante. Vamos a ir a un lado y a otro, moviéndonos al compás de nuestra respiración... ¡Muy bien!

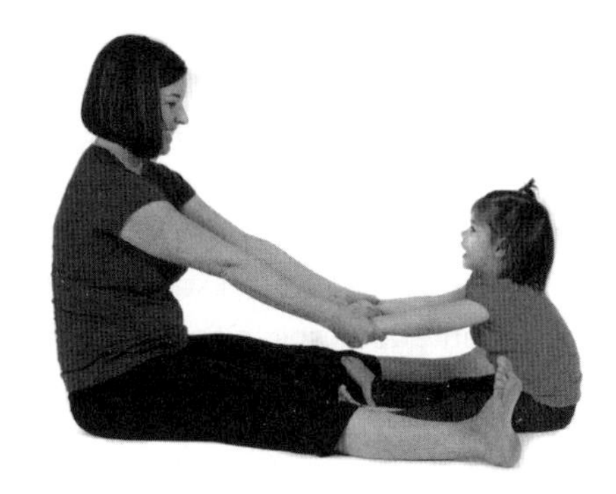
* El balancín

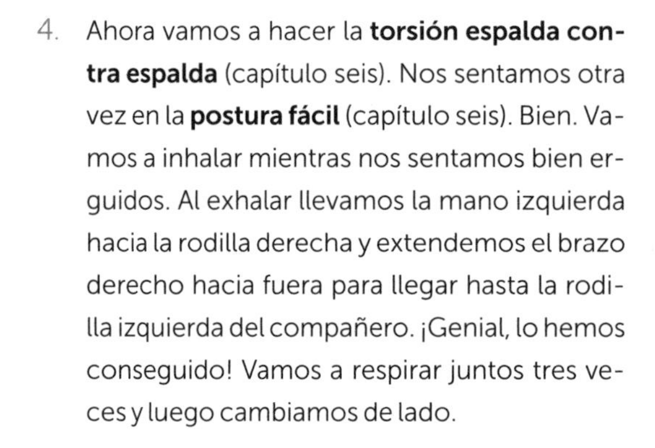

4. Ahora vamos a hacer la **torsión espalda contra espalda** (capítulo seis). Nos sentamos otra vez en la **postura fácil** (capítulo seis). Bien. Vamos a inhalar mientras nos sentamos bien erguidos. Al exhalar llevamos la mano izquierda hacia la rodilla derecha y extendemos el brazo derecho hacia fuera para llegar hasta la rodilla izquierda del compañero. ¡Genial, lo hemos conseguido! Vamos a respirar juntos tres veces y luego cambiamos de lado.

* Torsión espalda contra espalda

5. Ahora vamos a hacer el **juego de mantenerse unidos** (capítulo siete). Aquí está el palo. Ponte frente a mí y levanta la mano derecha. Bien. Vamos a sujetar el palo con las palmas de nuestras manos. Cuando yo diga "empezamos», comenzamos a movernos al ritmo de la música, lenta y conscientemente. Cuanto más atentos estemos, más fácilmente podremos sujetar el palo entre los dos. Si lo dejamos caer, simplemente lo recogemos y seguimos jugando. Recuerda que no podemos hablar, de manera que solo nos miraremos atentamente. ¿Preparado?

* Mantenerse unidos

6. Ahora nos sentamos juntos en la **postura fácil** (capítulo seis). Yo me voy a sentar detrás de ti para **escribir sobre tu espalda** (capítulo cuatro). Voy a escribir o dibujar algo sobre tu espalda y luego tú me dirás qué es. Quédate quieto y presta atención para poder sentir lo que estoy escribiendo o dibujando... ¿Adivinas qué es? Muy bien. Ahora tú escribirás o dibujarás algo sobre mi espalda.

* Escribir sobre la espalda

7. Bueno, ha llegado el momento de concluir nuestra sesión de yoga con lo que más nos gusta, la **postura *Savasana*** (capítulo seis). Inhala y exhala, inhala y exhala, relajando tu cuerpo sobre el suelo.

8. ¿Te gustaría recibir un **masaje de piernas y pies** (capítulo nueve)? Coloca las palmas de las manos hacia arriba si la respuesta es **sí**, y déjalas hacia abajo si la respuesta es **no**...

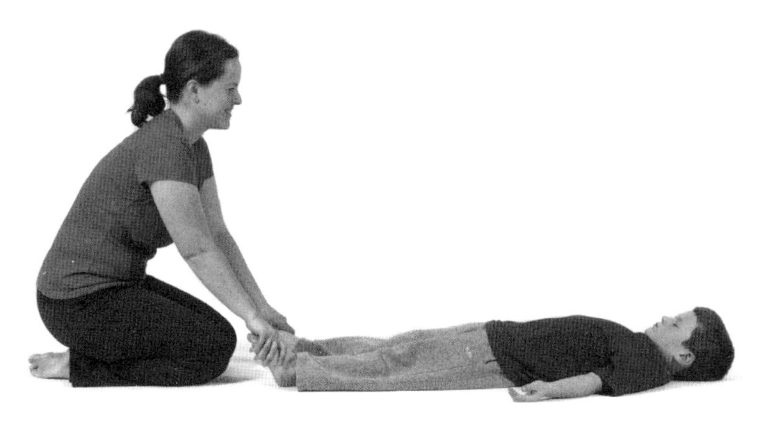

* Masaje de piernas y pies

Secuencia de movimientos para la hora de dormir

(10 minutos, edades comprendidas entre los tres y los doce años)

Beneficios

Calma el sistema nervioso
Fomenta la gratitud y el aprecio
Estimula la conectividad y la sensación de seguridad

¿Qué hay que hacer?

Si al final de un día agitado dedicas unos minutos a relajarte con tu hijo, podrás mejorar la calidad de su sueño (y del tuyo) y, al mismo tiempo, ofrecerle la oportunidad de reflexionar y conectarse. Esta secuencia tiene un flujo de movimientos simples que relaja las tensiones. Es una actividad relajante que favorece la conexión con la respiración, y una buena oportunidad para que tú y tu hijo reflexionéis sobre lo afortunados que sois antes de contar ovejas.

¿Qué hay que decir?

1. Vamos a hacer el **medio saludo al sol** («Secuencia de calentamiento», en este capítulo) para despedirnos del sol, ya que el día está llegando a su fin y el sol se va a dormir. Mientras haces una flexión hacia delante, di: «¡Buenas noches, sol!».

* Medio saludo al sol, estirarse hacia el sol

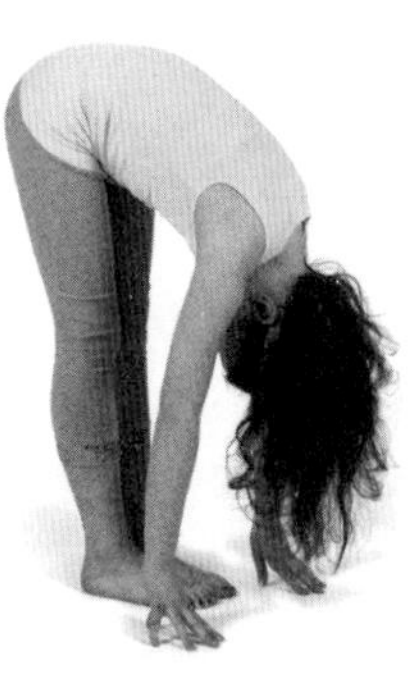

* Medio saludo al sol, flexión hacia delante

* Medio saludo al sol, mirar hacia arriba

* Respiración espalda contra espalda

* Respiración del globo

2. Ahora nos sentamos en la **postura fácil** (capítulo seis) para hacer la **respiración espalda contra espalda** (capítulo cinco). Deja caer el peso de tu cuerpo sobre mí y siente el calor de mi espalda. Vamos a hacer juntos la **respiración del globo** (capítulo cinco) para despedirnos del día mientras exhalamos. Ahhhh...
3. Vamos a pensar en todas las cosas buenas que ha sucedido en el día (**pensamientos de gratitud,** capítulo cuatro) mientras estamos sentados respirando juntos. ¿Alguien ha hecho algo bonito por ti hoy? ¿Ha sucedido algo por lo que estás agradecido? Vamos a expresar nuestra gratitud mientras exhalamos...
4. ¡Ahora abrázame muy fuerte! Buenas noches y que tengas buenos sueños...

CREAR TUS PROPIAS SECUENCIAS

Si bien es útil planificar la sesión de yoga que vas a compartir con tu hijo, ¡no hay ninguna regla que diga que necesitas utilizar reglas! De hecho, al probar las diversas posturas, actividades y canciones que presento en el libro podréis descubrir qué es lo que más os divierte y cuáles de todas ellas os reportan más beneficios, y crear secuencias propias mientras progresáis en la práctica. Dicho esto, debo añadir que es bueno tener algunas cosas en mente. Utiliza las siguientes sugerencias a modo de guía mientras creas tus propias secuencias de yoga.

TERCERA PARTE

Definir una intención

¿Cuánto tiempo puedes dedicarle a la sesión? ¿Cuáles son las necesidades de tu hijo? ¿Y las tuyas? ¿Se trata de un tiempo dedicado a fortalecer los vínculos afectivos?... ¿A calmarse y concentrarse?... ¿A sentirse más despierto o a relajarse antes de irse a dormir? ¿Es una oportunidad para ser creativos y utilizar la imaginación? ¿O simplemente necesitáis pasar juntos un rato para pasarlo bien? Algunas veces, un ejercicio de respiración simple de un minuto de duración sirve para calmar a tu hijo antes de una competición o una prueba. En otras ocasiones te interesará planificar una sesión completa.

Considera la posibilidad de utilizar un tema

Los temas son una gran ayuda para crear secuencias entretenidas que mantengan vivo el interés del niño cuando tienes tiempo suficiente para una sesión completa de yoga. Por ejemplo, si a tu hijo pequeño le gustan los insectos, puedes empezar con la *respiración del abejorro* y luego seguir con posturas como *la mariposa* o *el grillo*. Un cuento de aventuras puede servir para enlazar posturas (como es el caso del «Cuento del ratón, el gato y el perro» que describí en la «Secuencia del recreo» en este mismo capítulo). También puedes recurrir a un libro que tenga personajes que sean insectos y enseñar las posturas que pueden acompañar al texto a medida que lo lees. Para que resulte más divertido puedes añadir algunas canciones que incluyan insectos, como la clásica *La arañita diminuta*,* y mover el cuerpo mientras cantáis la canción, o jugar a la «Red de conexión» (capítulo siete). Y cuando llegue el momento de la relajación, puedes convertirte en una araña, envolviendo a tu presa (el niño) con tu red hasta que ya no pueda moverse (*niño envuelto*, capítulo nueve). Luego puedes proponerle que visualice la atareada vida diaria de una familia de hormigas («Aventuras de los amigos especiales», capítulo nueve).

Cuando trabajas con un niño mayor, debes tener muy en cuenta la intención. ¿Tienes un hijo que está en quinto y tiene problemas para dormir? En tal caso el tema podría ser «Relajarse antes de ir a la cama». Elige una meditación, una respiración relajante, posturas tranquilas y finalmente el «Masaje de piernas y pies» (capítulo nueve). ¡Las ideas para incluir temas en las sesiones de yoga con niños son interminables!

Organizar la sesión

Una vez más, aunque no hay ninguna regla para estructurar la sesión, puede ser muy ventajoso tener un «orden fluido» a la hora de combinar posturas, canciones y ejercicios. Los capítulos de este libro se presentan en el orden *típico* que ha funcionado muy bien en mis clases de yoga. No obstante, solo se trata de una sugerencia y el orden es más efectivo si tienes tiempo

* *Itsy-Bitsy Spider* canción infantil popular en los países de habla inglesa.

suficiente para una sesión completa de entre veinte y treinta minutos de duración. Los capítulos contienen meditaciones, técnicas respiratorias, posturas, juegos de yoga en familia, canciones y cánticos y relajación. En general, una secuencia básica de yoga para niños incluye los ejercicios presentados en la mayoría de esos capítulos, y se organizan de la siguiente manera:

- **Inicio:** dependiendo de la edad y el interés de tu hijo, puedes elegir comenzar la sesión de yoga con una breve canción inicial como las que presento en el capítulo ocho. Después de la canción puedes introducir un cuento, o una conversación, sobre uno de los principios de yoga del capítulo tres.
- **Meditación (capítulo cuatro):** elige una meditación, como por ejemplo «Escuchar el carillón» o «Mirar la vela», para ayudar al niño a conectarse con la sesión de yoga.
- **Técnicas respiratorias (capítulo cinco):** elige una respiración relajante o tonificante, dependiendo de la energía del niño o del tema de la sesión.
- **Calentamiento:** puedes elegir la secuencia «Buenos días» o la «Secuencia de calentamiento» que presento en este capítulo, o una canción y una secuencia de movimientos del capítulo ocho.
- **Posturas individuales y posturas en pareja (capítulo seis):** elige algunas posturas que concuerden con la intención o el tema de la sesión. Potencia el interés y la disposición del niño incluyendo variaciones que sean entretenidas. ¡No te olvides de incluir una o dos posturas en pareja! No te preocupes demasiado si al principio las posturas no «fluyen» demasiado bien. En general a los niños no les importa elevar y bajar el cuerpo para pasar de una a otra postura, incluso podría decir que parecen disfrutar al hacerlo. A partir de los ocho años comienzan a desarrollar el control corporal y un mayor campo de atención; es entonces cuando son capaces de realizar movimientos fluidos durante una sesión de yoga. En esa etapa puedes empezar por las posturas de pie, pasar a las posturas sedentes y terminar con las posturas en posición tumbada, o viceversa.
- **Juegos de yoga en familia (capítulo siete):** ha llegado la hora de abandonar la esterilla. Elige un juego o un ejercicio con movimientos creativos para ofrecerle al niño la oportunidad de jugar y para establecer una buena conexión con él.
- **Canciones y cánticos (capítulo ocho):** fomenta un sentimiento grupal cantando un cántico o canción y haciendo una secuencia de movimientos.
- **Relajación y visualización (capítulo nueve):** no te olvides de incluir una de las transiciones para la relajación antes de concluir la sesión con una relajación y una visualización.
- **Cierre:** puedes concluir la sesión con una canción final (capítulo ocho) o simplemente con *Namaste* (capítulo seis).

Nota importante sobre la seguridad

Por motivos de seguridad y con el fin de animar a tu hijo a mantener una atención consciente de todos sus movimientos, es importante señalar claramente el momento de concluir una postura, o actividad, antes de iniciar la siguiente. Es fundamental deshacer una postura paso a paso, y con la misma atención y el mismo cuidado con que la adoptamos. Además, después de cada una de las posturas y actividades debe haber unos instantes de conexión a tierra en una postura básica. De pie, esa postura básica es la *postura de la montaña*. En posición sedente, es la *postura fácil*. En posición tumbada, es acostarse sobre la espalda. De cualquier modo, la cuestión de la seguridad en gran parte es muy intuitiva. Por ejemplo, tu hijo debe deshacer muy conscientemente la *postura del arado* para pasar a la *postura de la montaña* antes de realizar la *postura del triángulo*. También debe prestar mucha atención para abandonar lentamente la *postura del árbol*, pasar a la *postura de la montaña* y hacer luego la *postura del guerrero I*.

Registrar las secuencias de yoga

Si decides apuntar las secuencias, puede resultarte útil comprar una carpeta de tres anillas, con divisores y tapas protectoras transparentes. A medida que se van completando las secuencias, puedes archivarlas en la carpeta bajo el título de «Organización de las sesiones de yoga en familia». Usa los divisores para organizar las secuencias por tema, hora del día, etc. ¡De este modo, cuando necesites recurrir a una de ellas, la encontrarás fácilmente!

Al tener en cuenta la especial importancia de cada uno de los componentes (posturas, ejercicios respiratorios, principios yóguicos, etc.), el tiempo de que dispones, los intereses y las necesidades y la energía del niño, conseguirás crear una secuencia que potencie los beneficios de esta práctica personalizada. No dudes en pedirle al niño que participe. No solamente aprenderéis mucho juntos; también se fortalecerá la relación entre ambos y será muy ventajoso para la mente, el cuerpo y el espíritu.

Para terminar

Ahora que ya has terminado de leer el libro, probablemente habrás advertido que compartir las sesiones de yoga con los niños es, por necesidad, algo completamente diferente que hacerlo con adultos. Una clase de yoga típica para adultos es tranquila y silenciosa, los yoguis mueven su cuerpo siguiendo el ritmo de su respiración mientras mantienen el foco de su atención dirigido hacia el interior. Los participantes adultos escuchan y siguen atentamente las instrucciones del profesor, permanecen sobre sus esterillas bien plantados sobre el suelo y luego se relajan en *Savasana*. Eso no es lo que sucede en una sesión normal de yoga para niños. Aunque en ella también hay momentos tranquilos y muy beneficiosos, por lo general son muy breves. ¡Y eso está muy bien!

En su libro *Magical Child* [El niño mágico], Joseph Pearce, un renombrado experto en el desarrollo evolutivo de los niños, escribió: «El juego es el plan biológico natural para el aprendizaje». Los niños aprenden mucho mejor mientras juegan. Y jugar, por definición, ¡es divertido! Por un momento ponte en el lugar de un niño que está sobre su esterilla de yoga, ¿Preferirías que te dijeran que vas a aprender una serie de flexiones hacia delante o que vas a jugar a un juego llamado «Mantequilla de cacahuete y mermelada?». Evidentemente, ¡preferirías el juego!

En las sesiones de yoga para niños se cuentan historias, se hacen juegos, se apuntan reflexiones en un diario, se realizan movimientos creativos y actividades que fomentan la imaginación, se promueven las conversaciones reflexivas y se llevan a cabo muchas cosas más destinadas a que los niños aprendan e integren la práctica de yoga y *mindfulness*. Quizás te preguntes si el yoga puede aportar beneficios a los niños por el «mero hecho» de divertirse, y si de ese modo pueden llegar a aprender a aplicar los conceptos yóguicos en su vida cotidiana. Si la sesión está bien planificada, tiene una intención clara y es instructiva, ¡te aseguro que lo harán! La diferencia del yoga para niños estriba en que está concebido específicamente para ellos y para su maravillosa forma de relacionarse con el mundo.

El yoga aporta beneficios terapéuticos que son vitales para los niños. Y los niños sanos se convierten en seres humanos más felices. Al compartir el yoga con ellos, les enseñas estrategias para desarrollar la resiliencia que necesitan para adaptarse al ajetreado mundo exterior en el que se mueven, donde lo importante son los resultados. La respiración, el movimiento, la atención consciente y la afirmación son algunas de las muchas estrategias presentadas en este libro que fomentan la capacidad de adaptación, la autorregulación, la autoestima, el coraje, un cuerpo sano y una mente dispuesta a aprender, segura de sí misma y en calma. Este es un trabajo importante y necesario que simplemente puedes comenzar ahora mismo, en tu propia casa.

Deja que los intereses y las necesidades de tu hijo guíen las sesiones, como si tú fueras un compañero y no un maestro. Déjate llevar por su mundo imaginativo y pronto estaréis practicando yoga, creando ejercicios y creciendo juntos. No hay nada que podáis hacer «mal». Siempre que se tengan en cuenta las necesidades individuales y las necesidades de la relación, automáticamente todo será «correcto». Después de todo, en eso consisten el yoga y el *mindfulness*.

El yoga ayuda a los niños a desarrollar la conciencia de sí mismos para saber lo que sienten y necesitan; les proporciona estrategias para calmarse, ir más despacio, y manejar sus emociones; los guía a través de movimientos que mejoran su fuerza, flexibilidad y equilibrio; les enseña hábitos saludables, y les recuerda amarse y perdonarse. El yoga ofrece herramientas a los niños y las familias para alcanzar un estilo de vida holístico. Tienes todo mi respeto por compartir este regalo con tus hijos, y me encantaría saber cómo ha sido tu viaje con la ayuda de este libro.

NOTA DE LA AUTORA

A menudo me preguntan por qué me apasiona tanto enseñar y promocionar el yoga y el *mindfulness* para niños. Podría citar todos los trabajos de investigación en los que me he basado, hablar de mis experiencias pedagógicas o dar un discurso sobre la importancia que tienen las dos disciplinas. No obstante, normalmente suelo contar una historia. En los años noventa empecé mi camino con el yoga y no puedo recordar la cantidad de veces que me dije a mí misma: «Si hubiera conocido todos estos recursos cuando era una niña, ¿podrían haber sido menos dolorosos la adolescencia, la primera juventud y los años posteriores?». A muchas personas que practican yoga esta pregunta les resulta muy familiar, porque muchos de nosotros hemos llegado a la práctica con la intención de desprendernos del dolor, la ansiedad y otras enfermedades comunes de la vida moderna. En mi caso, lo que me condujo al yoga fue un episodio de depresión y anorexia que sufrí cuando asistía a la universidad. Años más tarde, recién casada y trabajando como directora de *marketing*, me pregunté cómo podría ayudar a los demás a evitar los persistentes efectos de ese tipo de traumas que yo misma había padecido en mis años de juventud, o al menos a vivirlos de una manera menos dolorosa. Y luego pensé que sería aún mejor ayudar a los niños a transitar los traumas cotidianos que sufren en el colegio, en casa, al perder un amigo y en diversas situaciones de la vida antes de que esos traumas se convirtiesen en cicatrices permanentes. Pero ¿cómo podría hacerlo?

No es sorprendente que mis propios hijos fueran mi inspiración. Durante sus primeros años de vida y hasta que llegaron a la edad preescolar, en casa teníamos "conversaciones sobre el bienestar». Solíamos decir cosas como: "¿Qué podemos hacer cuando empezamos a sentirnos frustrados? Podemos practicar la *respiración del globo*...», y así otras por el estilo. Intenté conectar con los niños del vecindario y buscar clases de yoga para familias, pero todo fue en vano. Sin embargo, más adelante se encendió la proverbial "bombilla» y empezó mi viaje personal con el yoga para niños.

Mi empresa, *ChildLight Yoga®*, ha ofrecido clases y programas de yoga a niños y familias en la región de Nueva Inglaterra desde el 2005 (www.childlightyoga.com). El programa de entrenamiento para instructores *The ChildLight Yoga®* fue diseñado con el propósito de empoderar a los adultos para llevar la práctica de yoga para niños a sus propias comunidades. Hasta el momento hay alrededor de mil instructores en todo el mundo. En el 2007, trabajando como profesora de yoga voluntaria en la escuela de mis hijos, me di cuenta de que esta disciplina tenía también un lugar importante dentro del campo de la educación. Fui testigo del enorme impacto que las herramientas más básicas del yoga pueden tener sobre el aprendizaje de los niños, la moral de los profesores y la cultura del aula y del colegio en su conjunto. Tras muchos años de práctica, *ChildLight Yoga®* se amplió para incluir el programa *Yoga 4 Classrooms*, que ha empoderado a miles de educadores para integrar el yoga y el *mindfulness* en sus clases diarias. ¡Con la publicación de este libro espero inspirar a los padres para que introduzcan las herramientas que ofrecen el yoga y el *mindfulness* en su propia casa!

En el artículo «Healing Power of Yoga» [El poder sanador del yoga], publicado en una edición del 2010 del *Yoga Journal,* el doctor Sat Bir Khalsa, profesor adjunto de Medicina en el Brigham and Women's Hospital (Boston) y famoso investigador de yoga, afirmó: "Pienso en el yoga como una medida de higiene. La higiene dental, por ejemplo, está absolutamente aceptada por la cultura estadounidense. Las escuelas la enseñan, los doctores la recomiendan, los padres se ocupan de que sus hijos la practiquen. ¿Puedes imaginar que las personas no se cepillaran los dientes a diario? ¡Eso sería inaudito en este país! Sin embargo, ¿qué es lo que sucede con la higiene de la mente y cuerpo? ¡No tenemos nada para eso!».

Khalsa sostiene que si se enseñara yoga en los colegios, se practicara en los hogares y los médicos lo recomendaran de forma rutinaria, estaríamos produciendo una generación más sana física y emocionalmente, equipada con autoconciencia y recursos para manejar el estrés. Yo estoy de acuerdo con él y, dado que estás leyendo este libro, apuesto a que tú también.

A medida que un número cada vez mayor de programas de yoga para adultos y niños se introducen en los centros de atención infantil, gimnasios, aulas y programas extraescolares, cárceles, residencias y centros de asistencia sanitaria, resulta obvio que cada vez tenemos más conciencia de la capacidad del yoga para transformar positivamente nuestras vidas. Y en la actualidad los investigadores lo están respaldando con pruebas científicas con la esperanza de sensibilizar a las autoridades. Imagina un mundo en el que el yoga y el *mindfulness* estuvieran integrados en cada aula y en cada hogar, y fueran financiados por compañías aseguradoras. ¡Eso está llegando!

Hasta entonces vamos a seguir cepillándonos los dientes... ¡y practicando yoga! Mientras respiras, te mueves, te conectas y juegas con tus hijos, estás ayudándolos a practicar la higiene del cuerpo y la mente, promoviendo su bienestar y potenciando un cuerpo, una mente y un espíritu sanos. ¡Mis mejores deseos para ti y tu familia en esta maravillosa aventura!

BIBLIOGRAFÍA

Asencia, Teressa. *Playful Family Yoga: For Kids, Parents and Grandparents*. Hightstown, NJ: Princeton Book Company, 2002.

Flynn, Lisa y Sammie Haynes. *I Grow with Yoga: Yoga Songs for Children* (CD). 2008. www.cdbaby.com/cd/sammiehaynes2.

Freeman, Donna. *Once Upon a Pose: A Guide to Yoga Adventure Stories for Children*. Victoria, BC, Canadá: Trafford Publishing, 2010.

Jennings, P. A. «Contemplative education and youth development». *New Directions in Youth Development*, número especial. *Spiritual Development* 118 (2008).

Khalsa, Sat Bir. «Healing Power of Yoga.» *Yoga Journal* (2010).

Lite, Lori. *Sueños del océano Índigo: Cuentos infantiles diseñados para disminuir el estrés, la ira y la ansiedad, y para aumentar la autoestima*, (set de tres 3 CD). 2007. www.stress-freekids.com/352/indigo-dreams-3cd-set.

Pearce, Joseph. *Magical Child*. Nueva York: Penguin Group, 1992.

Reznick, Charlotte. *Discovering Your Special Place: A Soothing Guided Journey to Inner Peace*, (CD). 2004. www.imageryforkids.com/shop-discspecialplace.html.

_____*The Power of Your Child's Imagination: How to Transform Stress and Anxiety into Joy and Success*. Nueva York: Penguin Group, 2009.

Saltzman, Amy. *Still Quiet Place: Mindfulness for Teens*, (CD). 2004. www.stillquietplace.com.

_____*Still Quiet Place: Mindfulness for Young Children*, (CD). 2004. www.stillquietplace.com.

SOBRE LA AUTORA

Lisa Flynn, profesora de yoga con titulación oficial certificada (RCYT) y amplia experiencia registrada (E-RYT), es la fundadora y directora de *ChildLight Yoga®* y *Yoga 4 Classrooms®*, que imparten clases de yoga, con una metodología basada en datos empíricos, para niños en diversos colegios y colectividades y para profesionales cuyo trabajo está orientado a promover el bienestar infantil. Su propósito es enseñar estrategias para que los niños y los adolescentes puedan desarrollar resiliencia, percepciones positivas, buenos hábitos de salud y atención consciente. Lisa imparte la formación para instructores *ChildLight Yoga®* y coordina los talleres de desarrollo profesional *Yoga 4 Classrooms®* y los Programas Intensivos para Instructores a nivel nacional. Es asesora curricular y participa en conferencias sobre educación, en universidades, colegios y centros de yoga del noreste de los Estados Unidos. Es también una líder muy respetada y colabora con el movimiento que difunde el *mindfulness* y el yoga en colegios y en la comunidad de yoga para niños a nivel internacional. Lisa es autora de varios manuales de programas de yoga para niños y en el 2011 publicó la baraja de cartas *Yoga 4 Classrooms®*. Es un miembro activo de diversas organizaciones profesionales –entre ellas, Yoga Alliance, la Asociación Internacional de Terapeutas de Yoga (IAYT), el Yoga Service Council, la Asociación Internacional de Escuelas de Yoga y *Mindfulness* (IASYM)– y de diversos grupos y organizaciones dedicados a apoyar y desarrollar el área de la educación contemplativa.

Y lo que es más importante, Lisa es madre. Sin lugar a dudas, ocuparse de su trabajo, de las actividades de sus hijos y de su hogar puede llegar a ser un poco estresante en algunos momentos. Pero ella recurre al yoga, a la meditación, a la gratitud y al pensamiento positivo para mantener su vida equilibrada. Su objetivo es servir de inspiración a sus jóvenes discípulos, ofreciéndoles instrumentos para cuidar su salud y su bienestar que pueden utilizar toda la vida.

Encontrarás más información sobre Lisa y su trabajo en:

ChildLight Yoga®: www.childlightyoga.com
Yoga 4 Classrooms®: www.yoga4classrooms.com

ÍNDICE TEMÁTICO

Nota: Los números de página en *cursiva* indican ejercicios, actividades, juegos o canciones/cánticos. Los números de página en **negrita** indican posturas.

D

E

F

G

H